**Comment faire l'amour
à la même personne...
*pour le reste de votre vie !***

DAGMAR O'CONNOR

Comment faire l'amour à la même   *J'ai lu* 7102/**5**
personne... pour le reste de votre vie
Faire l'amour avec amour

DAGMAR O'CONNOR

Comment faire l'amour à la même personne...
pour le reste de votre vie !

Traduit de l'américain
par Marie-Luce Constant

Bien-être

A Gene, Ian et Eric

Titre original :
HOW TO MAKE LOVE TO THE SAME PERSON
FOR THE REST OF YOUR LIFE. AND STILL LOVE IT !
Doubleday & Company, Inc.

Sommaire

DEUXIÈME PARTIE

La reconnaissance de notre sexualité

Remerciements

Ce livre n'aurait jamais été écrit sans l'aide de Daniel M. Klein.

Je désire remercier notamment le Dr William Masters et Virginia Johnson de la *Reproductive Biological Foundation* de Saint Louis, qui m'ont enseigné leurs techniques thérapeutiques. En outre, je suis profondément reconnaissante aux couples qui m'ont consultée au cours des années afin de me faire part des joies et des problèmes de toute relation durable.

J'aimerais remercier, pour leur soutien professionnel, mes mentors et collègues : le regretté Dr Harley Shands, directeur du service de psychiatrie du centre hospitalier St. Luke-Roosevelt, le Dr Stephen Katz, *Commissionner of Mental Health* (Etat de New York), le Dr Joseph Zubin, le Dr Lothar Gidro Frank, Le Dr Stanley Coen et le Dr Iona Ginsberg (tous de l'Université Columbia), le Dr Ellen Watchell et le Dr Stephen Reibel (tous deux de l'hôpital St. Luke-Roosevelt) ainsi que le Dr Martin Stone de l'Université de New York à Stony Brook.

J'adresse une pensée spéciale à ceux et à celles qui m'ont généreusement aidée : mon conseiller juridique Lawrence Gould, le Dr James Meltzer et le Dr Alexander Elder, collègues à l'hôpital St. Luke-Roosevelt, qui ont lu, critiqué et corrigé mon manuscrit avec indulgence et enthousiasme, Birgitta et Stu Tray ainsi que Freke Vuijst pour leurs excellentes critiques, mon agent Mel Berger, mon éditrice Susan Schwartz et mes dactylographes, Mary Ann Manfrini, Myrna Fleming et Marceida Lopez.

Introduction

«Comment pourrais-je véritablement faire l'amour avec la même personne pour le restant de mes jours?»

Qui eût cru, après les plus folles expériences, après l'éclatement de tous les tabous, que le défi le plus excitant de notre vie serait de consacrer sans honte le restant de nos jours à la même personne?

Pourtant, c'est vrai. Vous venez d'ouvrir le livre qui devrait vous aider à relever ce défi.

Comment faire l'amour à la même personne... pour le reste de votre vie est destiné à ceux et à celles d'entre nous qui croient en l'engagement sexuel tout en étant terrifiés par la monotonie d'une routine sexuelle. Il s'adresse à ceux et à celles qui, célibataires, mariés, divorcés ou remariés, ont décidé d'en finir avec les aventures d'une nuit, les liaisons tumultueuses, les infidélités secrètes et les mariages «libres», ne désirant désormais qu'une relation sexuelle profonde et durable.

Cet ouvrage est destiné à la jeune femme perplexe qui m'a fait part de son problème :

> *Diplômée de la révolution sexuelle, je n'avais plus rien à apprendre dans ce domaine. Question technique, je m'y connaissais parfaitement. Mais personne ne m'a jamais appris à y prendre plaisir.*

Il est aussi destiné à cet homme d'âge moyen, en parfaite santé, qui m'a confié en toute sincérité :

> *Ecoutez, Phyllis et moi avons une vie de couple très heureuse et les relations sexuelles n'ont plus*

11

grande importance pour nous. Nous avons échangé la vie sexuelle contre le bonheur conjugal.

Il s'adresse aux millions de gens de tous les âges qui se disent :

Je ferais n'importe quoi pour que notre relation dure mais, soyons réalistes, la promesse de n'aimer qu'une personne pour le reste de mes jours équivaut à celle de ne manger que du poulet durant la vie entière. La seule idée de « permanence » de la vie sexuelle me fait penser à la prison à perpétuité.

Mes quinze années d'expérience, en qualité de thérapeute formée par Masters et Johnson, m'ont permis de rédiger un ouvrage qui, je crois, est plus qu'un simple manuel de survie pour rescapés de la révolution sexuelle. Il présente une hypothèse elle-même révolutionnaire : *les relations sexuelles avec la même personne durant toute la vie pourraient devenir plus palpitantes, plus diversifiées, plus satisfaisantes que tous les autres types d'expression sexuelle que l'on puisse imaginer.*

Depuis quelques années, la majorité des personnes qui me consultent ne semblent pas avoir de problèmes pour faire l'amour. Mais elles ne le font pas aussi souvent qu'elles aimeraient le faire, et rarement avec le plaisir qu'elles souhaiteraient ressentir. Après avoir travaillé en collaboration avec de nombreux couples, jeunes et âgés, appartenant à la classe ouvrière ou exerçant des professions libérales, sexuellement conservateurs ou sexuellement libérés, j'ai mis au point des techniques et des exercices destinés à pallier la rareté des relations sexuelles, l'apathie sexuelle, la monotonie et la perte de sensations. J'ai adapté certaines de ces techniques en me fondant sur les exercices de Masters et

Johnson. D'autres ont été mises au point et peaufinées au cours de mes ateliers d'épanouissement sexuel (*Sexual Expansion Workshops*) à l'intention de couples qui désiraient une relation durable et agréable.

Cet ouvrage repose sur les témoignages des couples qui ont assisté aux ateliers. Il explique comment chaque couple peut apprendre à exploiter son potentiel sexuel. Il analyse les méthodes variées que les couples modernes utilisent pour se repousser mutuellement ainsi que les méthodes tout aussi variées qu'ils pourraient utiliser pour se rapprocher l'un de l'autre. Il explore les mythes qui nous ont incités à croire que, dans une relation sérieuse et durable, des relations sexuelles enjouées et audacieuses n'ont pas leur place. Il étudie comment nous avons appris à «désexualiser» notre vie en devenant «maman» ou «papa» et nous explique comment remédier à cette triste situation pour redevenir de vrais amants. Vous y apprendrez comment la colère, la jalousie, la crainte de l'intimité peuvent gâcher des relations sexuelles harmonieuses.

Contrairement à d'autres ouvrages récents, celui-ci ne vous explique pas comment faire l'amour avec celui ou celle qui se trouve dans votre lit à un moment donné. Il ne décrit pas en jargon académique les techniques découvertes en laboratoire pour surmonter les problèmes sexuels. Il ne démontre pas à l'aide de questionnaires ou de tableaux dans quelle mesure nos habitudes sexuelles sont comparables à celles du reste de la population. Je me suis tout simplement efforcée d'écrire un livre destiné à des personnes normales, intelligentes, qui désirent combiner une relation affective durable et une relation sexuelle enrichissante.

La négation de notre sexualité

1

Les douches froides
de la vie quotidienne

Jusqu'à aujourd'hui, ce qu'on a trouvé de mieux pour éviter d'envisager la sexualité en face, c'est le mariage. Il nous offre plus d'alibis, d'excuses, de distractions et de tensions que tout autre procédé inventé par l'Homme.

Parallèlement, le mariage constitue l'arrangement idéal qui nous permet de jouir des relations sexuelles les plus plaisantes qui soient. Il offre la possibilité de varier, de diversifier et de perfectionner les contacts sexuels.

Il n'y a là aucun paradoxe. C'est une question de choix. Nous pouvons soit nous servir de notre mariage pour donner libre cours à notre sentiment de culpabilité en matière sexuelle, soit en faire l'instrument de notre épanouissement.

Mes quinze années d'expérience dans le domaine de la thérapie sexuelle m'ont convaincue que ce n'est pas le mariage lui-même qui détruit le plaisir : *c'est nous qui éprouvons moins de désir parce que nous sommes mariés.*

Cependant, mon expérience de thérapeute m'a également appris que nous pouvons retrouver notre faculté d'excitation afin de jouir des relations sexuelles les plus riches qui soient.

Cela peut paraître simple mais le processus est en

réalité fort complexe. Il n'est que trop facile de perdre sa faculté d'excitation au cours de la vie quotidienne. Habitudes et routine émoussent notre sexualité tout naturellement. Dans la première partie de cet ouvrage, nous étudierons comment nous en venons à rendre notre vie conjugale grise et ennuyeuse ; nous verrons pourquoi nous agissons ainsi. Nous analyserons les mythes sexuels destructeurs que nous acceptons inconditionnellement, les jeux sexuels dangereux auxquels nous nous adonnons, la manière dont nous nous dupons pour renoncer à l'un des plus grands plaisirs de la vie... et du mariage.

« Ce n'est pas ma faute »

Les années m'ont rendue experte en matière d'alibis sexuels. Il ne se passe pratiquement pas de jour sans qu'un patient me dise : « Ce n'est pas ma faute. » Sa vie sexuelle est devenue morne, insatisfaisante, voire inexistante et le responsable, c'est le mariage, ou le partenaire, ou bien « la nature », ou quelque autre circonstance « indépendante de sa volonté ». A première vue, le patient semble avoir raison.

« Comment les relations sexuelles peuvent-elles demeurer spontanées, alors que vous avez devant vous le même corps, la même odeur, et que vous vous livrez chaque fois à la même vieille routine ? L'ennui sexuel fait partie intégrante du mariage », me dit-on. Ou encore :

« Il ne m'excite plus. Je ne ressens plus rien lorsqu'il me touche. »

« Son corps a changé. Que voulez-vous ? Elle ne me paraît plus sexy comme avant. »

« Ce n'est la faute de personne. C'est cette "chimie" magique qui a disparu. On n'y peut rien. »

18

«Je suis trop vieux pour faire l'amour.»

«Ou bien je suis trop fatiguée pour faire l'amour, ou alors c'est lui qui est trop fatigué.»

«Nous n'avons jamais le temps de faire l'amour.»

«Ça ne marche plus, tout simplement.»

Pour tous ces gens, l'acte sexuel a perdu de sa magie. Lorsqu'ils s'y livraient, c'était seulement pour «en finir au plus vite», pour apaiser leur partenaire ou pour conserver leur «moyenne hebdomadaire». Ils le faisaient rarement par plaisir. D'ailleurs, ils le faisaient rarement, point.

Comment pouvaient-ils se reprocher cela?

Pourtant, c'étaient souvent ces personnes qui me disaient que les relations sexuelles d'un couple marié *devaient être* «mûres», sans comparaison avec les stupides petites séances de libertinage auxquelles se livrent les adolescents. C'étaient aussi ces personnes qui affirmaient que le fait de faire l'amour avec son conjoint devrait permettre d'exprimer tous les sentiments profonds qui habitent le couple. Il s'agissait aussi de personnes qui, consciemment ou non, estimaient que l'essai de nouvelles techniques excentriques, comme tout ce qui n'était pas relations sexuelles proprement dites, ne convenait guère à un papa ou à une maman qui se respectent... Très souvent, ces personnes, qui s'étaient mariées pour trouver un réconfort et se sentir en sécurité, étaient sexuellement étouffées par trop d'intimité. En bref, elles s'étaient servies du mariage pour perdre toute ardeur sexuelle, pour faire disparaître tout enthousiasme, toute gaieté de l'acte sexuel. *Et c'était le mariage que ces personnes désignaient comme responsable de leur apathie sexuelle.*

Le sentiment de culpabilité et les tabous dont on nous accable dès l'enfance nous incitent à rechercher tous les moyens possibles pour ne pas assumer de responsabilités en matière de sexe pour le restant de nos jours. L'acte sexuel, pensons-nous, est quelque chose qui «nous arrive» et non quelque chose que nous «faisons arriver». Cette attitude est évidente dans le cas des jeunes femmes qui, accablées par la honte, ne se livrent à l'acte sexuel que lorsqu'elles sont «emportées», que lorsqu'un séduisant démon leur fait perdre la tête. «C'est arrivé tout seul, je n'ai rien pu faire», se disent-elles ou disent-elles à leur mère, ensuite. En réalité, c'est ainsi que de nombreuses jeunes filles se retrouvent enceintes sans l'avoir désiré. Car si elles s'étaient préparées à l'acte en utilisant un moyen de contraception, elles se seraient senties trop coupables.

Les hommes ne sont pas à l'abri de cette situation. Nombre d'entre eux justifient leurs infidélités en prétextant qu'ils ont été «emportés» par la «frénésie du moment». «Je ne savais plus ce qui m'arrivait», se disent-ils ou disent-ils à leur épouse, ensuite. Car un acte sexuel spontané, sans la moindre préparation psychologique, élimine tout sentiment de culpabilité en nous.

Malheureusement, il est rare que cela se produise ainsi entre deux conjoints. Une fois que nous avons juré de nous aimer toute la vie, l'acte sexuel devient soudainement quelque chose qui «doit» arriver. Et nous devons le faire arriver. Chaque soir, tandis que nous prenons place dans le lit conjugal, nous avons du mal à penser que l'acte sexuel est un «accident», que nous sommes simplement «emportés par la frénésie du moment». Le mariage nous oblige à faire de l'acte sexuel un acte conscient. Ce qui est à la fois un fardeau et une source de bonheur, car cet acte conscient provoque généralement de l'anxiété. Pourtant, il pourrait redevenir l'acte le plus agréable qui soit.

Il est triste de constater que les anxiétés d'ordre sexuel sont fréquemment amplifiées après le mariage. Notre sexualité est trop *présente*, l'acte devient trop conscient pour que nous l'acceptions sans détour et c'est pourquoi nous finissons par inventer mille et une méthodes pour nous décharger de nos responsabilités sexuelles ou, tout au moins, pour soustraire à l'acte sexuel son caractère agréable et excitant. A partir de ce moment-là, nous ne nous disons plus «c'est arrivé tout seul» mais plutôt *«ça n'arrivera plus»*. Nous refusons d'être responsables de notre apathie sexuelle. C'est le processus «chimique» qui s'est déréglé, nous ne sommes plus «emportés», nous sommes trop «occupés» pour faire l'amour. *Ce n'est pas notre faute*, pensons-nous. Faux! Nous sommes les seuls responsables!

Nous nous excitons...
et nous réprimons notre sexualité

En théorie, nous sommes capables de faire l'amour n'importe quand. Notre sexualité est présente à toutes les minutes de la journée et n'attend que notre signal pour se manifester. Nous pouvons être excités par un fantasme passager pendant que nous faisons la lessive, par un passage d'un livre, par une photographie dans un magazine, par le contact fugitif de la cuisse d'un étranger ou d'une étrangère dans un train de banlieue, par la vision rapide d'une jeune femme devant nos fenêtres. Pourtant, nous avons pris l'habitude de nous refréner avant même que ces stimuli n'agissent sur notre sexualité.

Comme l'a exprimé Freud dans *La Psychopathologie de la vie quotidienne*, c'est en réprimant et en supprimant sa sexualité que l'homme devient un être civilisé. En l'absence de ces garde-fous, nous passerions notre temps à copuler avec tout un chacun. L'amour disparaîtrait, la famille se désintégrerait, le travail ne serait jamais accompli. Malheureusement, nous sommes devenus «*trop*» civilisés. Quelle honte de se laisser exciter par le contact fugitif de cette cuisse ou par un fantasme sur notre lieu de travail! Nous traversons nos journées dans un état de sommeil sexuel de peur de ressentir une excitation inconvenante. Lorsque nous rentrons à la maison pour retrouver notre partenaire, nous sommes dans un état de paralysie sexuelle avancée. Et ce n'est que le commencement. Car la maison, le foyer, le chez-soi représentent la dernière et la plus puissante des douches froides.

L'endroit le moins excitant du monde: le foyer

Comparé à notre foyer, le reste du monde est un véritable bouillon de culture sexuelle. En général, il est plus facile de se sentir excité à la vue d'une collaboratrice ou d'un collaborateur attirant que par le chaste baiser sur la joue dont nous gratifions notre légitime conjoint en arrivant à la maison. Le foyer est le lieu de nos plus graves soucis, de nos plus importantes responsabilités, de nos plus déconcertants conflits. En arrivant à la maison, nous pensons immédiatement aux factures à régler, aux tâches à accomplir, aux enfants dont il faut s'occuper, aux disputes, aux horaires, aux travaux routiniers, à tout sauf à faire l'amour. Pour couronner le tout, le foyer est le centre familial que nous avons créé à l'image de celui dans lequel papa et maman nous ont élevés. Cela seul suffit à faire resurgir les tabous sexuels de notre enfance. Bien sûr, le foyer représente aussi la consolation, le confort, l'abri, la sécurité. C'est l'une des raisons pour lesquelles il devient l'endroit le moins excitant du monde. C'est aussi l'endroit où nous nous sommes engagés à n'aimer qu'une personne jusqu'à la fin de nos jours.

« Qui a envie de faire l'amour en écoutant le bruit de la machine à laver ? Comment se sentir excité lorsqu'on sait que les invités vont arriver dans moins d'une heure ? Qui peut répondre à un baiser passionné dans la cuisine en sachant que les enfants peuvent faire irruption à tout moment ? Qui donc peut se pendre au lustre en grognant comme un tigre tandis que les enfants font leurs devoirs dans leur chambre ? J'ai abandonné toute idée de faire l'amour à la maison. Ce n'est pas l'endroit qui convient », m'a expliqué une patiente.

De toute évidence, l'endroit le moins approprié pour les rapports sexuels, c'est la chambre conjugale, ce chaudron où bouillonnent tous les conflits. C'est dans la chambre que nous réglons nos comptes car c'est le seul endroit de la maison qui demeure inaccessible aux oreilles enfantines. Dans la chambre, nous décidons qui se lèvera le premier ; et c'est aussi dans la chambre que nous luttons pour profiter des couvertures et que nous nous querellons à propos de ronflements et de lectures tardives. C'est aussi l'endroit où nous dormons. Pourtant, c'est le *seul* endroit de la maison où nous sommes *autorisés* à laisser s'exprimer notre sexualité, pour la première fois de la journée. « Il est onze heures. Le moment est venu de se rapprocher. » Mais comment ?

Pour éveiller notre sexualité, il est nécessaire de nous concentrer sur nos sensations en oubliant tout le reste. Ce n'est ni en un jour, ni en une semaine, ni même en un mois que nous pouvons apprendre à le faire. Car il s'agit de reconsidérer notre vie tout entière de manière que la sexualité reprenne la place importante qu'elle a perdue.

Pour nous convaincre que nous sommes réellement responsables de nos sensations, un exercice très simple prouve que nous sommes capables de maîtriser nos réactions sexuelles :

> *Caressez la partie extérieure de votre bras avec la main tout en concentrant votre attention sur un problème qui vous préoccupe (finances, enfants, etc.) ou en vous plaçant au cœur d'une certaine agitation (bébés hurlants, machine à laver en marche, etc.).*
>
> *Ensuite, recherchez un endroit tranquille où vous ne risquez pas d'être dérangé et recommencez à caresser la partie extérieure de votre bras. Fermez les yeux, décontractez-vous, laissez votre imagination s'envoler, concentrez-vous sur vos sensations.*
>
> *Vous découvrirez certainement que, lors de la première expérience, vous ne sentiez pas grand-chose. En revanche, la seconde s'est révélée beaucoup plus agréable. Le geste n'était pas différent. Seules les circonstances n'étaient pas les mêmes.*

Osez ressentir du plaisir

Le mariage est véritablement le contexte idéal pour quiconque désire connaître les relations sexuelles les plus agréables qui soient. Car il nous faut « vouloir » l'acte sexuel ; nous devons prendre la décision que c'est exactement ce que nous désirons faire. Ainsi, nous pouvons nous embarquer ensemble dans une aventure sexuelle où règne la confiance mutuelle. C'est « nous » qui sommes responsables de notre vie sexuelle, et non la « magie » ou la « chimie ». Nous pouvons ressentir tout ce que nous voulons.

Pour débuter, il convient d'effectuer ensemble des exercices et de se livrer à des jeux conçus à cet effet. Au cours des années, j'ai adapté les exercices de Masters et Johnson à ceux d'entre nous qui ne souffrent pas de troubles sexuels mais qui ont simplement perdu leur enthousiasme et leur goût de l'aventure. En outre, j'ai conçu plusieurs exercices et jeux qui sont destinés à nous faire redécouvrir le corps de notre partenaire. Ces exercices sont simples et ils suivent une progression. Pour commencer, il faut se livrer à des caresses mutuelles pour parvenir, en suivant diverses étapes, à toutes sortes d'aventures sexuelles. Quel que soit votre «niveau» actuel, j'estime qu'il est préférable de commencer par le commencement, soit l'exercice de toucher I. Dans le pire des cas, il vous aidera à accepter l'idée de consacrer un moment précis à un acte sexuel conscient. C'est déjà beaucoup.

Chaque fois que je prescris un exercice à un couple, il se trouve quelqu'un pour grommeler:

«Les rapports sexuels sont censés se produire spontanément. Quel plaisir peut-on trouver à en faire un exercice de gymnastique? Ça ressemble trop au travail.»

Ou:

«Nous ne sommes plus des enfants. Vos exercices ressemblent à des jeux d'enfants.»

Ou bien:

«Nous n'avons pas le temps.»

Chacune de ces réactions n'est, à mon avis, qu'un aspect du refus de faire de l'acte sexuel un acte conscient. En outre, elles sont une manifestation de notre répugnance à affronter délibérément nos craintes et nos désirs. Je ne crois pas un seul instant que ces exercices enlèvent leur spontanéité aux rapports sexuels. Nos réactions sexuelles sont toujours spontanées. Ce que nous devons faire, c'est créer des circonstances dans lesquelles ces réactions peuvent se produire. Oui, c'est vrai, ces exercices ressemblent à des jeux d'enfants et réjouissez-vous que tel soit le cas. Leur but primordial consiste à nous aider à éliminer le sérieux avec lequel nous contemplons les rapports sexuels entre conjoints et à retrouver la joie de nos premières expériences sensuelles. Nous sommes parfaitement capables de faire de l'acte sexuel un «jeu» sans pour autant devenir irresponsables. Enfin, si nous «n'avons pas le temps» de nous livrer à ces exercices, nous avons déjà décidé que nous n'avions pas le temps d'avoir des rapports sexuels avec notre conjoint. Cet aspect de nos relations conjugales se trouve bien mal placé sur notre tableau des priorités. C'est pourquoi, avant de commencer, il importe de décider *ensemble* que les rapports sexuels revêtent au moins la même importance que les émissions de télévision, la danse aérobic ou les dîners mondains. Vous trouverez le temps de faire l'amour si vous y accordez suffisamment d'intérêt.

Malgré tout ce que je viens de vous expliquer, je n'ignore pas à quel point il peut être pénible de commencer les exercices : nous avons honte, nous nous sentons ridicules ou, pire, nous avons l'impression d'être devenus des «cas» pathologiques puisque nous devons avoir recours à de tels stratagèmes pour redonner son «tonus» à notre vie sexuelle. Je puis cependant vous garantir que c'est le premier pas qui coûte le plus. C'est un saut dans le vide grâce auquel vous osez enfin ressentir du plaisir, car une fois le premier pas accompli, le plaisir vient tout seul. Les exercices ne sont pas une tâche épuisante, mais plutôt une sorte de jeu nouveau. Commencez-les en imaginant que vous goûtez à un nouveau mets ou visitez un nouveau pays. C'est une sorte d'aventure. Vous en ressentirez très vite les effets : vous retrouverez des sensations, des réactions qui vous sont peut-être étrangères depuis des années. Vous réapprendrez à vous décontracter, à ressentir un plaisir dépourvu de tout sentiment de culpabilité, vous recommencerez à considérer le corps de votre partenaire comme une source de plaisir intarissable. En bref, les exercices vous feront oublier toutes les douches froides du quotidien.

2

« J'ai envie de faire l'amour...
Pourquoi pas toi ? »

Il est une scène du film de Woody Allen, *Annie Hall*, dont tout le monde semble se souvenir. L'écran est divisé en deux tableaux. D'un côté, Woody est installé dans le cabinet de son psychiatre. De l'autre, c'est sa maîtresse (Diane Keaton) qui s'entretient elle aussi avec son psychiatre. On leur demande à chacun de calculer la fréquence de leurs rapports sexuels.

« Nous faisons rarement l'amour, répond Woody. Environ trois fois par semaine. »

« Nous le faisons constamment, répond Diane. Environ trois fois par semaine. »

Ce n'est pas par hasard que les cinéphiles se souviennent de cette scène. Elle éveille des échos très personnels. Il est rare que, dans un mariage, il n'existe aucun déséquilibre des besoins sexuels. L'un des partenaires veut faire l'amour plus souvent que l'autre. Et tous deux se plaignent qu'il leur arrive rarement d'en avoir simultanément envie.

« C'est pour cela que le mariage ne peut pas réussir, m'a expliqué un homme qui venait de divorcer. Il est grotesque de penser que deux personnes puissent avoir envie de faire l'amour au même moment et ce, régulièrement. C'est un peu comme si on recevait la même main au poker deux fois dans la même soirée. Les chances sont pratiquement inexistantes. Malheureusement, chaque fois que vous avez envie de faire l'amour et que votre partenaire s'y refuse, vous êtes pris. Vous ne pouvez guère aller voir quelqu'un d'autre.

— Aviez-vous l'habitude de vous livrer ensemble à une autre activité ? J'imagine que vous deviez bien dîner ensemble, par exemple ?

— Bien sûr, a-t-il répondu, mais faire l'amour et dîner ne sont pas des activités comparables. Il n'est pas nécessaire d'être d'une humeur particulière pour dîner.

— Oh que si ! Seulement, vous n'avez aucun problème à mettre votre estomac dans "l'ambiance" tous les soirs à six heures. Pourquoi ne pas faire la même chose lorsqu'il s'agit de votre libido ? Bien sûr, *il faut le vouloir* !

— Plus facile à dire qu'à faire », m'a répondu le patient. Je l'admets.

Princesse et vitamines

Nombreux sont les hommes et les femmes qui attendent d'être dans l'ambiance parfaite pour entreprendre l'acte sexuel, un peu comme un poète romantique attend l'inspiration avant de commencer à écrire.

« Il ne s'agit pas d'un symptôme physique tout simple, comme une démangeaison ou l'envie d'aller aux toilettes, m'a déclaré une patiente, Gwynne G. Il s'agit surtout d'une sensation magique qui s'empare de moi. Je ne peux le prévoir. Et si Jack essaie de me mettre dans l'ambiance — vous savez, les bougies, le champagne, etc. —, je finis par me refroidir complètement. Il s'y prend de manière tellement évidente, tellement délibérée. *Je n'y peux rien.* »

Nous retrouvons notre vieil ami, le « je n'y peux

rien». C'est notre plus grande excuse. Cette petite phrase nous permet d'éviter les contacts sexuels tout en nous déchargeant de toute responsabilité. Croyez-moi lorsque je vous affirme que ceux qui attendent l'inspiration «magique» pour faire l'amour ne le font pas très souvent. A l'instar de Gwynne, ils ne se permettent même pas de se laisser placer dans l'ambiance appropriée. Les tentatives de leur partenaire sont «évidentes, délibérées». En d'autres termes, elles font de l'acte sexuel un acte trop conscient.

Malheureusement, Gwynne avait épousé un homme qui avait besoin de faire régulièrement l'amour. Jack m'a expliqué que, s'il ne le faisait pas au moins une fois par semaine, il devenait anxieux et grognon.

«Je finis par devenir insomniaque, m'a-t-il dit. C'est comme une dose de vitamines qu'il me faut absorber régulièrement. Sinon, je perds la boule. Mais si je raconte ça à Gwynne, elle s'emporte. Elle me répète qu'elle ne veut pas être une dose de vitamines mais une princesse. Je suppose que nous sommes mal assortis. C'est tout.»

Oui, Gwynne et Jack semblaient réellement mal assortis, du moins à l'époque où ils sont venus me consulter. Mais, comme je n'ai pas tardé à le découvrir, tel n'avait pas toujours été le cas. Avec les années, ils s'étaient *polarisés* l'un l'autre. Bien sûr, Gwynne avait toujours voulu attendre d'être «dans l'ambiance» pour faire l'amour, mais au début de leur liaison, elle avait reçu «l'inspiration» deux ou trois fois par semaine. Jack avait toujours ressenti un besoin régulier qui, au début, était parfaitement satisfait. Pourtant, au fur et à mesure que le temps passait, Gwynne avait commencé par considérer les besoins de Jack comme un devoir obligatoire. Elle s'était sentie de plus en plus menacée par la mauvaise humeur de son mari et s'était par conséquent retranchée dans l'attente du moment magique où surgirait l'inspiration. De son côté, Jack s'était senti de plus en plus rejeté. Quels que fussent ses efforts pour créer l'ambiance magique, il n'y parvenait jamais. Plus il se sentait rejeté, plus ses besoins croissaient, et pas seulement ses besoins physiques, mais aussi son besoin affectif d'être attaché à sa femme, d'être rassuré. Jack et Gwynne étaient dans une impasse. Le fossé entre eux ne faisait que s'agrandir. Ils s'étaient mutuellement repoussés jusqu'à l'extrême limite.

Comme de nombreuses femmes — et de nombreux hommes —, Gwynne en voulait simplement à son époux de «l'utiliser» pour satisfaire ses besoins. Elle avait l'impression d'être rabaissée, il lui semblait que leur relation en était souillée et que l'attitude de son mari faisait des rapports sexuels une activité des plus vulgaires. Une autre femme de ma connaissance a déclaré un jour que son mari affublait les rapports sexuels du sobriquet de «Géritol». Une troisième m'a expliqué que son époux surnommait les besoins sexuels «ma démangeaison». Cela est suffisant pour inciter les épouses à espérer le retour du Prince Charmant.

D'autre part, il serait stupide de ne pas reconnaître que les besoins sexuels sont véritablement naturels, tant sur le plan physique qu'affectif. La vie dépourvue de toute communication physique, notamment au sein d'un couple, s'avère particulièrement terne. Au plus profond de nous-mêmes, nous sommes encore des enfants qui ont besoin de caresses sous peine de devenir malheureux. Le mot «besoin» n'est aucunement péjoratif. Il décrit la sexualité de chacun d'entre nous, même si nous répugnons à l'admettre. Comme je l'ai affirmé à Gwynne : «Cessez de vous préoccuper des besoins de Jack et commencez à penser aux vôtres.»

Evidemment, il est peu flatteur de considérer les rapports sexuels comme un autre besoin animal, au même titre que l'appétit, la soif ou l'envie d'aller aux toilettes. Les hommes, notamment, qui ont tendance à envisager l'acte sexuel de cette manière, le réduisent à une activité mécanique et purement génitale, entièrement dépourvue de sentiment et de contact personnel. Ils veulent «passer aux choses sérieuses». Les caresses et les démonstrations d'affection ne sont que les moyens de parvenir à une fin, la «remontée du mécanisme», de manière à satisfaire le besoin. Ces époux sont souvent très consciencieux et s'efforcent méthodiquement de mettre leur épouse «en condition»; mais ces femmes n'ont pas besoin d'être psychologues pour se rendre compte qu'il manque quelque chose. Elles sentent intuitivement, dès les premiers gestes, que l'orgasme masculin est le seul objet de la séance de caresses.

«J'essaie toujours de consacrer au moins quinze minutes aux préliminaires, m'a naïvement expliqué Jack. Elle ne peut pas dire que je me jette sur elle.

— "Préliminaires", c'est le mot le moins excitant que je connaisse, lui ai-je répondu. Il vous trahit. Il révèle la présence d'une corvée dont vous devez vous débarrasser avant de faire ce qui vous intéresse réellement.»

Jack ne s'intéressait pas à tout ce qui entoure l'acte sexuel, au plaisir que le seul contact du corps de l'autre peut engendrer. Non, il ne s'intéressait qu'à la conclusion. Rien d'étonnant à ce que Gwynne se plaignît constamment de l'absence de moment magique!

Il m'arrive parfois de rencontrer des femmes dont les époux ne s'intéressent qu'à la conclusion de l'acte.

«Il sait exactement sur quels boutons il faut appuyer, m'a déclaré une patiente. Il en a fait une véritable science. Cinq minutes à consacrer aux seins, puis il plonge vers mon clitoris, s'y attarde dix minutes avant de monter sur moi. J'ai l'impression d'être un simple billard électrique.»

Cette femme m'expliqua qu'elle parvenait généralement à être excitée et à atteindre l'orgasme, mais

« c'était tellement dans le style "un, deux, trois, partez!" dans sa manière d'agir que j'ai fini par ressentir
une sorte de malaise. Je me suis mise à passer de plus
en plus de temps à imaginer un amoureux romantique et de moins en moins de temps au lit à éprouver
des orgasmes mécaniques avec mon mari ».

Toutes les femmes que je rencontre, quel que
soit leur degré d'inhibition ou de non-inhibition
sexuelle, recherchent les caresses et la tendresse en
tant que telles, pas seulement en guise de préliminaires. Au risque d'être traitée de sexiste, je dois
préciser que c'est la différence fondamentale entre
la sexualité féminine et la sexualité masculine. Les
femmes, quelle que soit leur facilité à atteindre
l'orgasme, ont moins tendance que les hommes à ne
s'intéresser qu'à cette conclusion. Cette attitude
remonte indubitablement à l'enfance. Des études
ont révélé que les petites filles reçoivent généralement beaucoup plus de preuves physiques d'affection que les petits garçons. Une fois que ces enfants
ont atteint l'âge adulte, les ingrédients du déséquilibre sont depuis longtemps en place. A l'instar de
Gwynne et de Jack, chaque conjoint ferme les yeux
sur les besoins de l'autre : l'un, recherchant l'affection, attend inlassablement le moment magique,
tandis que l'autre, désireux de « passer aux choses
sérieuses », vit tous les jours prisonnier de sa propre
frustration.

Le premier « devoir » que j'ai donné à Gwynne et
à Jack était un exercice simple mais paradoxal, destiné à les « dépolariser ». Je leur ai demandé de
conclure un marché entre eux :

*Pendant un mois, Gwynne devait permettre à
Jack de réclamer des rapports sexuels aussi souvent qu'il le désirerait, jusqu'à un maximum
d'une fois par jour. Gwynne devait ensuite faire
les premiers pas.*

Tout d'abord, Gwynne s'est montrée réticente puis elle a finalement accepté.

« Je le ferai, mais je ne promets pas que j'aimerai ça... Pas plus que lui.

— C'est sans importance, ai-je répondu. Réagissez comme cela vous plaît. »

Bien entendu, Jack a commencé par réclamer des rapports quotidiens. Pendant la deuxième semaine, il s'est contenté de ne les réclamer qu'un jour sur deux et, lorsque la troisième et la quatrième semaines sont arrivées, il se satisfaisait de deux séances par semaine. Gwynne était au départ persuadée qu'il la harcèlerait constamment mais, en réalité, les besoins de Jack étaient simplement exacerbés par l'impossibilité d'être satisfaits. En outre, Gwynne a reconnu timidement que, vers la troisième semaine, elle avait commencé à ressentir un peu de plaisir durant leurs rapports ; une fois le premier pas accompli, le reste venait tout naturellement. C'était la réaction que j'espérais d'elle. Nombreux sont les patients pour lesquels c'est le premier pas qui coûte le plus. Ensuite, ils n'ont aucune difficulté à réagir favorablement.

Après avoir cessé de se juger sous des angles extrêmes (« Moi comme un obsédé sexuel et elle comme une sainte-nitouche »), Gwynne et Jack ont entrepris la deuxième étape du parcours qui devait les conduire à une vie sexuelle mutuellement agréable. Je leur ai prescrit l'exercice de toucher I, c'est-à-dire des relations sexuelles qui n'aboutissent pas à l'orgasme.

Exercice de toucher I

Chacun doit, à tour de rôle, toucher et être touché.
Décidez qui commencera par toucher qui.

Nus dans votre chambre, la porte verrouillée et la lumière allumée (et le téléphone décroché), laissez votre partenaire vous caresser sur tous les endroits du corps, à l'exception des parties génitales et des seins. Ne touchez pas votre partenaire. Vous n'avez qu'une tâche : lui faire savoir que ce qu'il fait vous déplaît, si c'est le cas. Ainsi, vous dominez la situation et votre partenaire sait qu'il ne vous procure que du plaisir.

Essayez de ne pas communiquer verbalement. Par exemple, posez la main sur celle de votre partenaire et déplacez-la si ce qu'il fait vous déplaît ou vous chatouille. Fermez les yeux : vous êtes maintenant libre de concentrer votre attention sur vos sensations et non sur votre partenaire. Vous **n'avez pas** à essayer d'interpréter l'expression de son visage. Ne vous demandez pas ce qu'il ressent. **Vous êtes l'unique bénéficiaire de l'exercice.**

Ne vous attendez à rien de précis : ressentez ce que vous ressentez, tout simplement. Il est possible que, lorsque vous exécuterez cet exercice pour la première fois, vous vous sentiez légèrement anxieux. Votre esprit aura peut-être tendance à vagabonder. Il est même possible que vous ne sentiez rien du tout et que vous vous demandiez pourquoi vous n'êtes pas excité. Essayez d'ignorer ces pensées et de vous concentrer sur vos sensations.

Ne vous sentez pas obligé de répondre à votre partenaire, par des paroles ou des gémissements. Si ces réponses viennent spontanément, c'est parfait. Sinon, ne vous laissez pas distraire.

L'expérience doit se dérouler pendant une durée minimale de quinze minutes et une durée maximale de quarante-cinq minutes. Ne regardez pas l'horloge : celle qui se trouve dans votre tête suffit. C'est celui qui est touché qui décide qu'il en a *assez. L'autre ne doit pas essayer d'interpréter ce qui se passe dans la tête du premier. Comme je vous l'ai dit, le seul bénéficiaire de l'expérience, c'est celui qui est touché.*

Il est possible que l'autre finisse par en avoir assez ou qu'il soit irrité ou blessé si vous ne semblez pas réagir, voire si vous vous endormez. Cependant, il doit s'efforcer d'ignorer ces sentiments pour continuer à donner du plaisir. Il doit aussi se souvenir que, plus tard dans la soirée, ce sera à son tour d'être touché.

Enfin, essayez de ne pas tricher. N'utilisez pas l'exercice comme un préliminaire à l'acte sexuel, mais bien comme une simple stimulation. Vous pouvez bien vous passer d'orgasme pour un soir, vous n'en tomberez pas malade. On peut bien apprécier des hors-d'œuvre sans être obligé d'avaler un repas complet.

Le but principal de l'exercice était, bien entendu, de permettre à Jack de reconnaître l'existence de sa sensualité et ce, sans précipitation. Auparavant, il ne lui était possible d'éprouver de telles sensations qu'en tant que préliminaires de la conclusion : l'orgasme. L'exercice l'a obligé à demeurer étendu, immobile, passif, tout en éprouvant ces sensations pour elles-mêmes. L'exercice lui permettait de se décontracter. D'autre part, lorsque est venu le tour de Gwynne, Jack a retiré de ses caresses l'intention unique du coït. Il a pu découvrir le plaisir de toucher pour le simple plaisir de toucher et voir sa femme apprécier ses caresses.

Cependant, cet exercice, de même que les suivants, devait aussi être bénéfique à Gwynne. Régulièrement caressée et caressant régulièrement son mari, Gwynne a appris à connaître ses propres besoins sexuels. Toutes ces années au cours desquelles elle avait attendu le moment magique lui avaient fait dissimuler ses propres besoins. Une fois le premier pas accompli, le reste venait de lui-même.

« J'attendais constamment d'être dans l'ambiance, m'a-t-elle dit en riant au cours de sa dernière séance, mais, en réalité, c'est l'ambiance qui n'attendait que moi ! »

« C'était formidable ! Pourquoi ne le faisons-nous pas plus souvent ? »

L'obstacle le plus difficile à franchir pour la plupart des couples, ce sont les premiers pas, responsables de ce fléau de la vie conjugale : la rareté des rapports sexuels. Une fois qu'un couple a pris la décision de faire l'amour le soir (le matin ou l'après-midi, peu importe), une fois que les premiers pas sont franchis, qu'un bouton est défait, qu'une fermeture éclair est ouverte, il n'y a pas grand-chose qui puisse faire cesser les opérations. Malheureusement, nous avons beaucoup de mal à donner le signal du départ. Et, comme l'a si bien dit le roi Lear : « De rien naîtra le néant. »

« C'est ridicule, m'a expliqué un homme. Je sais qu'une fois que nous commençons, j'adore ça. Mais c'est exactement comme un plongeon. Le plus difficile consiste à quitter le plongeoir. Une fois dans le bain, c'est merveilleux. Mais il y a toujours une raison qui nous empêche de commencer. »

Une femme qui était venue me trouver, en compagnie de son mari, parce qu'ils estimaient que leurs rapports sexuels étaient trop rares, m'a expliqué : « C'est bizarre, mais chaque fois que nous faisons l'amour, nous nous exclamons ensuite : "C'était formidable ! Pourquoi ne le faisons-nous pas plus souvent ?" »

Pourquoi ?

La raison principale est simple. Dans le contexte d'un mariage, les premiers pas s'avèrent nécessairement une décision consciente et non une inspiration soudaine. Cette décision consciente entraîne avec elle un cortège d'anxiétés qui sont liées à l'acte sexuel. Malheureusement, ces anxiétés ne peuvent être balayées durant l'excitation du moment. Voyez-vous, nous ne sommes pas excités au moment où nous prenons la décision de faire l'amour. Nous *prévoyons* simplement que, dans les minutes qui suivent, nous serons excités. Mais, en l'absence de cette excitation, nous sommes obligés de faire froidement face à la signification profonde de notre décision : *nous désirons activement ressentir le plaisir de l'acte sexuel.*

Mais cela fait surgir une kyrielle de craintes et un sentiment de culpabilité qui demeurent endormis lorsque nous sommes simplement « emportés » par la frénésie du moment. Si, à l'instar de tant de gens, vous croyez au fond de vous-même que la sexualité est quelque chose de « sale » et de répréhensible et que vous serez puni pour avoir éprouvé du plaisir, vous devrez affronter cette inhibition chaque fois que vous prendrez *consciemment* la décision de faire l'amour. Il y a de bonnes chances que vous changiez d'avis avant de faire le grand saut.

Par conséquent, lorsque nous pensons à faire l'amour ou lorsque notre partenaire laisse entendre que telle est son intention, nous décidons, par exemple, qu'il est trop tard pour commencer. Nous sommes trop fatigués, nous craignons de ne pas jouir d'assez de sommeil. Ou nous décidons, au contraire, qu'il est *trop tôt* : pourquoi prendre la peine de se déshabiller et de se mettre au lit puisque nous devrons nous lever et nous rhabiller quelques instants plus tard ? (Cela vous ennuie-t-il de vous changer pour une partie de tennis ?)

Il arrive aussi que nous décidions d'exclure nos

activités sexuelles de notre emploi du temps en les remplaçant par des engagements mondains ou un supplément de travail. Nous ne pouvons faire l'amour ce soir car nous devons aller au théâtre ou terminer la rédaction d'un rapport. Nous parvenons même à éviter les rapports sexuels à l'aide de la télévision : nous devons absolument écouter les derniers bulletins d'information avant d'aller au lit. Ensuite, il est « trop tard » pour faire l'amour. Dans une ville du Middle West où la population s'était portée volontaire pour bannir la télévision pendant un mois, on a constaté que la fréquence des rapports sexuels avait connu un accroissement spectaculaire. Ce n'était pas tant que sans la télévision « il n'y avait rien d'autre à faire » mais plutôt que, sans la télévision, le dernier alibi s'effondrait.

Le jeu de la bascule et autres jeux dangereux

Les premiers pas ne sont que la première facette du problème. L'autre facette : « qui » fait les premiers pas ? Cette question soulève toutes sortes de problèmes épineux, assortis de rancune, de récriminations et de luttes.

Brenda et Louis V., un couple du Middle West dans la quarantaine, étaient venus passer deux semaines de leurs vacances à New York afin de suivre un traitement intensif. Après quinze ans de mariage, leur vie sexuelle était au point mort. Voici un résumé des événements, tels qu'ils les ont décrits : pendant quatorze ans, Louis avait toujours fait les premiers pas et, neuf fois sur dix, Brenda s'était montrée consentante. Mais un soir, en rentrant d'un dîner pendant lequel Brenda avait bu plus qu'à l'accoutumée, ils s'étaient couchés et Brenda avait passé la main sous les couvertures pour caresser le ventre et les cuisses de son mari.

« Il a carrément repoussé ma main, se souvient Brenda avec douleur et rancune. Il m'a dit que j'étais ivre et qu'il ne voulait pas faire l'amour avec moi si je me conduisais ainsi.

— Je ne comprends pas pourquoi tu ressasses continuellement ce qui s'est passé cette nuit-là, interrompt Louis. Je t'ai dit que je n'avais tout simplement pas envie de faire l'amour. C'est toi qui n'étais pas toi-même ce soir-là ! Ç'aurait été comme si je faisais l'amour avec quelqu'un d'autre !

— Vous voulez dire que Brenda n'avait pas l'habitude de commencer à vous caresser ?

— Pas seulement ça. Sa manière d'agir, son attitude... Elle riait bêtement... Ça ne lui ressemblait pas. »

Pour Louis, une femme sexuellement agressive, une femme qui « riait bêtement » n'était pas une épouse : c'était une femme aux mœurs légères. Et on ne fait pas l'amour avec une telle femme *dans le lit conjugal*. Louis était victime de l'erreur masculine classique : les femmes sont soit des « madones », soit des « prostituées » et nul homme ne veut d'une prostituée comme épouse et comme mère de ses enfants. Pour certains hommes, cette confusion va jusqu'à les empêcher d'avoir des rapports sexuels avec leur épouse. L'acte sexuel est réservé à la prostituée, non à la madone. Pour d'autres hommes, tels que Louis, tant que leur épouse se conduit comme une madone, ils veulent bien faire l'amour avec elle. Mais à partir du moment où elle donne l'impression d'agir comme une « femme légère », à partir du moment où elle fait les premiers pas, ces hommes se rebiffent. Louis répétait que sa femme était devenue « une autre ». Cela lui permettait de ne pas penser qu'il avait épousé une libertine.

Cependant Brenda était en colère et sa rancune a fini par l'habiter. Elle s'est rendu compte qu'après toutes ces années elle n'avait qu'une seule fois fait les premiers pas... pour être aussitôt rejetée. Ce n'étaient pas ses inhibitions seules qui avaient enfermé sa sexualité au plus profond d'elle-même. C'était aussi le désir de son mari de ne pas voir la sexualité de sa femme jaillir au grand jour. Pis encore, il l'avait obligée à se sentir coupable et à avoir honte d'elle-même. Elle avait l'impression d'être moins que rien. Sans comprendre vraiment pourquoi elle agissait ainsi, elle a entrepris de lui rendre la monnaie de sa pièce. La fois suivante, elle l'a repoussé, prétextant qu'elle n'avait pas envie de faire l'amour. Ce n'était pas simplement de la rancune, elle était sincère. Mais elle a par la suite continué de se refuser à Louis, qui, humilié, a cessé de faire des avances. Il y avait un an qu'ils n'avaient pas fait l'amour.

Brenda et Louis sont l'exemple parfait du plus dangereux des jeux conjugaux : la bascule. Dans ce genre de situation, il n'est pas seulement question de mauvaise synchronisation lorsqu'un partenaire se refuse à l'autre. Le premier refuse de faire l'amour *justement* parce que l'autre en a envie. On règle des comptes, on se venge. Un refus en mérite un autre et nous voilà partis jusqu'au jour où nous n'avons plus du tout envie de faire l'amour au même moment. Le jeu peut durer une semaine, un mois ou, entrecoupé de courtes périodes d'harmonie, toute une vie conjugale. Pour Brenda et Louis, le jeu de la bascule avait eu pour conséquence la désintégration totale de leur vie sexuelle.

Le déclenchement du mécanisme de la bascule dépend pour une large part de la manière dont nous réagissons face au refus : si notre partenaire nous rejette deux nuits de suite, considérons-nous son attitude comme une rancune personnelle ? Trois nuits ? Quatre ? Une semaine de migraines chez notre partenaire, est-ce suffisant pour nous faire éprouver colère et humiliation ? Même lorsque nous savons que l'autre subit des pressions au travail ou traverse des moments difficiles ? Une fois que nous avons ressenti la première humiliation du refus, nous réagissons soit en cessant de faire les premiers pas, pour ne pas risquer une autre humiliation, soit en refusant de faire l'amour la fois suivante. Le mécanisme de la bascule est ainsi déclenché.

Comme la plupart des jeux, celui-ci peut tourner au vinaigre. Le refus entre dans le contexte d'une lutte pour le pouvoir sexuel : « Moi aussi, je peux dire *non* ! » Le plus petit grief sexuel peut revêtir des proportions gigantesques et déclencher une guerre ouverte, notamment si l'un des partenaires (voire les deux) se sent sexuellement peu sûr de lui. Voici l'exemple d'un couple que j'ai connu : l'épouse souffrait fréquemment de migraines très douloureuses. Mais son mari, sexuellement peu sûr de lui, considérait ces excuses comme des prétextes, persuadé que sa femme ne le trouvait pas sexuellement attirant. L'épouse, qui s'efforçait de remédier à la situation, lui faisait des avances lorsqu'elle se sentait bien, mais le problème était trop grave. L'époux était enfermé dans son humiliation et sa rancune. Il considérait les avances de sa femme comme des manifestations de pitié et se gardait bien d'y répondre. Un jour, *elle* s'est mise en colère et a refusé de répondre aux avances du conjoint. Au bout d'une semaine de migraines, ce couple avait abouti à une impasse sexuelle en se laissant prendre au jeu de la bascule.

Une certaine assurance sexuelle alliée à une bonne dose de générosité s'avère nécessaire afin d'éviter de choir dans ce cycle infernal. Un homme qui subit des humiliations professionnelles ne prendra que trop facilement ombrage d'un refus occasionnel de sa femme, quelle que soit la raison de ce refus. Une femme qui est convaincue qu'elle perd ses charmes physiques parce qu'elle a pris un peu de poids interprétera une semaine sans rapports sexuels comme le signe que son mari a perdu tout intérêt *sexuel* pour elle. De l'humiliation à la colère, il n'y a qu'un pas. De la colère à la vengeance, il n'y en a malheureusement qu'un autre.

Lorsque des couples viennent me consulter, je m'efforce généralement de découvrir comment le mécanisme de la bascule s'est déclenché. J'essaie ensuite de leur faire comprendre qu'il peut arriver tout naturellement que notre partenaire *n'ait pas envie de faire l'amour* à un moment précis, que tout refus sexuel ne doit pas être considéré comme un rejet. Une personne qui subit des pressions professionnelles, qui est fatiguée ou déprimée, n'aura probablement aucune envie de faire l'amour et son refus n'aura absolument rien à voir avec les qualités ou les défauts de son partenaire. Il nous est plus facile d'interpréter ainsi la mauvaise humeur d'un ami ou d'un colocataire : *son* problème, c'est quelque chose de passager qui ne nous concerne pas. Mais lorsqu'il s'agit de notre partenaire sexuel, nous considérons sa mauvaise humeur comme un rejet personnel. « S'il ne veut pas faire l'amour avec moi ce soir, c'est parce qu'il en a assez de moi, parce qu'il est frigide ou sexuellement blasé. C'est le commencement de la fin. Ce n'est pas parce qu'il n'en a *tout simplement pas envie*. » Je rencontre quotidiennement des hommes et des femmes qui se gardent bien de faire des avances à leur partenaire pour ne pas risquer un autre refus, interprété comme un rejet total. Pourtant, un seul refus a suffi pour les humilier.

Le droit de faire les premiers pas

Revenons à Louis et à Brenda. Leur problème est né d'un incident bien plus grave qu'une humeur passagère. Il fait surgir au grand jour le déséquilibre latent de leur relation depuis quinze ans. Lorsque Louis a repoussé la main de Brenda, il lui a fait comprendre clairement : « C'est contre les règles du jeu. Je suis le seul à pouvoir faire les premiers pas. Tu n'as pas le droit de me faire des avances. »

Comme nous l'avons vu plus haut, la violation de cette règle implicite a transformé l'épouse Brenda en une femme aux mœurs légères, une dévergondée. En outre, son geste constituait une exigence sexuelle. En tendant la main vers son époux sous les couvertures, Brenda lui *demandait* de remplir son rôle sexuel — c'est du moins ainsi qu'il l'a interprété — et il s'est senti angoissé à cette idée. Que se passerait-il s'il n'était pas à la hauteur de la tâche ? (Bien entendu, cette angoisse était plus que justifiée, vu le contexte.) Ayant toujours effectué les premiers pas, Louis avait toujours dominé la situation et n'avait jamais considéré l'acte sexuel comme une exigence. Cette nuit-là, il s'est senti menacé.

La même nuit, Brenda a eu une révélation : elle n'avait jamais fait l'amour avec son mari simplement parce qu'*elle* en avait envie. Elle avait toujours attendu qu'il fasse les premiers pas. Il lui était peut-être arrivé de lui laisser comprendre ses désirs par un regard, une touche de parfum, mais elle n'avait jamais pris l'initiative. L'unique fois où, dans un état d'ébriété légère, elle s'était risquée à lui faire des avances, il l'avait repoussée. Elle avait reçu le message cinq sur cinq : « Reste à ta place. C'est moi qui décide quand nous faisons l'amour. » Ce message avait dévoilé un ressentiment que Brenda portait au fond de son cœur depuis quinze ans : *ce n'était pas juste*. Plusieurs séances furent nécessaires avant que Brenda ne soit capable de formuler ouvertement cette petite phrase.

« Ce n'est pas comme si j'étais une de ces femmes modernes, qui désirent avoir leur propre carrière, prendre séparément leurs vacances, etc., m'a expliqué Brenda. Mais je suis capable d'éprouver mes propres sentiments, mes propres désirs sexuels. Pourquoi dois-je constamment me plier à ses désirs ? Pourquoi devrais-je toujours attendre qu'il en ait envie ? »

On peut affirmer que Brenda s'est faite, ce jour-là, le porte-parole de plus de la moitié des femmes mariées. Même au sein des couples les plus «libérés», au sein desquels les femmes ont une carrière et où les tâches ménagères sont réparties également, une fois les deux époux dans la chambre, il est rare que tous deux aient le droit de faire les avances. Lorsque *l'homme* veut faire l'amour, il tend la main vers le corps de sa femme. Lorsque *la femme* veut faire l'amour, elle tend la main vers la bouteille de parfum.

Mon travail ne consiste toutefois pas à adopter une attitude moralisatrice. Si j'étais une thérapeute sexuelle installée à Tombouctou (bien que je doute fort que ce genre de thérapeute existe au Mali), je me garderais de partir en guerre contre les traditions en exigeant des femmes qu'elles se mettent à faire des avances à leur mari. Mais Brenda était une Américaine typique, «moderne» ou non. Elle se sentait dupée par le déséquilibre du pacte sexuel qu'elle était tenue de respecter. Pendant quinze ans, elle n'avait ressenti qu'une rancune latente. Aujourd'hui, c'était la guerre ouverte. Mon travail n'était pas de convaincre Louis de ses «obligations morales» en matière d'équité sexuelle. C'était plutôt de les aider à ranimer leur vie sexuelle et, partant, à sauver leur mariage.

J'ai commencé en essayant de démontrer à Brenda que pendant quinze ans elle avait été consentante. Le blâme n'était pas à rejeter entièrement sur Louis.

« Je me demande quel avantage vous pouviez bien tirer de cet arrangement, lui ai-je dit.

— Aucun. Je ne me posais pas de question.

— Vraiment? Mais même si vous n'aviez pas le pouvoir de faire les premiers pas, vous aviez celui de vous refuser à Louis, bien que vous l'ayez rarement fait. Et ce type de pouvoir ne vaut plus grand-chose une fois que vous commencez à faire des avances à votre tour. Car lui aussi peut alors se refuser à vous. »

Traditionnellement, ce «droit de veto» a été une source de pouvoir sexuel pour la femme dès sa première expérience sexuelle. C'est presque toujours elle qui décide, unilatéralement, qui va lui faire perdre sa virginité. Et, au sein de la plupart des couples mariés, la femme conserve ce pouvoir. Elle «rationne» la vie sexuelle de son époux. C'est sa principale monnaie d'échange. Lorsqu'elle cède, elle a droit à la reconnaissance du mari, voire à certaines faveurs. Lorsqu'elle repousse ses avances, c'est pour le «maintenir dans le droit chemin», pour lui laisser comprendre qui commande, en matière de rapports sexuels. Brenda, à sa façon, tenait les rênes de Louis. Au cours de cette nuit mémorable, elle avait semé le désarroi dans leur vie sexuelle.

« *Une minute*, me direz-vous, *ce que vous décrivez là, c'est une vieille habitude tribale qui n'a rien à voir avec la vie d'un couple moderne. Le temps est révolu où une femme échangeait sa virginité contre le mariage et des manteaux de fourrure! Votre vision des femmes est insultante!* »

C'est vrai : elle est insultante. Mais elle insulte aussi les hommes. Et j'aimerais beaucoup qu'elle ne soit pas si exacte. Car il n'en demeure pas moins que, dans la majorité des couples, modernes ou non, c'est l'homme qui fait habituellement les premiers pas. Et c'est la femme qui détient encore le droit de veto. Je rencontre parfois des femmes qui se plaignent de ne pas prendre plaisir à l'acte sexuel mais, en réalité, je découvre qu'elles *répugnent* à y prendre plaisir car cela les obligerait à abandonner leur pouvoir sexuel. Une femme qui aime faire l'amour avec son époux ne peut plus prétendre qu'elle « cède » à ses avances.

Lorsque l'égalité sexuelle existe vraiment, hommes et femmes abandonnent leur pouvoir. Chacun a le droit de faire les premiers pas. Chacun a le droit de se refuser à l'autre. Mais il n'est pas facile d'atteindre cette égalité. Il est en revanche beaucoup plus simple de déclencher le mouvement de la bascule.

Le fait que Louis et Brenda aient pris la peine de venir jusqu'à New York pour consulter un thérapeute prouvait que la bataille sexuelle était déjà terminée. Tous deux voulaient que leur mariage — et leur vie sexuelle — dure. Ma tâche consistait à les aider à repartir du bon pied. Comme à l'accoutumée, je leur ai tout d'abord prescrit l'exercice de toucher I (l'un des partenaires caresse l'autre pendant une durée maximum de trois quarts d'heure — seins et parties génitales exceptés — sans que l'orgasme soit permis par la suite). Le point de départ étant le stade le plus délicat, j'ai conseillé à Louis d'assumer le rôle de partenaire *actif* pendant la première soirée. J'étais convaincue que si je lui demandais d'être l'époux passif, il se serait senti trop menacé. Malgré cette précaution, la première soirée n'a guère été fructueuse.

« Je ne ressentais rien, m'a raconté Brenda le lendemain. J'étais couchée là, comme un morceau de bois. Au bout d'un moment, c'est devenu carrément ennuyeux. Pour tous les deux, d'ailleurs. Je lui ai demandé de s'arrêter au bout de quinze minutes. »

Louis a acquiescé.

J'ai donc laissé tomber la question temporairement. Je savais que la colère qu'ils avaient accumulée en eux les empêchait de tirer profit de l'expérience. Il fallait donc les obliger à extérioriser cette colère. A la fin de la séance, je suis allée chercher deux sacs de ficelle remplis de balles de ping-pong et leur en ai donné un chacun.

« Ce soir, je veux que vous combattiez à dix pas l'un de l'autre à l'aide de balles de ping-pong. Une seule règle : vous devez être nus. Plus tard, si vous vous sentez plus réceptifs, vous pouvez essayer de reprendre l'exercice de toucher. »

Le lendemain, j'ai constaté, dès leur entrée dans mon cabinet, que les choses allaient beaucoup mieux.

« Nous avons triché, dit Brenda immédiatement, incapable de cacher son sourire. Nous avons fait l'amour. »

En extériorisant physiquement mais sans danger leur colère, ils avaient réussi à faire l'amour pour la première fois depuis un an. Mais cela n'était pas suffisant pour éliminer le déséquilibre qui était à l'origine du conflit. Ils n'étaient pas parvenus au stade auquel chacun des deux a le droit de faire les premiers pas. C'est pourquoi je leur ai prescrit l'exercice de toucher I, pour la deuxième fois. J'ai conseillé à Brenda d'être le partenaire actif tandis que Louis recevrait passivement les caresses.

« Résistez à la tentation. N'essayez pas de la toucher. Si cela peut vous aider, fermez les yeux et imaginez-vous qu'une geisha est en train de vous masser. »

Dans le cas d'hommes qui se sentent menacés à l'idée d'être sexuellement passifs (cette catégorie inclut, semble-t-il, la plupart des hommes), le fantasme d'un massage effectué par une geisha ou une masseuse aplanit les difficultés. D'ailleurs, la majorité des hommes ont fréquemment ce fantasme. Ce n'est que dans la réalité que l'idée leur semble menaçante. Louis semblait prêt à tenter l'expérience, mais Brenda renâclait à la tâche.

« Je ne crois pas que ça me plairait d'être sa geisha, me dit-elle.

— Vous pouvez être ce que vous voulez, lui ai-je expliqué. Mais Louis peut aussi imaginer ce qui lui plaît. C'est le contact, les caresses qui sont importants, de même que le plaisir que vous ressentez tous deux. Laissez vos corps redevenir amis. Vous parlerez ensuite. »

Leurs corps redevinrent amis ce soir-là. Je m'émerveille encore, après toutes ces années, de la faculté que nous avons de résoudre tant de problèmes à l'aide du simple contact tactile. Une fois que nous autorisons notre partenaire à nous toucher, il devient difficile de demeurer en colère. Une fois que nous nous décontractons sous ses caresses, savoir qui «commande» ou qui «fait des avances» semble caduc. Tout ce qui compte, c'est le *plaisir* que l'on ressent, le plaisir de toucher et d'être touché.

Pour la première fois de sa vie, Louis s'est permis d'être passif. Il a laissé Brenda faire les premiers pas et continuer à diriger les opérations, jusqu'au bout. Il a ensuite admis avec bonheur que l'expérience avait été merveilleuse. En progressant d'un exercice à l'autre jusqu'au jour où ils se sont conduits mutuellement à l'orgasme, Brenda et Louis ont redécouvert la plus fondamentale des vérités en matière sexuelle : *c'est bon de faire l'amour*. Et nous sommes seuls responsables des obstacles qui se dressent parfois sur la route de ces agréables sensations.

Tout au long des exercices, je leur avais prescrit de faire les premières avances chacun à leur tour. Au cours de la dernière séance, je leur ai réclamé une promesse : une fois rentrés chez eux, ils continueraient dans cette voie.

«Ce n'est pas juste, a protesté Louis en souriant. Elle me doit encore quinze ans, ces quinze ans pendant lesquels c'est moi qui ai fait les premiers pas. »

Paresse sexuelle chez les moins jeunes

Heureusement, certaines choses changent entre les deux sexes. L'un des changements les plus notables que j'ai constatés au cours de ces dernières années a été la promptitude des femmes à reconnaître sans détour qu'elles voulaient faire l'amour et qu'elles aimaient ça. Malheureusement, ce changement a entraîné avec lui son cortège de problèmes. Je rencontre un nombre croissant de femmes mariées qui se plaignent de la paresse sexuelle de leur époux ou de son manque d'énergie sexuelle.

L'une de mes patientes m'a déclaré : « J'avais toujours cru que c'était un mythe ce qu'on racontait à propos de l'appétit sexuel croissant des femmes et de la libido décroissante des hommes après vingt ans. Aujourd'hui, je suis prête à croire que cela reflète la réalité.

— Surtout pas, l'ai-je prévenue. Ce n'est qu'en le croyant vraiment que vous finirez par le prouver. »

En réalité, les hommes comme les femmes en bonne santé peuvent entretenir des relations sexuelles actives et fréquentes jusqu'à un âge avancé. Bien sûr, plus un homme vieillit, plus il lui faut du temps pour parvenir à l'orgasme, mais c'est une caractéristique que son épouse apprécie autant que lui. En outre, il faut généralement plus de temps à un homme d'âge moyen pour être stimulé de nouveau après un premier orgasme, mais la différence se chiffre en minutes ou en heures. Par conséquent, un homme qui s'abrite derrière son âge pour excuser la chute de son appétit sexuel dupe sa femme et se dupe lui-même. Ce n'est pas l'énergie sexuelle qui lui manque, c'est autre chose.

La première partie de cet ouvrage traite surtout des divers éléments qui composent cet « autre chose». Je dois vous parler ici d'un jeu de bascule particulièrement dangereux qui semble avoir contaminé un grand nombre de couples d'aujourd'hui : la femme n'ayant plus peur de dire qu'elle a envie de faire et de refaire l'amour, l'homme choisit de répondre : «Pas ce soir, ma chérie, je suis fatigué.»

Une fois de plus, je crois que le cœur du problème est le sentiment de pouvoir sexuel de l'homme. L'époux qui se montre sexuellement paresseux dans le lit conjugal passe fréquemment toute la journée à se sentir excité par des collègues de bureau et des passagères du même train de banlieue. Il est «paresseux» *parce que* sa femme admet ouvertement qu'elle veut faire l'amour. Elle le prive de son rôle d'agresseur sexuel. Et, dépouillé de ce rôle, il n'a plus du tout envie de faire l'amour avec sa femme.

Au sein de la plupart des sociétés, c'est l'homme qui agresse. L'image du troglodyte qui entraîne sa compagne par sa longue chevelure vers la caverne conjugale est constamment présente en nous. Le coït même semble symboliser la dominance du mâle. C'est *l'homme* qui pénètre *la femme*. Il est en position de domination. Mais aujourd'hui ces notions semblent de plus en plus désuètes. Et lorsqu'une femme admet qu'elle aimerait faire davantage l'amour avec son mari, c'en est trop pour lui. Il se recroqueville — littéralement — car il a l'impression de partager sa couche avec une «mangeuse d'hommes».

Je le répète : les hommes ont tendance à considérer les femmes sous des angles extrêmes. Si une épouse n'est pas sexuellement timide ou réticente, elle est vorace et insatiable. Une femme ne peut être qu'une «princesse virginale» ou une amazone. Il n'existe aucune demi-mesure. La crainte de la «mangeuse d'hommes» remonte très loin car elle évoque toutes les terreurs de l'enfance face à une mère toute-puissante. Une amante vorace, insatiable, ne peut que dévorer vif son amant. L'homme est angoissé à l'idée d'être aspiré par le vagin de sa femme, tel Jonas aspiré dans le ventre de la baleine.

Mais attention! Tout ce que ces femmes veulent dire, c'est qu'elles ont simplement découvert qu'elles aimaient faire l'amour. Et qu'elles voudraient bien le faire plus souvent, parfois entamer elles-mêmes les préliminaires. Cela les rend-il insatiables?

« Je crois que j'ai simplement du mal à m'habituer à l'idée, m'a avoué un époux à ce propos. Ma femme n'a qu'à dire quelque chose du genre: "Tiens, je crois que ça me plairait de faire l'amour, ce soir" pour que la panique s'installe. Je ne peux me calmer qu'en imaginant que je séduis la jeune femme qui habite la maison voisine. »

Rien d'étonnant à ce que ce fantasme ait le pouvoir de le calmer: il y joue le rôle d'agresseur, de séducteur, de violeur de la vierge. Pour un homme tel que celui-là, le mariage doit nécessiter un rajustement sexuel, car son épouse aura bien du mal à redevenir vierge chaque soir! Il considère tout acte sexuel comme un exploit à accomplir et toute requête d'ordre sexuel lui paraît écrasante. Nous discuterons plus loin du type de problèmes que cet homme affronte et de la manière dont il peut essayer de s'en débarrasser (voir chap. 5). Mais pour le moment, voyons un peu comment son épouse et lui se sont mutuellement polarisés: il la considère comme une mangeuse d'hommes et s'éloigne d'elle, saisi de panique, tandis qu'elle le voit comme un « amant paresseux », un homme d'âge mûr dont le potentiel sexuel s'estompe malgré les efforts qu'elle accomplit pour l'aiguillonner. Plus elle le pique, plus il panique. Et voici la bascule.

Voici l'exercice que je recommande aux couples qui sont victimes de ce problème particulier. Je l'appelle le « guide de la paresse sexuelle à l'intention de l'homme mûr »:

*Pendant un mois, l'épouse peut réclamer des rapports sexuels aussi souvent qu'elle le désire — jusqu'à deux fois par jour — et l'époux est tenu d'accepter. **Mais il est autorisé à la satisfaire en n'accomplissant que l'effort minimal.** Par exemple, il peut s'allonger, regarder le plafond tout en masturbant sa femme d'une main, si cela lui plaît. Elle, à son tour, ne peut se plaindre de la paresse de son mari puisqu'il la satisfait.*

Il s'agit bien sûr d'un exercice paradoxal. En général, quelques semaines suffisent pour que le mari découvre que sa femme n'est pas réellement insatiable. Il avait cette impression simplement parce que plus elle réclamait, moins il cédait. En outre, il finit par s'apercevoir qu'en l'absence de toute obligation d'accomplir des exploits sexuels il est tout à fait d'accord pour faire l'amour malgré sa « fatigue ».

Je recommande donc cet exercice à tous les couples qui ressentent, ne serait-ce que dans des proportions encore minimes, ce déséquilibre. Il doit les aider à s'apaiser et à rechercher l'égalité sexuelle. Mais pour beaucoup d'entre nous, plusieurs étapes doivent être franchies au préalable : nous devons être prêts à accepter le plaisir sexuel « égoïstement », attitude qui n'est pas naturelle chez les femmes. Nous devons accepter de nous satisfaire de variantes sexuelles autres que le coït, ce qui se révèle un problème pour de nombreux couples mariés. Nous étudierons plus tard comment surmonter ces deux obstacles.

« Faites la colère » et non l'amour

Lorsqu'un partenaire refuse de faire l'amour, c'est souvent parce qu'il est en colère et ne veut pas « céder ». La colère, les luttes sont des ingrédients inévitables de la vie conjugale mais la manière dont cette colère agit sur la vie sexuelle peut déterminer la réussite ou l'échec du mariage.

« Nous sommes au beau milieu d'une épouvantable querelle, m'a expliqué Janice G., jeune mariée, et soudain, Brian s'exclame : "Nous n'en sortirons pas. Allons au lit !" Comme ça, simplement. Il s'imagine qu'en faisant l'amour nous réglerons tous les problèmes. Mais lorsque je suis furieuse, c'est pour de bon et, la dernière chose que j'aie envie de faire, c'est d'écarter les jambes !

— Le fait d'écarter les jambes vous donne-t-il l'impression que vous avez perdu la bataille ?

— Evidemment ! répond Janice.

— Eh bien, il nous faut trouver un moyen de vous permettre de faire l'amour tout en gagnant la bataille », lui ai-je expliqué.

En général, j'approuve le point de vue du mari de Janice : les luttes verbales semblent dégénérer jusqu'à un point de non-retour et les rapports sexuels permettent à la colère de s'extérioriser de manière inoffensive en améliorant la compréhension mutuelle des époux.

Il est évidemment difficile de ne pas laisser la colère influencer nos relations sexuelles. D'autre part, nous laissons trop souvent l'amour agir sur notre vie sexuelle. Nous estimons que nous devons absolument ressentir une tendresse mutuelle pour faire l'amour et, lorsque nous sommes en colère, nous ne voulons pas « céder ». L'expression même « faire l'amour » est ambiguë car il existe des moments durant lesquels il serait plus approprié de « faire la colère » plutôt que l'amour. Le plus important est de le faire.

« Faire la colère » n'est pas un acte aussi étrange, aussi pervers qu'on pourrait le croire. Nous nous souvenons tous de ces scènes de film — *Autant en emporte le vent* en présente une classique — au cours desquelles un homme et une femme s'interrompent au milieu d'une violente querelle pour s'enlacer passionnément.

La transition émotive est compréhensible : la *colère* et l'*excitation* naissent dans la même région de notre système émotif. Toutes deux sont des manifestations d'une certaine stimulation. Elles sont le produit d'une interaction passionnée.

Au niveau le plus primitif, la *colère*, la *peur* et l'*excitation sexuelle* sont identiques. Lorsqu'un chien a peur, l'érection est l'une de ses premières réactions physiques. Les humains peuvent également être sexuellement excités à certains moments incongrus : une femme atteinte d'un fou rire peut découvrir ensuite que son vagin s'est lubrifié ; un homme terrassé par le chagrin peut conserver un semblant d'érection pendant des heures. Il est tout à fait approprié de faire l'amour avec notre partenaire à ces moments précis, car l'acte sexuel devient le prolongement purement frivole d'un moment de gaieté ou l'expression d'un rattachement passionné à la vie dans un moment de peine. *L'acte sexuel n'est pas obligatoirement quelque chose d'isolé, la manifestation d'une seule émotion.* Nous emprisonner dans cette conception ne nous apportera qu'ennui sexuel. D'ailleurs, lorsque l'un des partenaires s'écrie : « Je suis trop en colère pour faire l'amour », il est probablement déjà sexuellement excité. La question cruciale est la suivante : Qu'avons-nous à perdre en cédant à cette excitation alors que nous sommes en colère contre notre partenaire ?

Pour de nombreux couples, la sexualité conjugale ne permet pas de « faire la colère », pas plus qu'elle ne fait place à des rapports joyeux, frivoles. La sexualité conjugale est une chose sérieuse. Souvenez-vous de papa et maman ! « Faire la colère » semble trop dangereux et, surtout, *trop passionné* pour un couple marié. Par conséquent, nous limitons les occasions de faire l'amour aux moments pendant lesquels nous partageons une minuscule partie du spectre de nos émotions : les moments de tendresse. Et nous finissons par nous plaindre du fait que nous ne faisons pas l'amour assez souvent.

Pour d'autres, tels que Janice, la jeune femme mentionnée plus haut, c'est une trop grande évocation de défaite que de passer d'une querelle à l'accouplement, de la colère à l'oreiller. Lorsque j'ai mieux connu Janice et son mari, Brian, j'ai compris pourquoi elle réagissait ainsi. Son époux avait une personnalité très forte, un caractère entier. Il avait grandi au sein d'une famille querelleuse et ses petites disputes avec Janice lui paraissaient dérisoires. Pourtant, lorsqu'il suggérait, au beau milieu de l'une d'elles, qu'ils aillent « au lit », il n'essayait pas seulement de transcender leur désaccord, il s'efforçait aussi d'utiliser les rapports sexuels comme un moyen de conserver sa mainmise sur Janice. Il voulait « l'occuper » de manière à retrouver sa position de domination. Janice s'en rendait parfaitement compte. Au début, tandis que Brian prenait l'habitude de terminer une querelle en proposant qu'ils aillent « au lit », Janice avait cédé, à contrecœur. Elle l'expliquait ainsi :

« Je me suis dit : D'accord, nous allons faire l'amour, mais je ne réagirai pas. Je ne lui donnerai pas cette satisfaction. Mais au bout d'un certain temps, j'ai eu l'impression d'être doublement perdante. Non seulement faisait-il ce qu'il voulait, mais en plus il éprouvait du plaisir tandis que j'en étais privée. »

Pour Janice, chacune de ses querelles avec Brian était un cataclysme, une catastrophe qui mettait en danger leur relation, le symptôme d'un grave problème entre eux, une menace pour leur mariage. Elle avait grandi dans un milieu familial où les querelles étaient rares et elle ne comprenait pas que les relations conflictuelles puissent être intégrées au rythme même du mariage, constituer une soupape de sécurité et permettre à chaque partenaire de prendre occasionnellement ses distances. Loin de menacer leur mariage, les querelles avec Brian étaient peut-être le ciment qui le consolidait. Mais c'était là une conception qu'elle ne pourrait jamais adopter, tant qu'elle considérerait que céder à son mari au milieu d'une querelle représentait une défaite.

« Lorsque je suis irritée contre Brian, je le trouve détestable. Comment faire l'amour avec quelqu'un de détestable ? Quel genre de fille suis-je donc ?

— Il me semble que vous demeurez vous-même, quelle que soit votre opinion de Brian à ce moment-là. Mais si en acceptant de faire l'amour dans ces circonstances vous vous sentez écrasée, je peux comprendre que vous ne laissiez pas libre cours à vos impulsions sexuelles et que vous refusiez d'y prendre plaisir. Cependant, au lieu de vous livrer à ces manœuvres compliquées, pourquoi n'essaieriez-vous pas de prendre les commandes de vos relations sexuelles ? »

J'ai fait la suggestion suivante : si Brian essayait de nouveau de faire des avances à sa femme au milieu d'une querelle, elle le laisserait volontiers agir, *mais n'hésiterait pas à prendre la direction des opérations.*

« Lorsqu'il vous pénétrera, retenez-le avec force. Ayez l'impression de l'agripper, d'être *l'agresseur* et non *l'agressée.* »

Je lui proposai ensuite d'extérioriser sa colère physiquement :

*Montez sur lui, prenez la position de **supériorité** et assurez-vous qu'il est immobilisé sous vous. Prenez la direction du mouvement. Laissez votre bassin extérioriser votre colère.*

Janice était naturellement hésitante. Elle n'avait pas l'habitude de se montrer si ferme et elle avait peur de la réaction de Brian. Finalement, au beau milieu d'une querelle, Brian a suggéré une fois de plus qu'ils aillent «au lit».

«J'étais furieuse, m'a ensuite raconté Janice, incapable de dissimuler son sourire, et j'ai dit: "D'accord!" Il ne comprenait plus et une fois que nous avons été couchés, il n'a jamais su ce qui lui était tombé sur la tête! J'ai fait tout ce que vous m'aviez conseillé de faire et j'ai trouvé cela merveilleux. Je n'ai jamais eu autant de plaisir depuis notre mariage. Brian a été plutôt abasourdi. Mais ensuite, il s'est montré aussi docile qu'un chiot et nous nous sommes sentis si proches l'un de l'autre qu'un peu plus tard nous avons fait l'amour. Nous avons d'abord fait la colère, et ensuite l'amour.»

C'était une combinaison gagnante. Avec le temps, Janice et Brian ont cessé de se quereller aussi fréquemment et ils se sont mis à apprécier davantage les moments de querelle. Lorsque chacun des partenaires tient les rênes de la situation, il n'y a aucun perdant. Et il n'en demeure pas moins qu'il est bien difficile de demeurer furieux lorsqu'on se donne mutuellement tant de plaisir.

Concluons un marché!

La synchronisation du désir sexuel est l'un des principaux problèmes de la vie conjugale. Pourtant, lorsque j'explique aux membres d'un couple que «les relations sexuelles sont négociables», ils réagissent par l'horreur.

«Ça paraît tellement détaché, tellement froid, disent-ils. Nous recherchons le romanesque et vous parlez de transactions.

— Voulez-vous oui ou non obtenir ce que vous désirez? Du romanesque jusqu'à l'orgasme? Laissez-moi vous dire que si vous attendez que cela arrive tout seul, vous attendrez jusqu'à la fin de vos jours. Il ne s'agit pas de négocier *pendant* que vous faites l'amour. Cela ne serait pas très drôle! Mais des négociations sont parfois utiles pour commencer. »

Pour la plupart des couples, c'est le départ qui est difficile. Une fois qu'ils ont pris l'habitude de « négocier », ils ont tendance à considérer les pourparlers comme un jeu amusant.

« C'est comme un jeu *sexy* », m'a expliqué une patiente.

Peu de couples éprouvent les mêmes désirs aux mêmes moments. Je suggère donc un compromis très simple du genre: « Je veux bien faire l'amour plus souvent, par exemple trois fois par semaine, si tu promets de consacrer plus de temps aux caresses préliminaires, disons une heure.

— D'accord, mais avec la lumière allumée!

— Parfait! »

Vous pouvez étendre ce type de compromis à tous les aspects de votre vie sexuelle: de l'ambiance que vous souhaitez jusqu'à certaines variantes sexuelles que vous n'aviez jamais osé réclamer. Une fois qu'on a eu le courage d'extérioriser l'un de ses souhaits, les autres semblent venir très facilement.

« J'ai toujours voulu être accueilli à la porte par une femme souriante qui tiendrait un verre à la main. »

« J'ai toujours voulu être transportée dans la chambre pour y être caressée pendant des heures. »

« J'ai toujours voulu que tu embrasses mon ventre et ma poitrine. »

« J'ai toujours voulu que tu me parles, pendant que nous faisions l'amour. »

Si nous écoutons sincèrement les souhaits de

l'autre et concluons un honnête marché qu'il nous est possible de respecter, pour une nuit ou pour une semaine, nous parviendrons plus facilement à connaître une vie sexuelle épanouissante. Qu'y trouvez-vous de froid ou d'égoïste?

3

La famille : la plus froide des douches froides

Voici une anecdote que l'un de mes professeurs de psychologie se plaisait à raconter : un couple d'âge mûr est arrivé dans son cabinet pour une première séance. Le psychologue leur a demandé pourquoi ils avaient décidé de suivre un programme de thérapie sexuelle. Les deux futurs patients ont échangé un regard angoissé puis l'homme a dit : « Raconte-lui, maman. »

Cette anecdote, bien entendu, n'est pas une histoire vécue, mais elle met parfaitement en lumière la cause unique et très grave de désaccord sexuel dans un couple : nous identifions notre conjoint à notre père ou à notre mère, puis nous découvrons que nous n'avons pas très envie de faire l'amour à ce personnage.

Cette anxiété remonte plus loin que l'histoire d'Œdipe. Elle est aussi ancienne que le tabou de l'inceste et le cœur des inhibitions provoquées par cette infamante confusion n'est autre que le lit conjugal. Les textes qui traitent du complexe d'Œdipe, du complexe d'Electre et des divers stades du développement sexuel de l'enfant sont assez nombreux et il n'est pas dans mes intentions d'ajouter ma goutte d'eau à la fontaine classique. Mais l'amour familial présente, par rapport à l'amour charnel, une caractéristique que l'on oublie trop fréquemment, peut-être parce qu'elle est fondamentale : nous apprenons, au cours de notre développement normal, à nous refuser toute pensée sensuelle à propos de ceux que nous aimons — maman, papa, frères et sœurs — dans notre famille proche. Plus tard, nous nous marions pour créer une autre famille et le vieux tabou refait surface : *nous nous refusons une fois de plus toute pensée charnelle à l'égard de ceux que nous aimons*, à savoir notre époux ou notre épouse. L'amour *familial* fait obstacle à l'amour *charnel. La personne que nous avons choisi d'aimer et à qui nous avons promis de faire l'amour pour le reste de nos jours est celle que nous avons appris à ne pas désirer.*

Si étonnant que cela puisse paraître, j'ai rencontré de nombreux partenaires qui m'ont expliqué que leur vie sexuelle était parfaite, *jusqu'au jour où ils se sont mariés.* Avant le mariage, ils avaient des liaisons merveilleuses, étaient sexuellement très libres et n'éprouvaient aucun problème sexuel. Le jour où ils ont convolé en justes noces, ils ont cessé de désirer leur conjoint. Je peux vous citer deux exemples extrêmes : j'ai rencontré beaucoup de femmes qui avaient découvert, le soir de leur mariage, que l'orgasme leur était devenu impossible à atteindre. Autre exemple : ces hommes dont la vie sexuelle avait été sans heurt jusqu'au jour où leur premier enfant est né. A partir de ce moment-là, leur épouse étant devenue une mère, ils avaient connu des moments d'impuissance. Bien entendu, il s'agit de cas extrêmes, mais je crois que nous avons tous ressenti, à un moment ou à un autre, l'effet sexuellement assommant de l'amour familial. *C'est le dernier des grands tabous.*

Nous nous retrouvons alors victimes de cette affreuse confusion sexuelle : *« Raconte-lui, maman. »*

Faire l'amour lorsqu'on s'appelle « maman » ou « papa »

Ni papa ni maman ne font l'amour. C'est du moins ce que nous aimerions croire en notre qualité d'enfants choyés. Cette conviction est née d'un besoin, celui de croire que nous occupons la première place dans le cœur de nos parents. Le caractère furtif de la vie sexuelle de nos parents nous confirme dans notre opinion : nous ne les avons jamais *vus* faire l'amour. Certains d'entre nous ne les ont même jamais *entendus*. D'ailleurs, qui se souvient d'un matin où maman ne s'était pas levée à temps pour nous préparer notre petit déjeuner ? Et même si un tel événement s'est produit un jour ou l'autre, notre subconscient s'efforce de nous le faire oublier. (On a beaucoup écrit sur les dommages psychologiques provoqués par l'habitude de laisser les enfants partager la chambre des parents, mais on a négligé le cas des enfants qui grandissent en étant *totalement ignorants* des activités sexuelles de leurs parents et qui finissent par devenir persuadés que des parents « responsables » doivent être parfaitement chastes.) Même en tant qu'adultes, nous avons du mal à imaginer nos parents en train de faire l'amour. L'idée nous déplaît et fait naître en nous toutes sortes d'appréhensions.

Après avoir atteint un certain âge, nous savons que papa et maman ont bien dû faire l'amour à quelques reprises, mais seulement dans le but de nous donner la vie. Les rapports sexuels, nous a-t-on appris, ont pour unique objet la procréation, et non le plaisir. Par conséquent, c'est une chose sérieuse que de faire l'amour en tant que papa ou maman ; il s'agit d'une activité à but précis qui est loin d'être divertissante.

Mariés à notre tour, nous devenons papa et

maman et nous voilà pris dans le cercle infernal : nous faisons l'amour en tant que papa et maman. Notre vie sexuelle devient sérieuse. Envolés, les plaisirs du célibat! Les ombres de papa et maman se promènent au-dessus de notre lit conjugal, telles des divinités sévères qui murmurent à nos oreilles : « Ce n'est plus de la rigolade, ce que vous faites là. Vous êtes des parents, maintenant. »

« C'est incroyable, m'a raconté une jeune femme, le soir de mon mariage, je suis devenue pudique. Lorsque je suis entrée dans la chambre, j'ai enfilé un peignoir... Cela ne m'était encore jamais arrivé. Mon mari pensait que je le faisais marcher, que je voulais jouer à la "vierge", mais j'étais sincère. Notre vie sexuelle devait devenir plus *"sérieuse"*, *prendre un sens*, maintenant que nous étions mariés.

— Et le côté agréable ?

— Il n'y avait plus de côté agréable. *C'était une affaire sérieuse.* »

Pour que ce type de relations sexuelles ait un sens, il doit être une manifestation d'amour constant, de préférence éternelle, chaque fois que nous nous allongeons à côté de notre conjoint. Quel fardeau! Cette attirance élimine tous rapports stimulés par le vaste éventail des autres émotions et sensations : *l'amour enjoué, colérique, rapide, étourdi, osé.* Elle élimine pratiquement toutes les raisons pour lesquelles il est agréable de faire l'amour. Après tout, qui est capable de manifester aussi régulièrement son amour éternel, surtout à onze heures du soir ?

Rien d'étonnant à ce que ceux qui sont prisonniers de l'attitude parentale se souviennent avec nostalgie de leurs années de célibat. Cette nostalgie peut malheureusement les conduire facilement à des liaisons extraconjugales alors qu'il serait bien plus sain de briser ce cercle infernal dans lequel leur rôle de parents les a enfermés. *Mais n'oublions pas que les liaisons extraconjugales n'évoquent pas les spectres de papa et maman.* Par définition, ce type de rapports sexuels est illicite et nous permet donc de nous amuser, d'y prendre plaisir.

Cependant, rien ne nous oblige à devenir papa et maman le jour de nos noces, rien ne nous oblige à faire de nos rapports sexuels une activité sérieuse et ennuyeuse. Notre sensualité est toujours présente même si nous portons une alliance. Nous sommes capables de nous amuser et d'oser de nombreuses variantes sexuelles dans notre lit conjugal. Si nous acceptons d'étudier la façon dont nous avons pu nous laisser emprisonner dans nos images parentales, nous aurons accompli le premier pas vers la libération.

Une fille comme la fille qui a épousé mon vieux papa

Le piège est tendu pour les raisons qui nous poussent à nous marier. Pour la majorité d'entre nous, la sexualité n'est plus la raison principale du mariage. Après tout, nous pouvons trouver facilement des partenaires sans être obligés de leur passer la bague au doigt en leur promettant une fidélité éternelle. Nous nous marions parce que nous désirons le confort, la sécurité et la stabilité d'une relation suivie après avoir connu l'insécurité et le vide des relations de courte durée. Et nous voulons fonder une famille.

Comme me l'a expliqué un patient : « Le monde est effrayant. J'ai un emploi plein de tensions, je dois me battre tous les jours et rien ne semble permanent... Pas même la planète. J'en ai eu assez de cette instabilité. Je me suis marié parce que je désirais compter sur un point fixe dans ma vie, sur un endroit confortable et sûr où je pourrais me réfugier le soir. Je voulais pouvoir *rentrer à la maison*. »

Voilà des aspirations qui paraissent raisonnables, n'est-ce pas? Pourtant, cet homme se trouvait dans mon cabinet parce que, après moins de deux ans de mariage, sa vie sexuelle avait sombré dans l'apathie.

«Je regarde ma femme. Je me dis: Je l'aime. Elle représente tout ce que j'ai toujours désiré, c'est la compagne idéale. Pourquoi donc ne m'excite-t-elle plus?

— Peut-être que pour vous, cet endroit "stable et sûr" est dépourvu de sexualité. Peut-être ressemble-t-il trop à un *"foyer"*», suggérai-je.

A la maison, nous voulons être apaisés et réconfortés. Nous voulons laisser ce monde effrayant à l'extérieur, nous voulons qu'on nous dise que tout va bien. Un mari ou une femme loyaux et aimants devraient pouvoir jouer ce rôle apaisant. Les problèmes surgissent lorsque c'est le *seul aspect* du mariage que nous voulons bien accepter: «l'amour réconfortant». Comme Œdipe, nous tentons le destin. Nous demandons à notre épouse d'être notre mère et à notre époux d'être notre père, après quoi nous découvrons qu'ils ne nous excitent plus.

Le refus de ressentir tout désir sexuel à l'égard de nos parents constitue l'une des leçons fondamentales de survie apprises aux enfants. Nous n'avons pas le droit d'envisager papa ou maman comme partenaire, aussi devons-nous contrôler notre sexualité. Nous réprimons tout désir de cet ordre à leur égard. Malheureusement, cette dure leçon demeure gravée dans notre mémoire tout au long de notre vie. Dans le meilleur des cas, elle nous permet de réprimer nos instincts sexuels dans les situations délicates. Dans le pire des cas, elle nous empêche de les exprimer dans les situations propices, par exemple dans la chambre conjugale.

Chez certaines personnes, le problème se manifeste dans le choix de leur conjoint. Consciemment ou inconsciemment, elles placent les partenaires sexuellement attirants dans une catégorie et les partenaires « épousables » dans une autre.

Une femme m'a déclaré : « Lorsque j'ai aperçu Rob, j'ai su immédiatement que c'était l'homme que je voulais épouser. Mais il ne m'a jamais vraiment excitée. »

Elle aurait pu tout aussi bien dire : « Je sais que je voulais épouser Rob *parce qu'il* ne m'excitait pas. » Cette femme a choisi un partenaire « épousable » en se fondant sur les critères qu'elle affectait à un mari parfait : quelqu'un qui n'était pas sexuellement excitant. Un mari est un membre de la famille et nul n'est censé être excité par un membre de sa famille. Pourtant, cette patiente était venue me consulter parce qu'elle trouvait sa vie sexuelle mortellement ennuyeuse.

Pour de nombreux hommes, la distinction entre une femme « épousable » et une partenaire sexuellement attirante coïncide avec la classification des femmes en deux catégories : les « madones » et les « dévergondées ». Une « madone » ressemble à la fille qui a épousé ce bon vieux papa : elle est bonne et pure, elle est au-dessus de tout ce qui touche à la sexualité. Tandis que les dévergondées sont des objets purement sexuels. C'est leur *unique* utilité. Bien entendu, c'est une madone que ce type d'homme épouse… Ou tout au moins qu'il *croit* épouser. Mais nombreux sont ceux qui ne tardent pas à découvrir que leurs madones ont aussi une sexualité, qu'elles veulent avoir des rapports sexuels. Alors, ces hommes se retrouvent doublement refroidis : ils ne veulent en aucun cas faire l'amour avec une dévergondée dans le lit conjugal, surtout lorsque les enfants sont couchés dans la pièce voisine.

Il existe des personnes qui recherchent consciemment un partenaire semblable à leur père ou à leur mère. La ressemblance peut aller de l'apparence physique à la profession. La chanson *I Want a Girl Just Like the Girl That Married Dear Old Dad** nous paraît peut-être bien innocente de nos jours. Cependant, elle demeure étonnamment d'actualité. En apparence, il n'y a rien de répréhensible dans l'attitude qu'elle décrit, mais je vois parfois entrer dans mon cabinet une femme qui a épousé un garçon «comme papa» et qui se trouve incapable de laisser son potentiel sexuel s'épanouir avec lui. Il est bien difficile de rompre ces inhibitions très tôt ancrées en nous afin de pouvoir faire librement et agréablement l'amour avec un garçon «comme papa».

D'autres personnes adoptent l'attitude inverse : elles épousent des partenaires qui sont *à l'opposé*, en apparence et en personnalité, de papa ou maman. Ce qu'on appelle «l'attirance des contraires» est enchâssé dans notre désir de trouver un partenaire qui ne déclenchera pas le sentiment de culpabilité. J'ai connu en Suède beaucoup d'hommes et de femmes qui n'étaient sexuellement attirés que par des étrangers. Un époux italien ne risque pas de nous rappeler notre blond papa suédois.

Le choix de notre partenaire à vie n'est que l'un des aspects de la question. Ce que le mariage, par notre entremise, fait de lui ou d'elle est une tout autre affaire, encore plus révélatrice.

Comment un mariage peut-il échouer à cause d'une bouillotte ?

Au cours des années soixante est sorti un film intitulé : *Journal intime d'une femme mariée (Diary of a Mad Housewife)* dans lequel le mari (rôle interprété

---

* «Je voudrais une fille comme la fille qui a épousé ce brave vieux papa.» *(N.d.T.)*

par Richard Benjamin) est victime d'un rhume qui détruit son mariage. Entre deux éternuements, il demande des cachets d'aspirine, supplie qu'on lui administre du sirop pour la toux, hurle qu'il a besoin de mouchoirs et réclame à grands cris sa bouillotte. Son épouse (interprétée par Carrie Snodgrass) est dans le vestibule, en train de s'arracher les cheveux. Elle est à bout. Elle en a assez de s'occuper de lui, elle en a assez de sa pathétique dépendance. Elle ne veut pas être sa mère, elle a déjà des enfants. *Elle veut un homme!* Le lendemain, elle décide d'avoir une liaison extraconjugale.

Trop souvent, les femmes qui ont été attirées par le « charme gamin » de leur mari viennent me consulter en se plaignant qu'elles en ont assez de vivre avec un adolescent attardé. Il existe certainement des moments — un rhume, par exemple — où nous devons jouer le rôle d'un père ou d'une mère pour notre conjoint. C'est l'une des facettes du mariage. Mais nous prenons trop facilement l'habitude de remplir continuellement ces tâches. Finalement, notre conjoint ne nous voit plus comme un être sexué, doté d'une sensualité normale.

« Dès que Larry rentre à la maison, il prend son air de chien battu, m'a raconté Martha, une jeune maîtresse de maison. Et avec ce regard, il me dit : "J'ai eu une journée difficile, occupe-toi de moi." Ça m'est égal de lui préparer à boire ou de lui masser les épaules de temps en temps, mais cinq jours de suite, c'est trop. J'ai envie de crier : "Débrouille-toi un peu tout seul! J'ai joué à la mère de famille toute la journée. Ce n'est pas une lavette que je veux! C'est un homme!" J'aimerais qu'il me prenne dans ses bras et m'embrasse passionnément. Tout ce que je reçois, c'est un baiser sur la joue et ce fameux regard de chien battu. »

Martha m'a ensuite expliqué que leur vie sexuelle était pauvre et de médiocre qualité.

«A onze heures tapantes, il me dit : "Allons nous coucher", mais j'ai du mal à me transformer instantanément, à passer du rôle de mère à celui d'amante. J'ai l'impression qu'il s'agit d'une tâche supplémentaire qui m'incombe, comme le repassage ou la vidange de la voiture. Il ne me rappelle pas du tout le Prince Charmant. »

Il est intéressant de constater que Larry, tout en étant d'accord sur les rôles, les expliquait différemment :

«Martha dirige la maison avec une grande efficacité et il est hors de doute que c'est elle qui commande. Entrer chez nous équivaut à mettre le pied en territoire ennemi. Elle ordonne : "essuie tes pieds" et "suspends ton manteau", annonce "le dîner sera prêt dans quinze minutes précises". J'ai l'impression de vivre encore avec ma mère. J'ai passé ma journée à diriger une entreprise mais, dès que je mets les pieds sur le paillasson, j'ai de nouveau sept ans. Elle se plaint que je ne me montre pas assez passionné. Mais quel gamin de sept ans peut être un amant passionné ? »

Sans le savoir, Martha et Larry collaboraient pour entretenir ces rôles de « mère » et « fils ». Mais il existait une tierce partie à cette entreprise de collaboration : le mariage même. La conception qu'a notre société du mariage nous prépare à voir une mère en notre épouse et un père en notre époux. Les deux seuls conjoints que nous avons eu l'occasion de voir vivre quotidiennement sont nos parents. Par conséquent, il nous est tout naturel de nous identifier à eux. Lorsque nous créons notre propre famille, cette identification se trouve renforcée. En outre, l'habitude d'appeler notre belle-mère « maman » ou « belle-maman » fait de la relation conjugale une relation asexuée puisque, si nous appelons tous deux la même personne « maman », cela signifie que nous sommes frère et sœur. Et nous avons appris dès notre enfance que des relations sexuelles ne peuvent avoir lieu entre un frère et une sœur.

Au sein des familles traditionnelles (nous verrons plus loin ce qu'il en est dans les foyers dont les deux parents travaillent), les devoirs et les responsabilités sont distribués de manière à confiner l'épouse dans son rôle de mère, le mari dans son rôle de père et les deux conjoints dans le rôle de l'enfant de l'autre.

« Dès que nous nous sommes mariés, nous avons emménagé dans notre propre appartement et j'ai eu l'impression de revivre avec ma mère, m'a raconté un patient. Ma femme fait le dîner, elle sait où se trouvent mes chaussettes, elle m'achète même mes vêtements. Elle va jusqu'à me dire de changer de sous-vêtements, de ne pas me ronger les ongles, de sortir les poubelles. Je peux dire que je me suis senti adulte pendant mes cinq ans de vie en célibataire, entre le moment où j'ai quitté la maison de mes parents et celui où j'ai emménagé avec ma femme. C'est tout. »

Au bout de quatre ans de mariage, la vie sexuelle de cet homme était devenue inexistante. Il ne pouvait être excité que par des fantasmes qui mettaient en scène d'autres femmes. Il a fini par avoir des liaisons extraconjugales.

« J'y étais obligé, a-t-il insisté. Uniquement pour conserver mon amour-propre. Pour me sentir adulte de nouveau. Pour me sentir un homme. »

Il m'a ensuite raconté une anecdote qui aurait pu être cocasse si elle ne m'avait pas paru si triste.

« Ma femme savait que j'avais des liaisons mais elle ne disait jamais rien. Elle se contentait de bouder chaque fois que je sortais. Un soir, au moment où j'allais sortir, elle m'a dit : "Tu fréquentes une autre femme, n'est-ce pas ?" J'ai répondu : "Oui, c'est vrai." Pendant un instant, j'ai cru qu'elle allait se mettre à pleurer mais elle a secoué la tête en disant : "Mais tu ne peux pas sortir comme ça ! pas avec cette chemise !" »

Le rôle de mère était le seul que cette femme eût jamais appris et elle n'en était pas entièrement responsable. Les deux époux et le mariage avaient conspiré pour la confiner dans ce rôle. Pour le mari, la seule échappatoire était une liaison extraconjugale. Pour la femme, le mari ne pouvait être retenu ou soumis que par une attitude maternelle. Ces deux attitudes ne pouvaient que vouer le mariage à l'échec.

Dans un foyer traditionnel, le mari se glisse trop facilement dans le rôle de «père» de sa femme. C'est lui qui gagne le pain quotidien, exactement comme papa le faisait lorsque nous étions enfants. C'est lui qui établit la liaison entre nous et le monde extérieur et, surtout, c'est à lui qu'il faut plaire, c'est lui qu'il faut contenter, car c'est lui qui approuve et désapprouve. Dory Previn explique, dans l'une de ses chansons les plus subtiles, *I Danced and Danced*, comment elle avait l'habitude de danser pour son père, afin de le voir sourire et comment, en tant qu'épouse, elle danse pour son mari.

« Je ne sais pas comment cela peut arriver, mais je m'arrange toujours pour tomber dans le même piège : je deviens la petite fille de Bill, m'a raconté Marilyn, jeune mariée de trente ans, vivant à Washington. Je lui montre quelque chose que j'ai fait et j'attends sa réaction. Va-t-il approuver ou désapprouver ? Bien entendu, en général il désapprouve. »

Marilyn était venue me consulter car ses orgasmes devenaient de moins en moins fréquents.

« Lorsqu'il monte sur moi pour faire l'amour, j'ai l'impression que je ne peux plus respirer. Je me sens étouffée par lui et j'ai hâte que ce soit fini pour que je puisse enfin respirer de nouveau. »

Il est en effet étouffant de vivre avec un père «désapprobateur». Cela ne peut, en tout cas, que difficilement amener des relations sexuelles libres et épanouissantes. Vivre avec papa n'a rien de bien excitant.

Pourtant, après avoir eu l'occasion de discuter avec Bill, qui était avocat auprès du ministère de la Justice, j'ai compris qu'il n'était pas seul responsable de l'attribution des rôles de «père» et «fille» dans le couple. «Marilyn est toujours déprimée. Elle me répète : "Je n'arrive plus à accomplir quoi que ce soit" ou "je deviens grosse" et elle s'attend que je la prenne dans mes bras en lui disant : "Mais non, chérie, tu es superbe." Au bout d'un moment, j'en ai assez. Vous comprenez, si une femme vous répète à longueur de journée qu'elle devient laide, vous finissez par la croire. Je suis fatigué d'être ce bon vieux papa qui doit la chouchouter et lui remonter constamment le moral. Vous ne pouvez savoir à quel point je rêve d'une femme pleine d'assurance, sexy, qui aimerait des rapports sexuels robustes et joyeux au lieu de ce traitement de poupée de porcelaine que désire Marilyn.»

Voilà deux autres personnes qui se sont emprisonnées dans une relation parent-enfant pour le plus grand dommage de leur vie sexuelle. Une épouse qui joue le rôle de mère de son époux finit par découvrir que ce dernier se conduit au lit comme un enfant inhibé, peu démonstratif et peu passionné. Un homme qui traite régulièrement son épouse comme sa mère ne peut que découvrir qu'elle a perdu tout intérêt sexuel pour lui. De même, un homme qui joue le rôle de «père» de son épouse risque d'en faire une amante nerveuse, mal disposée. Une femme qui exige de son mari qu'il remplisse un rôle de père s'apercevra qu'il perd peu à peu sa sexualité.

Les vieux rôles ont la vie dure. Au sein des couples modernes, dont les deux partenaires travaillent et se partagent les tâches du foyer, on pourrait croire que le contexte est plus propice à éviter les rôles de père et de mère de chacun des conjoints. Lorsque le mari fait la cuisine et la femme porte l'attaché-case, l'identification dont nous avons parlé plus haut pourrait sembler moins probable. Malheureusement, une fois que la vaisselle est lavée et que les enfants sont couchés, nous retombons trop facilement dans les vieux stéréotypes, surtout au lit. Soudain, le mari «égalitaire» se retrouve désespérément impatient de recevoir un réconfort maternel. «Quelle journée horrible», dit-il en présentant son dos à sa femme pour un massage bien mérité. Il ne se préoccupe guère de savoir si elle-même n'a pas eu une journée horrible et si elle n'a pas aussi besoin de réconfort.

Il arrive aussi parfois que l'épouse, cadre supérieur le jour, se tienne le soir devant son miroir en gémissant : «Je deviens laide. Regarde-moi, j'ai l'air d'une mégère décatie.» Soudain, la femme du monde pleine d'assurance, avec qui le mari se réjouissait de faire l'amour, se transforme en une pauvre petite fille qu'il faut rassurer et serrer entre ses bras, qui a plus besoin de réconfort «paternel» que d'une étreinte passionnée.

En outre, malgré les protestations des deux membres du couple, il arrive que le mari soit un phallocrate déguisé. Il veut bien faire la cuisine, mais insiste pour diriger les finances de la maison bien que sa femme possède une maîtrise en gestion des affaires et travaille à Wall Street.

«En fin de compte, il n'est guère différent de mon père, a conclu une épouse furieuse. Il n'est qu'un phallocrate déguisé en homme libéré. Et ce n'est pas avec un homme de ce genre que je veux partager ma couche !»

Bien entendu, il s'agit ici de cas extrêmes. Il est inévitable que nous remplissions des rôles de «père» et de «mère» de notre conjoint à certains moments. Comme je l'ai expliqué plus haut, c'est tout à fait normal. Malheureusement, les personnages parentaux que nous voyons vivre pendant notre enfance — par exemple une mère dominatrice et un père passif, ou une mère frustrée et un père insensible — influencent les rôles que nous adoptons en tant que partenaires conjugaux. Et c'est la mesure dans laquelle nous jouons ces rôles qui est déterminante, notamment lorsque vient le moment de les rejeter pour devenir des amants.

Comment « dématernaliser » votre épouse ou « dépaternaliser » votre époux

Ce processus commence là où est née la confusion : dans notre esprit. Tout d'abord, il serait stupide de vouloir nous convaincre qu'il nous faut exclure totalement les rôles de père et de mère. Ces rôles sont, après tout, l'une des raisons pour lesquelles nous avons pris un conjoint : la sécurité et le confort du mariage. Mais nous devons absolument comprendre que le réconfort maternel que nous offrons à notre mari n'est que l'un des *nombreux* rôles que nous pouvons jouer. Ce rôle ne doit en aucun cas exclure d'autres rôles, les rôles d'amie, d'équipière, d'*amante*, etc. Les hommes et les femmes dotés de maturité apprennent vite à passer du personnage du père ou de la mère au personnage de l'amant ou de l'amante, sans confusion, en l'absence de tout sentiment de culpabilité.

Pour que la transition s'effectue dans les meilleures conditions possible, il nous faut apprendre à combiner avec succès amour sexuel et affection. Pour beaucoup d'entre nous, l'affection signifie « amour familial », à l'exclusion de l'amour charnel. Prenons comme exemple le phénomène du *baiser*.

Qu'est-il advenu du baiser chez un couple marié ?

Bien sûr, les couples mariés s'embrassent, c'est-à-dire qu'ils se donnent un chaste baiser sur la joue, de temps en temps. Ont-ils oublié ces merveilleux baisers prolongés et passionnés de leurs années de célibat? Pourquoi des baisers semblables nous rendent-ils si nerveux aujourd'hui?

Nous semblons désensibiliser, «aseptiser» nos baisers une fois que nous sommes mariés. Nous les rendons confortables en les dépouillant de toute sensualité. Pensez à la chaste petite caresse sur la joue que maman offre à papa lorsqu'il rentre du travail. Pourtant, à un certain moment de notre vie, nous nous sommes embrassés pendant des heures sur le perron, dans la voiture, tout frémissants d'excitation purement sexuelle. Qu'est-il advenu de ces personnages? Une fois mariés, nous décidons que l'affection est une chose et la sexualité, une autre. La sexualité se préoccupe uniquement de seins, de clitoris, de pénis, d'un gentil baiser une fois la séance terminée. L'affection, en revanche, se démontre tout habillés, à l'aide de petits baisers et de chastes caresses, semblables à ceux dont nous gratifions les enfants.

Il est possible que le baiser nous rende sexuellement plus nerveux que le coït même. Face à face, lèvres contre lèvres, les yeux dans les yeux, nous ressentons un contact encore plus intime que le contact purement sexuel de nos régions génitales. C'est notre «être» qui vit derrière nos yeux et, lorsque nous nous embrassons, ce sont nos deux «êtres» qui entrent en contact. Il nous est impossible de faire jaillir des fantasmes à propos de quelqu'un d'autre, de jeter un voile sur nos identités. Notre contact est intime et direct. Comme nous le verrons au chapitre 6, le baiser peut nous donner l'impression d'une proximité trop poussée pour être confortable. En outre, il met en lumière notre crainte d'avoir des rapports sexuels avec un membre de notre famille, même si ce membre de notre famille est notre conjoint.

Le problème semble tourmenter aussi bien les hommes que les femmes. Nous avions tellement l'habitude de rejeter toute impulsion sexuelle lorsque nos parents nous démontraient leur affection — et nous le faisons toujours lorsque nous embrassons nos enfants — que nous continuons à bloquer toute stimulation sexuelle lorsque nous embrassons notre conjoint. Nous ne parvenons pas à considérer la sexualité et l'affection comme des éléments d'un tout. Pourtant, lorsque nous serrons notre mari dans nos bras en le rassurant, nous pourrions très facilement glisser peu à peu vers une étreinte beaucoup plus sensuelle. Au lieu de considérer ce geste d'affection comme un devoir maternel, comme quelque chose que nous faisons *pour* notre mari, nous pourrions ressentir le plaisir que cela *nous* procure : la douce pression de sa tête ou de sa poitrine contre nos seins, le contact de ses lèvres contre notre nuque. Il s'agit simplement de modifier le sens du courant avant que l'habitude de nous « refroidir » nous rattrape. Essayez de vous souvenir que cette étreinte, ce baiser sont exactement *les mêmes actes sexuels* qui, autrefois, nous faisaient délirer d'excitation. L'*acte même* n'a pas changé. C'est nous qui le dotons d'une connotation différente.

Pour beaucoup d'hommes, l'acceptation de l'affection est source d'angoisse. On les a moins habitués, dans leur enfance, à des démonstrations d'affection et il se peut qu'ils se sentent beaucoup plus embarrassés que les filles. Le cou est le dernier endroit du corps qui fasse l'objet de caresses maternelles. C'est pourquoi le cou, et parfois le dos, demeurent les parties du corps les plus propices à des manifestations d'affection lorsque arrive l'âge adulte. Il ne reste plus qu'à *glisser* des épaules et du dos vers la poitrine et le ventre, de l'affection à la sensualité, de la sensualité à la sexualité. Toutes ces manœuvres forment les éléments d'un tout qui consiste à se faire mutuellement plaisir.

Lorsque Martha et Larry G. (le couple qui s'était emprisonné dans les rôles de «mère» dominatrice et d'«enfant» exigeant et malheureux) sont venus me consulter, leur vie sexuelle était pratiquement au point mort.

«Tout ce qu'il veut, c'est une petite tape sur la tête et quelqu'un qui écoute ses récriminations à propos de sa journée de travail, a déclaré Martha. Rien d'étonnant à ce qu'il ne m'excite plus. Lorsque je le serre contre moi, c'est comme si je serrais l'un des enfants. Je voudrais que ma vie soit plus passionnée. Est-ce trop demander?

— Absolument pas, ai-je répondu. Et ce n'est pas trop donner non plus. Mais vous devez partir du stade où vous êtes actuellement pour retrouver cette passion. Larry ne se présentera pas soudainement à la porte de la maison pour vous enlever dans sa cape, pas plus que vous ne l'accueillerez vêtue seulement de collants noirs et d'un chemisier transparent... Bien qu'il ne soit pas inutile de quitter votre tenue d'intérieur et votre tablier avant son arrivée. Car il est même possible que ces vêtements accentuent votre apparence maternelle, pour lui.»

Mais au lieu de hurler: «Je ne suis pas ta mère!» (ce que Martha ne se serait de toute façon jamais résolue à faire), je lui suggérai de donner à Larry tout le réconfort maternel qu'il désirait *avant* qu'il le lui demande, avant qu'elle aperçoive son fameux air de chien battu.

«N'attendez pas qu'il vous oblige à le réconforter. Ne le laissez pas commencer à jouer son rôle habituel d'enfant battu. Tapotez-lui la tête, écoutez-le pendant un quart d'heure, puis interrompez-le en disant: "Bon, maintenant c'est *mon* tour. Laisse-moi te raconter ma journée."»

En adoptant cette attitude, Martha commencerait à les libérer tous les deux de leurs rôles sans retirer à Larry le réconfort dont il avait sans doute besoin... mais pas pendant une soirée entière. Elle pouvait lui faire comprendre, par son attitude : « Parfait, nous avons *tous les deux* besoin d'un réconfort maternel mais n'exagérons pas. Et le réconfort ne doit certainement pas être *unilatéral*. »

Larry, pour sa part, se demandait comment il pourrait jamais avoir la sensation d'être un « homme » si, dès son entrée dans la maison, il avait l'impression d'empiéter sur le « territoire ennemi » que sa femme régissait entièrement. Il voulait que la vie à la maison soit un peu plus décontractée, un peu moins organisée, un peu plus relâchée.

« Vous ne vous en sortirez jamais si vous continuez à *demander la permission* de tout faire, lui ai-je expliqué. Si vous avez l'impression d'être retombé en enfance lorsque vous demandez à votre femme où sont vos chaussettes, débrouillez-vous pour les trouver tout seul. Grandissez un peu et cessez d'agir comme vous agissiez avec votre mère. Occupez-vous de vos propres chaussettes. Que voulez-vous ! On ne peut pas tout avoir. En définitive, vous êtes le seul maître de votre sexualité. »

J'ai ensuite essayé d'inciter Larry à accepter l'idée qu'il pouvait prendre et recevoir de l'affection dans un état d'esprit sensuel, que l'amour « réconfortant » pouvait très bien déboucher sur des relations sexuelles épanouissantes.

J'ai prescrit à Martha et à Larry un exercice de dématernalisation destiné à inscrire l'amour réconfortant dans un *contexte sensuel*. Plutôt que leur demander de renoncer entièrement à leurs rôles de mère et d'enfant, j'ai préféré leur apprendre à s'en libérer en éliminant tout sentiment de culpabilité. Voici en quoi consiste cet exercice :

Donnez à votre mari tout le réconfort maternel
qu'il désire mais vous devrez choisir le décor, qui
doit être sensuel. Emmenez-le par la main dans
la salle de bains, faites-lui couler un bain chaud
et déshabillez-le. Apportez-lui à boire s'il le désire.
(Cette fois-ci, maman n'apporte pas un verre de
lait mais un Martini!) Frottez son dos, son cou et
ses épaules tandis qu'il vous raconte ses soucis.
Mais insistez sur le caractère sensuel de vos
gestes. Portez une jolie robe d'intérieur ou un
maillot de bain (il est probable que sa mère
ne s'est jamais vêtue ainsi pour lui donner un
bain!). Prenez plaisir à caresser son corps. Frot-
tez sa poitrine, son ventre, progressivement, en
prenant tous deux le temps de vous décontracter
et de ressentir le plaisir immédiat.

Comme pour la plupart des exercices, celui-ci ne
doit pas forcément être suivi de relations sexuelles
terminées par l'orgasme. Ces exercices ne requièrent
même pas de contact génital. Martha a pu confondre
son rôle de mère et son rôle d'amante sans toutefois
exclure l'un ou l'autre. Larry, une fois adapté à cette
volte-face, a pu accepter l'affection de Martha sans
se sentir désensibilisé par elle. En fait, au bout de
quelques semaines, il s'est senti très sensibilisé par
cet exercice.

« La cinquième fois que je lui ai donné un bain, m'a
raconté Martha, toute joyeuse, il m'a attirée dans la
baignoire avec lui. »

Un autre exercice de dématernalisation que j'ai
trouvé très efficace auprès de mes patients éclaire
beaucoup plus directement les rôles dans lesquels
nous nous confinons et les pousse à l'extrême limite :

Laissez votre époux s'allonger sur le canapé et
prenez sa tête contre vos seins, dans la position
classique de « la Vierge et l'Enfant ».
Caressez-lui les cheveux, le visage, bercez-le

gentiment. Murmurez-lui des mots rassurants à l'oreille, chantonnez. Laissez-le parler s'il le désire. Mais, le plus important, c'est qu'il se sente décontracté et en sécurité.

Cependant, laissez-le prendre conscience de la sensualité inhérente à cette position. Sa tête repose sur vos seins. Lorsque vous le bercez, sentez-la qui vous effleure. Ne vous refroidissez pas automatiquement. Ne vous dites pas : « Nous ne sommes ni dans la bonne position ni dans la bonne ambiance pour ressentir un désir sexuel. » Débarrassez-vous de cette idée fixe.

Commencez doucement par glisser la main à l'intérieur de sa chemise et par toucher légèrement sa poitrine et son cou. Vous lui faites comprendre que vous le trouvez attirant dans cette position, tout comme, en réagissant, il montre qu'il ressent du plaisir. Vous êtes maintenant prête à appuyer délibérément sa tête contre vos seins, peut-être même à déboutonner votre chemisier pour approcher son visage de votre poitrine.

Votre époux doit savoir qu'il peut s'éloigner s'il le désire, s'il juge votre attitude trop menaçante ou trop exigeante au départ. Il peut fermer les yeux, s'éloigner et se rapprocher à son gré.

L'exercice « Vierge et Enfant » heurte de plein fouet une vieille anxiété sexuelle. Lorsqu'un homme accepte de rapprocher son visage des seins de sa femme, dans la position classique de l'allaitement, cela signifie qu'il surmonte progressivement la peur d'être étouffé par les soins maternels. Il est capable, enfin, de transformer les seins de sa femme en des objets sexuels avec lesquels il a le droit de s'amuser. En fin de compte, dématernaliser notre épouse ne signifie pas la rendre moins maternelle, mais en faire aussi *une personne dotée de sensualité.*

De la même manière, nous pouvons « dépaternaliser » notre mari. Il ne s'agit pas d'exclure ce rôle mais plutôt de l'intégrer à d'autres. Nous devons laisser le personnage du père et celui de l'amant se fondre l'un dans l'autre de manière à ne pas devenir prisonnières de l'un des deux.

Pour certains hommes, le rôle du père est sexuellement très excitant au départ. Il leur donne la maîtrise totale de leur épouse et, partant, ne constitue aucune menace. Ils peuvent jouer le rôle de professeur et de critique en sexualité. Ils sont ceux à qui il faut faire plaisir. Mais la combinaison papa savant-petite fille naïve est rarement durable. Au bout d'un certain temps, le mari se fatigue de la passivité de la petite fille et se met à rêver de partager son lit avec une femme sûre d'elle, tandis que les « petites filles », notamment après leur mariage, présentent de fortes tendances à manifester leurs propres désirs sexuels.

Marilyn et Bill L. (le couple qui s'était emprisonné dans les rôles de « petite fille perdue » et de « papa critique et ombrageux ») n'avaient pratiquement plus de vie sexuelle lorsqu'ils sont arrivés à mon cabinet. Marilyn ne respirait plus pendant qu'ils faisaient l'amour. « Je m'interrogeais : Est-ce que ce que je fais est bien ? Est-ce que c'est ainsi qu'il veut que je bouge ? Me trouve-t-il sexy ? Je suis si occupée à essayer de lui plaire que je ne pense plus du tout à ce que je ressens moi-même. »

Quant à Bill, paralysé par l'insécurité infantile de Marilyn, il rêvait d'une vraie femme, capable d'apprécier des rapports « robustes ». « J'ai toujours eu l'impression qu'il me fallait faire très attention en faisant l'amour avec Marilyn. Je dois constamment lui murmurer des paroles d'encouragement, comme : "C'est merveilleux, chérie, tu te débrouilles très bien." Et, bien entendu, je dois constamment lui répéter que je l'adore et qu'elle est superbe. Parfois, j'ai simplement envie de faire l'amour, sans chichis. »

Les exercices de dépaternalisation que j'ai suggérés à Bill et à Marilyn étaient destinés à exagérer leurs rôles et non à les éliminer. En recréant des attitudes qui permettraient à Bill de donner à Marilyn un réconfort paternel, dans un *contexte sexuel*, je les ai aidés à confondre l'amour réconfortant et l'amour sexuel :

> *Prenez-la dans vos bras et bercez-la comme une enfant, tout en l'assurant que vous l'aimez. Une fois qu'elle semble décontractée et heureuse, transportez-la jusqu'au lit.*
>
> *Massez-la doucement en lui expliquant que vous voulez simplement lui faire plaisir, qu'elle n'a rien à faire en retour. Transformez progressivement vos remarques encourageantes en avances sexuelles. Par exemple, allez du « Tu es très jolie aujourd'hui, chérie » jusqu'au « J'aimerais bien caresser tes jambes ». Votre épouse devrait se laisser entraîner par ses sensations, sachant qu'elle est l'objet de votre désir.*

N'étant pas obligée de réagir, Marilyn a pu retrouver ses propres désirs sexuels et, en même temps, sentir que Bill la trouvait attirante. Papa pouvait aussi être un amant. Bill, de son côté, a appris à considérer de nouveau le corps sensuel de Marilyn, désirable et excitable.

Je leur ai expliqué que, chaque fois qu'ils se trouveraient dans une situation de paternalisation classique, ils devraient essayer de découvrir leur potentiel sexuel, afin d'effectuer la transition entre l'amour familial et l'amour sexuel. A la grande surprise de Bill, Marilyn a suivi ce conseil en faisant preuve de beaucoup d'imagination.

« Elle m'a supplié de lui apprendre à conduire ma voiture de sport, dont le levier de vitesses est au plancher. Un soir, je l'ai emmenée sur une petite route de campagne en Virginie et elle a pris la place du conducteur. Je ne pensais pas du tout à faire l'amour mais, au bout d'un moment, j'ai remarqué que sa jupe remontait de plus en plus sur ses cuisses. Puis j'ai aperçu son petit sourire malicieux. Elle m'a vu regarder ses jambes et elle a déplacé sa main du levier de vitesses vers mon ventre. "Est-ce que c'est comme ça qu'on doit faire ? m'a-t-elle demandé. Quelle bonne leçon !" »

Pour dématernaliser et dépaternaliser nos conjoints, il nous faut redevenir des enfants ; mais aujourd'hui, nous sommes des enfants qui sont autorisés à aller jusqu'au bout. Quand nous sommes à l'aise dans notre changement de rôles, nous pouvons jouer à tous les divertissements sexuels qui nous plaisent, dont la plupart sont d'ailleurs des jeux d'enfants. Je connais un couple qui a réussi à faire éclater la barrière « parent-enfant » en jouant au « jeu interdit » au cours duquel un homme âgé apprend à une jeune femme à faire l'amour. « Qu'est-ce que c'est que ça ? » demandait-elle, éberluée, tandis que son mari enlevait son pantalon. « Je vais te montrer », répondait-il. D'autres couples ne parviennent à se décontracter qu'en « bêtifiant » au lit. Les vrais adultes sont très à l'aise dans ce type de relations enfantines. Ils n'ont pas peur de jouer. En devenant des enfants au lit, nous parvenons à faire éclater les tabous qui nous ont inhibés lorsque nous étions réellement des enfants. Et nos rapports sexuels peuvent devenir bien plus enrichissants que ne l'ont jamais été ceux de papa et maman.

4

Le seul, le vrai, l'unique

Récemment, je recevais Amy et Bill P., un couple charmant âgé d'une cinquantaine d'années. Ils venaient me consulter à propos de l'état «catastrophique» de leur vie sexuelle. Ils étaient terriblement anxieux. Pendant près de trente ans, ils avaient joui d'une vie sexuelle tout à fait normale mais, depuis quelques mois, Amy, qui souffrait d'une infection vaginale récurrente, ressentait une trop grande douleur lorsque son mari tentait de la pénétrer.

«Cette frustration nous tue, a déclaré Bill. Il y a presque un an que nous ne pouvons plus faire l'amour et notre relation en souffre terriblement.»

Je les ai regardés attentivement. Ils étaient tous deux intelligents, instruits. Leur profession leur plaisait, ils avaient des amis intéressants. Au cours des années, ils avaient voyagé ensemble dans tous les coins et recoins de la planète et avaient appris à connaître une grande diversité de cultures. Même leur connaissance des questions sexuelles était impressionnante : ils avaient tout lu, du *Kama-sutra* aux œuvres complètes de Freud. Pourtant, ce couple cultivé était tombé dans le piège du mythe sexuel le plus simpliste dont l'homme... et la femme puissent être victimes ! Le mythe selon lequel le coït est le seul, le vrai, l'unique acte sexuel qui demeure à la disposition des couples mariés.

«Dites-moi, leur ai-je demandé en m'efforçant de

ne pas sourire, combien d'enfants prévoyez-vous encore d'avoir ? »

Pendant quelques instants, ils m'ont dévisagée comme si j'étais subitement devenue folle. Puis ils ont simultanément éclaté de rire. Ils avaient compris. Leur rire trahissait leur soulagement. Car ma petite plaisanterie était le premier pas vers la résolution de leur problème : ils devraient s'autoriser à tirer profit d'autres méthodes de rapports sexuels que le coït.

Bien entendu, Amy et Bill (parents de quatre enfants déjà adultes) n'avaient pas la moindre intention d'avoir d'autres bébés. Pourtant le coït, c'est-à-dire le mode *reproducteur*, était tout ce qu'ils s'étaient permis en matière sexuelle pendant des années, pendant trente longues années, même après avoir dépassé la phase reproductrice de leur existence. Puisqu'ils n'étaient plus capables de faire l'amour de la seule, de la vraie, de l'unique manière, ils ne le feraient plus du tout.

L'histoire d'Amy et de Bill illustre à quel point ce mythe est profondément enraciné dans notre vie sexuelle, à quel point il nous limite, laissant en fin de compte l'ennui s'installer. Même à l'autre extrémité du spectre, chez les couples qui se permettent occasionnellement de petites escapades *non reproductrices* (l'amour oral ou la masturbation mutuelle), le mythe persiste, faisant naître chez l'un des partenaires un malaise, un sentiment de culpabilité, une crainte d'être anormal. Le mythe semble attaquer tous les couples mais choisit surtout ses victimes parmi les couples mariés.

La sexualité et l'ornière inévitable

En psychologie et en anthropologie, on reconnaît l'existence de ce qu'on appelle le «comportement ancestral». Par exemple, remarquez comment les chats et les chiens ont tendance à tourner en rond à plusieurs reprises sur un tapis avant de s'y allonger. Ce comportement est un vestige de l'époque où ces animaux, alors sauvages, piétinaient l'herbe haute pour aménager un endroit où s'allonger confortablement. Le coït, en tant que *seule et unique manière* de parvenir à l'orgasme pour un couple marié, est un autre exemple de ce type de comportement. C'est un vestige de l'époque (pas si lointaine) où la sexualité et la reproduction étaient intimement liées, dans le contexte du mariage. A cette époque, l'espérance de vie était limitée, la mortalité infantile très élevée et la sexualité était entièrement orientée vers la procréation. Mais contrairement à la coutume du chat qui tourne en rond sur son tapis, notre comportement sexuel n'est pas inoffensif. Il peut emprisonner notre vie sexuelle dans l'ornière de la monotonie.

Avant de poursuivre, je préfère répondre aux lecteurs que j'entends hurler d'ici : «*Etes-vous en train de nous raconter que le coït est démodé?*»

Bien sûr que non. Je n'affirme pas non plus qu'il soit la pire façon de faire l'amour... ou la meilleure. Je veux simplement expliquer que le coït n'est que *l'une des méthodes* grâce auxquelles un couple se donne mutuellement du plaisir sexuel et atteint l'orgasme. Réduire nos activités sexuelles au simple coït ou à une autre méthode unique, quelle qu'elle soit, nous condamne à l'ennui.

Il n'est pas difficile de comprendre comment nous pouvons tomber dans ce piège. Tous les membres des sociétés monogames savent instinctivement que l'objet primordial d'un engagement matrimonial est la procréation. La monogamie nous offre la certitude que nos enfants sont bien à *nous*, qu'il ne peut naître aucun doute à propos de leur paternité. Elle est à la base du tabou de la virginité (une femme doit demeurer vierge jusqu'à son mariage) et, bien que ce tabou soit quelque peu désuet aujourd'hui, ses conséquences demeurent enracinées dans bien des esprits.

Le tabou de la virginité assurait à un homme qu'il était bien le père du premier enfant porté par sa femme. De même, le tabou de l'infidélité dissuadait l'homme d'avoir (et de faire vivre) des enfants d'une autre partenaire. La règle était simple : nous n'avions le droit d'avoir des rapports sexuels qu'avec notre partenaire légitime. Mais dans les tréfonds de l'esprit humain, une déformation de cette règle est née. Nous sommes passés de l'idée que *nous n'avions le droit de faire l'amour qu'avec notre partenaire légitime* à l'idée que *le seul type de rapports sexuels auquel nous avions droit avec ce partenaire était le coït*. Les deux idées, «coït» et «partenaire légitime», sont associées l'une à l'autre dans notre esprit, exactement comme la notion de «mariage» est intimement liée à la notion d'«amour». L'une ne va pas sans l'autre. Et l'une ne va *qu'avec* l'autre.

Bien entendu, le tout aboutit souvent à la monotonie sexuelle. Limités aux méthodes «reproductrices», les couples ne tardent pas à connaître la frustration et l'ennui. La plupart trouvent une échappatoire dans les fantasmes, et la rancune ne se fait pas attendre. Ils se mettent à rêver d'infidélité car, puisqu'ils ne peuvent jouir de variété dans leurs activités sexuelles, ils entendent bien jouir de variété dans le choix des partenaires. En réalité, ils sont incapables de se débarrasser du mythe. Ils ne peuvent se débarrasser de l'idée que les rapports sexuels entre gens mariés doivent être «mûrs», «sérieux» et «responsables». On ne fait pas ça pour s'amuser !

Comment maman, l'Église et le code pénal peuvent-ils avoir tort ?

Lutter contre ce mythe équivaut à lutter contre l'autorité établie. Il existe un éventail impressionnant d'entités qui s'acharnent à le faire survivre et, par conséquent, à laisser la grisaille envahir notre vie sexuelle. Tout commence par l'attitude des autorités les plus puissantes qui soient : nos parents (de quoi nos parents ne sont-ils pas responsables ?), suivis de nos amis d'enfance, de l'Eglise, des codes de plusieurs Etats et, comme si cela ne suffisait pas, de nombreux psychanalystes.

Même les parents les plus éclairés et les plus libéraux qui décident d'avoir avec leurs enfants une séance d'éducation sexuelle transmettent sans défaut le message selon lequel il n'existe qu'un *seul* type de rapports sexuels : le pénis entre dans le vagin, dépose ses petites graines et voilà comment les bébés sont fabriqués. C'est là l'objet de toute l'opération, nous apprend-on dès notre enfance : *faire* des bébés. Sexualité *est synonyme* de reproduction.

« Bien sûr, ajoutent parfois timidement les parents, c'est agréable. Mais uniquement parce que, de cette façon, la Nature s'assure de la reproduction de l'espèce. »

Munis de ces connaissances — nos premières connaissances sexuelles qui émanent d'une source « fiable » —, nous grandissons, persuadés non seulement qu'il n'y a, pour les adultes, qu'*une manière* de faire l'amour, mais aussi que papa et maman l'ont sans doute fait cinq ou six fois dans leur vie, une fois pour nous, une fois pour le petit frère ou la petite sœur, et une ou deux fois sans résultat. Voilà comment naît la grisaille de l'éducation sexuelle.

Le secret culpabilisant que les parents sont très réticents à révéler aux enfants, c'est que faire l'amour constitue l'un des grands plaisirs de la vie, *même lorsqu'il n'est absolument pas question de faire un enfant*! On imagine difficilement un parent en train d'expliquer à son rejeton qu'il existe diverses manières de faire l'amour, que le coït n'en est qu'une parmi bien d'autres, et que chacune présente ses propres qualités. Pourtant, ce genre d'explications nous aurait peut-être permis de jouir ultérieurement d'une vie sexuelle dépourvue de tout sentiment de culpabilité. Faute de quoi, nous avons atteint notre maturité sexuelle en croyant fermement que la sexualité qui n'est pas liée à la reproduction est sale, anormale, perverse.

Il n'existe pas de meilleur exemple que celui de la masturbation. Pour la grande majorité d'entre nous, ce fut notre première expérience sexuelle active. Mais rare est l'enfant qui ne s'est pas senti coupable de son plaisir solitaire. Même si nos parents ne nous ont pas expliqué qu'il s'agissait d'une activité « sale » et « perverse », ne nous ont pas demandé de placer nos mains au-dessus de la couverture, s'ils n'ont pas tambouriné sur la porte de la salle de bains pendant que nous y étions enfermés, même si nous n'avions pas lu dans le *Manuel de l'Éclaireur* qu'il s'agissait d'une habitude « inhumaine », si nous n'avions pas été solennellement informés par un jeune sage du quartier que cela faisait pousser des verrues sur les doigts, enrayait la croissance ou nous transformerait en « femmelette », même en l'absence de toute cette propagande de culpabilisation, nous n'aurions pas tardé à succomber à l'idée qui veut que la masturbation soit une habitude affreusement perverse. Après tout, qu'y a-t-il de moins « reproducteur » qu'une activité sexuelle solitaire ? C'est bien cela, le vrai péché, c'est la seule et unique raison de notre sentiment de culpabilité : nous le faisons pour notre propre plaisir et non pour procréer, qui se veut le *seul* objet de la sexualité.

Pendant notre adolescence, alors que nous faisons timidement nos premiers pas dans le monde de la sexualité à deux, le mythe reparaît, d'une manière paradoxale. Le coït n'est pas l'unique forme de rapports sexuels *autorisée*, c'est l'unique forme qui nous est *refusée*. Dans le meilleur des cas, cela devient une faveur très spéciale qu'une jeune fille accorde à un jeune homme méritant. C'est pourquoi nombreux sont les adolescents — les garçons notamment — qui considèrent le coït comme le but suprême, le Graal. Pour un adolescent, «aller jusqu'au bout» n'a qu'une signification. Et toutes les autres formes d'activité sexuelle, qu'il s'agisse des caresses conduisant à l'orgasme ou de la masturbation mutuelle, sont considérées comme de pâles substituts du seul, du vrai, de l'unique Graal.

L'ironie va dans les deux sens parce que tous ces «pâles substituts» auxquels s'adonnent les adolescents sont exactement ce à quoi rêvent tant de couples adultes, aujourd'hui. Ces derniers donneraient n'importe quoi pour retrouver la lente excitation des heures passées sur le siège arrière de la voiture, l'émerveillement des orgasmes provoqués par la masturbation mutuelle, l'aventure de l'amour oral. Pourtant, ces couples sont emprisonnés dans leur version de la sexualité : mariage est synonyme de coït et de *rien d'autre*. Le coït n'est plus le seul interdit de l'adolescence mais la seule chose qui est permise à l'âge adulte.

Revenons un peu à nos adolescents. Avant de démontrer comment une société moralement prohibitive limite nos options sexuelles, je dois reconnaître que toutes ces restrictions nous permettent malgré tout d'ouvrir nos horizons. Un adolescent qui n'a pas le droit d'aller «jusqu'au bout» se trouve obligé d'expérimenter ces merveilleux substituts même s'il se sent dupé. L'adolescent devenu adulte sera heureux d'avoir appris toutes ces caresses prolongées d'autrefois le jour où il s'apercevra que sa vie sexuelle est devenue morose. Elevée au sein de la société permissive suédoise, j'ai vu trop d'adolescents passer du jour au lendemain de l'inexpérience sexuelle totale à l'expérience complète. Leur toute première activité sexuelle avait été le coït. Au diable toutes ces caresses inutiles et autres substituts! On les considérait alors comme «perverses» et «malsaines». On allait droit au but, ce que la société suédoise considérait comme «sain» et «convenable». En conséquence, les Suédois, en dépit des idées préconçues que s'en font les Américains, sont généralement très limités dans leur répertoire sexuel. Pas de «smorgasbord» sexuel pour eux! Au cours d'une étude que j'ai entreprise auprès de Suédois qui avaient eu des rapports sexuels avec des Américaines, j'ai découvert que ces hommes préféraient de beaucoup ces partenaires à leurs compatriotes.

«Les Américaines sont plus difficiles à amener au lit, m'a expliqué l'un d'eux, mais une fois qu'elles y sont, elles se laissent aller beaucoup plus loin.»

Malheureusement, les effets de la société prohibitive ne se limitent pas à la vie sexuelle des adolescents. La religion est en grande partie responsable de la perpétuation du mythe tout au long de notre vie adulte. De l'Ancien Testament qui nous interdit de répandre notre semence sur le sol aux interdictions des religions chrétiennes d'aujourd'hui, le message nous parvient cinq sur cinq: l'Objet divin de la sexualité, c'est la reproduction, et toute activité sexuelle qui n'a pas cette fin est un péché. L'Eglise catholique semble un peu plus libérale que les autres à cet égard: elle permet quelques libertés sexuelles pour autant qu'elles aboutissent à l'accouplement. Cependant, n'oublions pas que le Vatican interdit toujours la contraception!

Il n'est pas dans mes intentions d'entamer un débat théologique sur l'Objet divin. Je ne suis guère qualifiée à ce propos et, en tant que sexologue, j'ai déjà assez de mal à éviter d'être qualifiée de suppôt de Satan. Je désire simplement vous poser deux questions auxquelles vous devrez répondre en toute honnêteté :

Croyez-vous sincèrement que votre partenaire et vous ne devriez avoir de rapports sexuels que lorsqu'ils conduisent — ou pourraient conduire — à la procréation ? N'avez-vous de rapports sexuels que dans ce but et n'avez-vous jamais utilisé une méthode quelconque de contraception ?

La plupart d'entre nous répondront par la négative. Pourtant, cela ne signifie pas que nous sommes entièrement libérés des inhibitions et des limites que nous impose le mythe du seul, du vrai, de l'unique coït.

Un argument laïque différent ressemble à l'argument chrétien : le coït est la forme « naturelle » des rapports sexuels. C'est pour cette raison que le vagin existe, c'est l'endroit où le pénis doit tout naturellement se loger et il n'est pas naturel de vouloir le mettre ailleurs.

« Oui, si vous voulez procréer. » Mais nombreux sont les couples qui peuvent ressentir les plaisirs les plus naturels sans que le pénis soit placé là où « il doit naturellement se loger ».

Deux piliers de la société occidentale essaient de nous convaincre qu'il n'existe *qu'une méthode légitime* de faire l'amour : les législateurs et les psychanalystes (ce qui prouve que ce ne sont pas toujours ceux qui se ressemblent qui s'assemblent). Dans un certain nombre d'Etats américains, il existe encore des lois qui rendent illégal l'amour oral et anal entre adultes consentants et même entre membres d'un couple marié. Ces lois sont rarement appliquées avec rigueur, mais le pouvoir de cette interdiction légale nous donne le droit de penser qu'il y a sûrement quelque chose de « malsain » ou d'« anormal » dans ce type d'activités.

Malheureusement, les premières théories de psychanalyse ont également entrepris de limiter notre vie sexuelle au coït. D'après ces théories, nos habitudes et préférences sexuelles sont souvent considérées dans le contexte des étapes du développement «normal», la prédilection pour l'amour oral étant le symptôme d'une fixation au stade oral du développement tandis que le désir d'un homme de pratiquer l'amour anal avec sa femme est le signe d'une homosexualité latente. Le refrain selon lequel toute personne normalement développée ne devrait s'intéresser qu'à des activités sexuelles «mûres», à savoir le coït, est trop simpliste. Il ne tient aucun compte du désir de chacun de nous d'expérimenter et de notre besoin de maintenir notre relation dans un état de stimulation perpétuelle grâce à la variété des possibilités sexuelles.

Faire un bébé ou faire l'amour?

Au moins le tiers des couples que je reçois ont des problèmes sexuels directement liés à la question de la reproduction. Ou ils ont peur d'avoir un bébé, ou ils ont peur de ne pas en avoir.

«J'ai tellement peur d'être enceinte, m'a confié la mère de trois enfants, que je ne parviens jamais à me laisser aller. Je n'ai même plus d'orgasme. Nous n'avons même pas fini que je pense déjà à courir à la salle de bains pour prendre une douche vaginale.»

Un père m'a avoué que, lorsqu'il pense que sa femme est en période d'ovulation, il ne parvient même pas à avoir une érection. Pourtant, un nombre incalculable de couples m'ont répondu, tandis que nous discutions de diverses méthodes de contraception: «C'est bien trop d'histoires!»

Il est possible que certains couples n'aient pas eu

l'occasion d'apprendre à quel point la contraception est facile et efficace de nos jours. Une fois qu'ils sont informés, ils rentrent chez eux, tout joyeux, pour reprendre leur vie sexuelle là où ils l'avaient interrompue. Mais un grand nombre de couples *évitent sciemment* de s'informer sur la contraception, s'en *méfient irrationnellement* ou se joignent à ceux qui croient que «c'est bien trop d'histoires!».

On peut affirmer que, dans presque tous ces cas, les couples en question expriment en réalité leur sentiment de culpabilité à propos de la sexualité non reproductrice. Ils évitent de s'informer sur la contraception parce que la quête de conseils à un bureau de planification des naissances ou chez le gynécologue les rendrait *trop conscients* du fait qu'ils recherchent une vie sexuelle fondée sur le plaisir et non sur la reproduction.

Parallèlement, les femmes qui affirment ne pas avoir confiance en la contraception sous-entendent en réalité qu'elles ne croient pas pouvoir utiliser efficacement les méthodes contraceptives. Un nombre étonnant de jeunes femmes intelligentes et instruites se retrouvent enceintes régulièrement et se font avorter. Elles expliquent que la contraception ne semble pas «marcher» mais, lorsqu'on les questionne davantage, elles avouent qu'elles «oublient» de prendre leur pilule ou d'insérer leur diaphragme et que, dans la frénésie du moment, elles ne veulent pas éteindre la flamme en pensant à quelque chose d'aussi terre à terre que la contraception. L'une de ces femmes m'a finalement confié que le seul moment où elle pouvait avoir des orgasmes satisfaisants, c'était lorsqu'elle craignait d'être fécondée. Chez toutes ces femmes, de la maman qui *ne pouvait* avoir d'orgasmes de peur d'être enceinte jusqu'à la jeune épouse *qui ne pouvait en avoir que lorsqu'elle avait peur de l'être*, le mythe est à l'œuvre, les empêchant de prendre un quelconque plaisir dans l'acte

95

sexuel. Faire un bébé et faire l'amour doivent demeurer synonymes pour elles.

Il s'agit bien sûr de cas extrêmes mais je ne nierai pas que la contraception est parfois à la source de certaines inhibitions. Nous disons que la pose d'un diaphragme est embarrassante, que l'odeur de la gelée spermicide suffit pour refroidir toutes les ardeurs, que le fait de se lever pour courir à la salle de bains afin d'insérer «ce fichu machin» donne plutôt envie de tout laisser tomber.

«Lorsque je suis de retour dans la chambre, m'a expliqué une patiente, mon mari n'a plus d'érection et est occupé à lire le journal ou à regarder la télévision. Soyons franches, cette méthode a tendance à *interrompre* les événements. C'est tellement mécanique, tellement "cuisine". C'est ce qu'il y a de moins romantique au monde et il faut que ça arrive en plein milieu de la séance!»

Je soupçonne que le manque de romanesque ne dépend pas des diaphragmes ni des préservatifs eux-mêmes, mais plutôt du fait qu'ils nous rappellent que nous sommes sur le point d'accomplir un acte délibérément *non reproducteur*. La popularité de la pilule et du stérilet (avant que beaucoup de femmes ne les abandonnent en raison d'effets secondaires possibles) était surtout due au fait qu'ils nous permettaient d'oublier la contraception lorsque nous avions envie de faire l'amour. En d'autres termes, rien ne venait nous rappeler que l'acte que nous allions poser n'avait rien à voir avec la reproduction.

Je vous entends protester: «*Ridicule! Ce n'est pas drôle de placer un diaphragme! Et ça refroidit tout le monde. C'est comme repartir de zéro!*»

Ce n'est pas tout à fait vrai. Nous nous créons nous-mêmes nos problèmes. C'est peut-être une manière de laisser le sentiment de culpabilité nous prendre en charge. Il existe de nombreuses méthodes pour contourner la question.

La meilleure méthode consiste peut-être à placer votre diaphragme chaque jour, à la même heure, par exemple au début de la soirée. La plupart des gelées vaginales demeurent actives pendant cinq ou six heures; vous avez donc la soirée à vous. Et ce n'est pas plus déplaisant que se laver les dents ou s'épiler les jambes. Faites-en une habitude et jouissez de rapports ininterrompus le moment venu.

J'hésite cependant à recommander cette méthode à tous les couples. Ceux pour qui la rareté des rapports sexuels est une source de tension et d'anxiété risquent de voir leur problème s'aggraver. Le diaphragme devient le symbole matériel de ce qui pourrait arriver mais qui ne se passe pas nécessairement entre les membres du couple. Chez un homme qui est sensibilisé aux signes d'«exigences sexuelles», le simple fait de savoir que sa femme a mis son diaphragme et est prête à se laisser aller peut avoir l'effet d'une douche froide (voir le chap. 7). Mais il existe une raison plus générale et plus importante pour laquelle je ne recommande cette méthode que comme *palliatif* et non comme traitement: elle ne nous aide pas à surmonter notre anxiété à propos du plaisir que nous prenons pendant des activités sexuelles non reproductrices. A l'instar de la pilule et du stérilet, elle ne nous aide qu'à contourner le problème.

J'ai donc découvert une autre méthode permettant aux couples d'établir la distinction entre «faire un bébé» et «faire l'amour». Elle consiste à *faire de la contraception un élément sensuel du jeu.*

Au lieu de conserver votre diaphragme caché dans un placard secret de la salle de bains, laissez-le près de votre lit, dans un tiroir de votre table de chevet. Et lorsque le besoin se fait sentir, prenez-le et insérez-le devant votre partenaire.

Croyez-moi, il n'en sera pas refroidi pour autant. Au contraire, le fait de vous voir insérer doucement l'objet l'excitera encore davantage.

L'étape suivante est encore plus érotique : vous placez tous les deux le diaphragme. Prenez votre temps. Enlevez-le puis remettez-le plusieurs fois de suite. Souvenez-vous, c'est un élément des préliminaires et non une interruption. Au bout d'un certain temps, votre mari demandera la permission de le faire lui-même. Il n'y a rien de plus « enfantin » que jouer au docteur. Pour les femmes qui passent leur vie à essayer de ne pas se sentir excitées par les examens gynécologiques, c'est le meilleur exutoire. Bien entendu, pour les couples qui utilisent les préservatifs comme méthode contraceptive, le principe demeure le même : le mari place son préservatif devant sa femme ou, mieux, la laisse le mettre.

En partageant ainsi la responsabilité de la contraception avec leur partenaire, beaucoup de femmes éprouvent moins de rancune à prendre seules les précautions nécessaires. Mais, ce qui est encore plus important, en faisant de la contraception un élément du jeu sexuel, nous faisons la lumière sur les véritables raisons qui nous font l'utiliser : le plaisir pur et simple. Ainsi, nous franchissons une étape en vue de l'élimination de notre sentiment de culpabilité. En faisant de la contraception une question ouverte et naturelle, voire sensuelle, nous reconnaissons que, pour une fois tout au moins, nous avons l'intention de faire l'amour sans faire de bébé.

Il existe une autre méthode que je peux recommander à celles qui désirent se réconcilier avec la contraception. Il s'agit davantage d'une petite plaisanterie familiale que d'une véritable méthode, mais elle m'a été confiée par un charmant couple d'âge mûr qui m'a assurée de son efficacité.

Chaque fois que l'un d'eux a envie de faire l'amour, il sourit à l'autre en demandant :
« As-tu envie de faire un bébé ce soir ?
— Quelle horreur ! répond l'autre.
— Parfait, alors, amusons-nous ! »
Et ils filent au lit.

Il est triste de constater qu'un nombre croissant de couples sont victimes d'anxiétés sexuelles parce qu'ils ont des difficultés à procréer. Pour eux, la sexualité et la reproduction sont trop intimement liées. Chaque fois qu'ils font l'amour, une appréhension s'installe. « Allons-nous enfin concevoir un enfant ce soir ? Est-ce le bon moment ? Ma formule spermique est-elle suffisante ? Ai-je ovulé ? » Rien d'étonnant à ce que toutes ces angoisses transforment un acte joyeux en un acte anxiogène. Rien d'étonnant non plus à ce que les couples qui luttent contre la stérilité réduisent leurs activités sexuelles au coït. Toute autre forme de rapports leur paraît être du gaspillage de spermatozoïdes. La plupart des couples cessent d'avoir des contacts sexuels en de telles circonstances et leur relation commence souvent à se désagréger. Comme la plupart des couples, ceux-là font la distinction entre les rapports sexuels qui ont pour but la fécondation, et les autres. Je commence d'abord par les encourager à essayer d'autres formes d'activité sexuelle et à *abandonner temporairement le coït* afin de retrouver le sens du plaisir pur et simple. Car la sexualité sans plaisir peut inhiber la reproduction avant même que le processus ne se déclenche.

Bien entendu, il s'agit de cas extrêmes, de couples dont les problèmes sexuels sont directement liés à la reproduction. Mais ces problèmes sont nés du même mythe dont nous sommes tous victimes. Ils ne représentent qu'une partie des obstacles à surmonter. Les pages qui précèdent décrivent les angoisses que nous ressentons lorsque l'acte sexuel ne conduit pas à la conception. L'autre partie consiste en la manière dont nous nous limitons aux *activités sexuelles reproductrices*, soit le coït, même lorsque la question de la reproduction est le cadet de nos soucis.

« Mais pas avec ma femme... »

En réalité, de nombreux couples mariés ont eu des expériences sexuelles passionnantes en dehors du coït. Mais il s'agit d'activités auxquelles ils ne se sont jamais adonnés *ensemble* ou, encore, qu'ils ont totalement abandonnées depuis leur mariage. Avant le mariage, ils étaient prêts à tout essayer. Parfois, ils continuent de s'aventurer dans ces excitants domaines après le mariage mais avec *d'autres partenaires* que leur conjoint légitime. Apparemment, on peut tout faire au lit (ou sur le siège arrière de la voiture) avec tout le monde sauf avec la personne qui est devenue notre partenaire à vie.

« Bien sûr, j'ai essayé un tas de trucs dans ma jeunesse, m'a expliqué un mari, à la fois fier et honteux, mais ce ne sont pas des choses que je ferais avec ma femme. Ces expériences exotiques ne me paraissent pas dignes d'elle.

— Et pourquoi pas ? ai-je rétorqué. Avez-vous peur qu'elle n'y prenne goût ? »

Pour cet homme, comme pour des milliers d'autres personnes, les activités sexuelles « exotiques » auxquelles on s'adonne pour le *simple plaisir*, par goût de l'aventure, sont sans rapport avec les activités sexuelles qui sont permises entre conjoints. Dans son esprit, il n'était pas capable de le faire « pour s'amuser » avec sa propre femme. Après tout, il s'agit d'une mère, de la mère de ses enfants. En outre, elle est ce qu'on appelle une *dame*!

Nous voyons ici cet horrible complexe « madone-dévergondée » renaître de ses cendres. Il existerait des femmes vouées au seul plaisir sexuel de leurs partenaires (des femmes qu'on ne songerait jamais à épouser) et des femmes respectables, épousables, avec lesquelles il serait impossible d'avoir des rapports sexuels frivoles, aventureux, amusants. Plusieurs sociétés ont bâti leurs coutumes sexuelles autour de ce complexe. Pendant des siècles, les Espagnols aisés avaient une épouse qui leur donnait des enfants et des maîtresses qui leur donnaient du plaisir. Dans une moindre mesure, cette distinction existe encore au sein de notre propre société. Les Américains qui entretiennent des maîtresses ne courent pas les rues mais beaucoup trop d'entre eux refusent d'avoir des rapports sexuels simplement pour le plaisir avec la mère de leurs enfants : « Ce n'est pas digne d'elle. »

Le complexe de la madone et de la dévergondée n'est pas exclusivement un problème masculin. Plusieurs femmes pourraient prendre plaisir à expérimenter de nouvelles activités sexuelles (certaines les ont parfois expérimentées dans leur jeunesse), mais elles estiment que de telles aventures ne sont pas dignes de leur époux, du père de leurs enfants. Il y a quelques années, un film de Luis Buñuel intitulé *Belle de jour* a capté l'imagination de plusieurs femmes de ma connaissance. L'héroïne, interprétée par Catherine Deneuve, est une femme très respectablement mariée qui passe ses journées dans la peau d'une prostituée et se livre à toutes sortes de jeux sexuels avec ses clients. Plusieurs femmes m'ont expliqué que la vie de ce personnage correspondait à leurs plus profonds fantasmes. En d'autres termes, elles se voyaient ou bien en prostituée qui tentait toutes sortes d'aventures sexuelles ou encore en épouse qui faisait bien sagement l'amour.

J'ai interrogé un nombre incalculable de femmes qui ont des fantasmes très vivaces à propos de l'amour oral ou de la masturbation mutuelle mais qui n'ont jamais expérimenté ces variantes avec leur mari. J'ai également rencontré de nombreuses femmes qui conservent ces fantasmes à l'esprit afin de pouvoir m'en parler facilement ou d'en discuter avec un groupe d'amies qui sont dans la même situation. Plusieurs de ces femmes m'ont avoué qu'elles préféraient même échanger le coït contre ces variantes.

« J'aimerais autant me passer du coït, m'a raconté l'une d'entre elles. Vous savez, la partie ennuyeuse de la séance. Mon mari estime que je dois avoir un orgasme et il se démène comme un fou, couché sur moi. Pourtant, j'aimerais bien qu'on consacre ce temps-là à se caresser, à s'amuser. Nous pourrions peut-être faire l'amour oral. Ce qui est bizarre, c'est que je crois que j'aurais facilement un orgasme si nous nous contentions de ce genre d'activité.

— Le meilleur moyen de le savoir, ai-je suggéré, serait peut-être d'en parler tout simplement à votre mari. Vous serez bien surprise s'il se montre soulagé. »

En vérité, des études ont révélé que de nombreuses femmes ont plus facilement des orgasmes à la suite de l'amour oral ou de la masturbation (mutuelle ou solitaire) que pendant le coït. La stimulation directe du clitoris devient plus facile et les lèvres et la langue d'un homme sont plus doux que son pénis en érection. En outre, les femmes sont soulagées de ne plus avoir à se soucier des méthodes contraceptives.

Pourtant, beaucoup d'entre elles ont honte de se livrer à ces activités avec leur mari. Celles qui n'osent pas *faire les premiers pas* dans cette voie, c'est-à-dire en parler tout simplement à leur conjoint, sont encore plus nombreuses.

Lorsque je me suis entretenue avec l'épouse de l'homme qui estimait que les activités sexuelles exotiques n'étaient pas «dignes de sa femme», celle-ci m'a avoué que depuis des années elle rêvait de faire l'amour oral avec son mari.

«Ça m'excite rien que d'y penser. Mais lorsque le moment arrive, c'est toujours la même chose. Une courte séance de réchauffement et il me pénètre. C'est comme si nous avions mis en marche le pilotage automatique.»

Quel dommage! Deux êtres sains, ardemment désireux d'apporter une bouffée d'air frais à leur vie sexuelle, perdaient leur temps et leurs capacités à se limiter à un accouplement incolore, inodore et sans saveur.

Souvent, un seul des partenaires refuse l'aventure. Il n'est pas rare que l'un des conjoints fasse part de son désir d'expérimenter tandis que l'autre se cantonne du côté du coït pur et simple. Cette attitude génère une tension considérable au sein du couple.

«J'en ai assez de la harceler pour que nous expérimentions au moins une fois l'amour oral, m'a raconté un mari. Elle finit toujours par me donner l'impression que je suis un pervers. Elle me raconte que ces choses-là sont réservées aux fêtards ou aux adolescents.»

J'ai demandé à sa femme: «Pensez-vous réellement que vous êtes trop âgée pour vous adonner à cette pratique?

— Je pense que oui, a-t-elle reconnu. Il me semble que ce n'est pas quelque chose que des gens mûrs devraient faire.

— Elever des enfants exige de la maturité, ai-je répondu. Mais prendre du plaisir dans les rapports sexuels est une activité qui n'a pas d'âge.»

En réalité, je comprenais autant l'attitude de cette

femme que celle de son mari. Il n'est pas facile de parvenir à un certain âge et de constater que son conjoint désire se lancer dans de nouvelles expériences sexuelles. Les inhibitions liées à l'amour oral, notamment, sont difficiles à surmonter et je les aborderai dans la deuxième partie de ce livre. J'ai commencé par persuader cette femme d'élargir sa conception des activités sexuelles «mûres». Je voulais qu'elle voie le mythe du seul, du vrai, de l'unique coït, tel qu'il était ancré dans son esprit.

« *Un instant*, me direz-vous, *et si mon mari et moi sommes parfaitement satisfaits par le coït ? Suggérez-vous que nous devrions nous lancer dans ces expériences malgré tout ?* »

Pas nécessairement. Je ne crois pas que nous devrions nous obliger à expérimenter des variantes sexuelles qui ne nous attirent pas. Mais demandez-vous en toute honnêteté si vous n'avez jamais eu de fantasmes d'amour oral ou de masturbation mutuelle. Si tel est le cas, ne croyez-vous pas que vous méritez de vivre ces fantasmes avec votre conjoint ? Au moins une fois ?

Très peu de gens n'ont jamais eu ce genre de fantasme, si passager soit-il. Malheureusement, ceux qui jugent que «ce n'est pas digne» de leur conjoint sont beaucoup plus nombreux.

Allez jusqu'au bout...
Mais par un autre chemin

Dans un livre que j'ai lu récemment, un jeune homme qui vient de connaître sa première expérience sexuelle avec une jeune fille réfléchit à ce qui vient de lui arriver :

« *Si j'étais né au fond des bois, aurais-je su où le placer ? J'aurais peut-être essayé l'aisselle ou peut-être le nombril. L'endroit prévu est si bizar-*

rement situé, si difficile à trouver. Peut-être que la "sélection naturelle" a commencé de cette manière : ceux qui le mettaient sous l'aisselle ne pouvaient se reproduire. »

Que nous soyons nés ou non avec l'instinct qui nous dicte où «le placer», nous naissons certainement dotés de la capacité de ressentir un plaisir sexuel grâce à un nombre élevé de variantes autres que le coït. Avec un peu d'encouragement et de bonne volonté, de nombreux couples ont pu mener une vie épanouie et naturelle en ajoutant ces variantes à leur répertoire sexuel. Pour eux, tout a commencé par l'exercice de toucher I, prolongé par une deuxième étape.

Exercice de toucher II

De nouveau, chacun doit caresser et être caressé. Mais, cette fois-ci, les caresses se font sur la totalité du corps. La poitrine et les organes génitaux ne doivent être touchés qu'après une période de quarante-cinq minutes consacrée aux autres parties du corps.

Prenez tout votre temps. Ne plongez pas vers les parties génitales. Traitez-les comme les autres parties du corps. Posez votre main sur celle de votre partenaire pour le guider dans ses caresses. Montrez-lui que vous ressentez du plaisir ; apprenez-lui quelles sont les parties les plus sensibles de votre corps et à quel rythme il doit vous caresser.

Laissez-vous conduire à l'orgasme, manuellement ou oralement, de la manière qui vous plaît à l'exception de l'accouplement. Résistez à la tentation de terminer par le coït.

De nombreux couples trouvent ces exercices très soulageants. C'est souvent la première fois qu'ils connaissent l'orgasme sans accouplement préalable et ils parviennent à orienter toutes leurs sensations vers leur propre plaisir.

« Je me suis sentie si audacieuse, m'a confié une femme qui avait entrepris cet exercice en compagnie de son mari. Comme si nous venions de transgresser tous les règlements. Nous nous sommes sentis jeunes à nouveau, comme si nous étions des adolescents excités sur le siège arrière de la voiture. C'est fou, mais je n'avais jamais eu d'orgasme aussi satisfaisant. »

Ce n'était pas fou du tout. Pour une fois, elle avait fait l'amour pour son propre plaisir.

5

Le spectacle de
ce soir est annulé

John G. avait les traits boudeurs lorsqu'il est entré dans mon cabinet. Grand, élégamment vêtu, il était âgé d'une trentaine d'années et occupait un poste important dans une agence de publicité. Il était aussi furieux. Pendant cinq ans, il avait joui de ce qu'il croyait être une vie sexuelle extraordinaire avec sa femme, Ruth. Mais quelques mois auparavant, alors qu'ils achevaient de faire l'amour, Ruth lui avait avoué en bafouillant qu'elle n'avait pas vraiment eu d'orgasme. Elle avait simplement feint d'en avoir un. D'ailleurs, avait-elle ajouté, elle faisait semblant au moins une fois sur deux depuis leur mariage. Depuis ce soir-là, ils n'avaient plus fait l'amour.

« Elle m'a menti tout ce temps, fulminait John. Je me sens trompé.

— Estimez-vous que vous êtes un bon amant ? » lui ai-je demandé.

Pour la première fois, il a souri.

« Oui. Je crois que je suis doué.

— C'est peut-être là que le bât blesse. Vous êtes si occupé à être un amant doué que vous n'avez plus le temps de vous amuser. »

Après avoir interrogé John et Ruth, ensemble puis séparément, mes soupçons se sont confirmés. John

107

était un «amant-vedette». Il faisait l'amour comme il faisait tout le reste: avec compétence, agressivité et le besoin d'impressionner son auditoire. Pendant des années, Ruth avait admiré la personnalité dominatrice de John et, sans vraiment comprendre pourquoi elle agissait ainsi, elle «applaudissait» à ses exploits en feignant d'avoir des orgasmes. Mais un jour, la frustration et la colère l'emportant, elle avait annulé le spectacle en faisant ses aveux.

«Je ne voulais pas le blesser consciemment, m'a-t-elle dit. Mais je crois qu'au fond de moi-même je savais qu'il aurait cette réaction. Je devais être en colère contre lui parce qu'il avait enlevé tout son caractère amusant à notre vie sexuelle. Nous ne paraissions plus avoir aucun *sentiment* pendant que nous le faisions. Nous jouions des rôles: il était "l'amant miraculeux" et j'étais "l'épouse reconnaissante". Le problème, c'est que nous n'avions aucun spectateur.»

La perspicacité de Ruth, assez inhabituelle, m'a permis de sauvegarder sa relation avec son mari. Bien entendu, ils ont beaucoup souffert avant de trouver l'apaisement. Pendant les séances de thérapie, John a été obligé de voir en face son besoin de dominer et Ruth a dû admettre qu'elle avait volontairement abandonné toute responsabilité relative à sa propre sexualité. Mais après avoir passé un certain temps à parler d'eux-mêmes et à étudier le comportement de l'autre, après avoir pris le temps de réapprendre à faire l'amour *pour eux-mêmes* et *non pour des spectateurs*, ils ont redécouvert le simple plaisir sexuel que l'on donne et que l'on reçoit parce que c'est agréable.

Mais même si Ruth n'avait pas pris l'initiative d'annuler leur «représentation», John aurait sans doute atteint le même stade de frustration de lui-même. Les amants-vedettes, compétents et capables, finissent souvent par succomber à l'apathie sexuelle, surtout dans le contexte d'une relation durable. Ils sont généralement les premiers à se plaindre que tout le côté palpitant des événements a disparu.

« Qu'est-ce que je fais qui ne va pas ? »

La chanson cocasse de Randy Newman *Maybe I'm Doing It Wrong**, est une satire de la manière dont nous pensons à l'acte sexuel. Nous croyons qu'il existe des gens — les « amants experts et phénoménaux » — qui, seuls, savent comment s'y prendre. Ces amants-là connaissent tous les gestes appropriés, la synchronisation de leurs mouvements est impeccable. Les hommes gardent une érection indéfiniment tandis que les femmes ont des orgasmes cataclysmiques à toutes les heures. Ils connaissent tout un éventail de « trucs » exotiques, ils savent maintenir l'équilibre parfait entre l'abandon passionné et la maîtrise de soi, tout en ayant l'air aussi gracieux et dégagé que Noureev et Fonteyn en plein « pas de deux ». Pendant ce temps-là, les autres misérables mortels « ne savent pas s'y prendre » ou, tout au moins, ne s'y prennent pas aussi bien qu'ils le devraient.

A un moment donné de notre vie, nous acquérons l'idée qu'apprendre à faire l'amour entre dans la même catégorie qu'apprendre à jouer au tennis ou à parler anglais. Des études assidues et une énorme pratique sont nécessaires. Les élèves enthousiastes consultent avec intérêt les manuels *ad hoc*, les guides matrimoniaux et le « Forum » de *Penthouse* à la recherche d'indices et de trucs qui pourraient leur permettre de devenir des experts en la matière. Un homme m'a raconté que son épouse et lui louaient occasionnellement des vidéo-

* « Peut-être est-ce que je m'y prends mal. » *(N.d.T.)*

cassettes porno pour y recueillir de «nouvelles techniques».

«Vous voulez dire que vous les regardez comme vous regarderiez un film éducatif?

— C'est un peu ça, a-t-il répondu.

— Voilà qui me paraît bien ennuyeux.»

J'étais sincère. C'est comme si on allait voir *Casablanca* pour apprendre à préparer des cocktails.

Même mes deux mentors, Masters et Johnson, ont par inadvertance perpétué l'idée que faire l'amour consiste à mettre en application une série de techniques que l'on peut apprendre sous la surveillance d'un éducateur et ensuite réitérer pour acquérir de l'expérience. Il est évident que la thérapie de ces deux sexologues est destinée à aider des couples à reprendre contact avec leur sensualité mais, dans l'esprit populaire, Masters est le champion, le gourou de la technique sexuelle. Il nous apprend à devenir des amants-vedettes.

J'affectionne l'idée quelque peu démodée que nous n'avons pas grand-chose à apprendre en matière de technique sexuelle. C'est un peu comme lorsque nous voulons nous rendre à l'aéroport d'une ville que nous ne connaissons pas. Il suffit de deux ou trois voyages et nous connaissons le chemin. Tout le reste vient naturellement.

De la part d'une sexologue, cet aveu peut sembler bizarre après quinze années de travail. Mais la plupart de mes patients n'ont pas besoin qu'on leur apprenne comment «faire ça bien». En fait, nous consacrons la plupart de notre temps à nous *débarrasser* des vieux mythes et de la propagande qui nous ont empêchés de ressentir le simple plaisir des activités sexuelles. Tout en haut de la liste de ces mythes se trouve celui qui proclame que faire l'amour est un «acte» qui exige une certaine compétence. Désarmés par ce mythe, nous nous accusons ou nous accusons notre partenaire (ou les deux) de n'être pas à la hauteur de notre attente.

Nous venons de traverser l'une des périodes de l'histoire les plus propices à la fabrication de mythes : la prétendue révolution sexuelle. Ironiquement, le mandat de la révolution sexuelle, «liberté sexuelle pour tous», n'a pas tardé à devenir «esclavage sexuel pour tous». Non seulement nous a-t-on dit que les relations sexuelles étaient là pour que tous en profitent n'importe quand, n'importe où et avec n'importe qui, mais encore nous a-t-on bien précisé que, si nous ne tirions pas profit de toute cette disponibilité sexuelle, nous étions «bloqués» ou, pire, sexuellement rétrogrades. C'est ainsi que ladite révolution sexuelle a produit des millions de ce que j'appelle des «amants fantômes», soit des hommes et des femmes qui se sentent obligés, sous les pressions sociales, de donner un spectacle de leurs compétences sexuelles même lorsqu'ils n'en ressentent pas affectivement le besoin. Au lieu de vivre avec leurs inhibitions sexuelles, qui étaient en général des plus ordinaires, ils se sont jetés pêle-mêle dans la foire sexuelle, bardés de techniques dernier cri. Au lieu d'apprendre à connaître le vrai plaisir sexuel, ils se sont consacrés à la maîtrise des techniques. Ils sont devenus des experts en la matière, en l'absence de toute véritable sensualité. Aujourd'hui, lorsque je rencontre des anciens combattants de la révolution sexuelle, ils se plaignent qu'ils ne ressentent plus rien du tout.

«J'ai appris tout ce qu'il y avait à apprendre pendant la révolution sexuelle, m'a expliqué une femme. Tout ce que j'ai négligé d'apprendre, c'est à m'amuser. C'est comme si je jouais constamment le rôle d'une amante-robot. Si j'avais été une mouche accrochée au plafond de ma chambre à coucher, j'aurais été épatée par la technique de la fille qui s'agitait et gémissait en dessous. Mais tout ce que je faisais en réalité sur ce lit, c'était accomplir tous les mouvements mécaniques, sans vraiment me laisser aller et profiter du moment. »

Aiguillonnée par les pressions de la révolution sexuelle, cette femme s'est forcée à accomplir des actes intimes pour lesquels elle n'était pas affectivement prête. Si elle avait vécu à une autre époque, elle aurait probablement retardé le moment de sa première expérience jusqu'au jour où elle se serait sentie mieux dans sa peau, moins anxieuse à propos des hommes et de la sexualité. Mais, emportée dans le sillage de la révolution sexuelle, elle sautait dans son lit en compagnie d'hommes avec lesquels elle gardait ses distances, affectivement parlant, tout en les étreignant avec une passion qu'elle ne ressentait pas. Une machine, un robot.

Ces exécutants-vedettes ont un point commun : ils font l'amour « par en dehors ». Ils commencent avec la technique, avec les bons mouvements, le bon regard, la maîtrise parfaite, tandis que le plaisir sexuel, lorsqu'il existe, doit être le *résultat final* de toute cette technique. Pourtant, soyez sûr que tout acte sexuel qui *commence* avec nos sensations, qui se concentre sur notre plaisir plutôt que sur notre « représentation » finit par trouver ses propres techniques.

Le tableau de chasse : les mille et une conquêtes ne sont pas la clé du plaisir

Selon une certaine théorie, Don Juan vagabondait de par le monde et séduisait une femme différente chaque soir parce qu'il était à la recherche de la seule et unique femme avec laquelle il serait enfin capable d'éprouver du plaisir.

Comme l'a expliqué l'un de mes collègues : « Don Juan aurait mieux fait de rester chez lui un soir pour se masturber. Pour une fois, il se serait amusé. Il était tellement obsédé par l'idée de maîtriser ses partenaires qu'il ne lui restait plus rien. Il n'était qu'une machine incapable de ressentir du plaisir. La conquête même était le seul aspect excitant de l'affaire. »

La conquête sexuelle, ce que certains jeunes gens appellent « le tableau de chasse », est l'exploit sexuel suprême. Elle « renverse » la sexualité car elle fait du coït une *fin en soi* au lieu d'en faire le *moyen* d'obtenir un plaisir sexuel. Comme c'est le cas de la plupart des activités orientées vers un but précis, la conquête sexuelle permet à beaucoup d'hommes (et de femmes) de dissimuler leur anxiété à propos de leur propre sexualité. Si vous grattez la surface d'un don Juan, vous trouverez probablement un homme qui se sent coupable de ne pas éprouver du plaisir dans les rapports sexuels.

Le donjuanisme est une forme de machisme poussée à l'extrême. Depuis toujours, c'est un « vrai homme » qui séduit la « vierge effarouchée ». Son exploit, comme tous les exploits, commence par les bons mouvements, le regard et les vêtements appropriés, se poursuit par les attitudes idoines (le contact oculaire est important), les bonnes répliques (à l'instar d'un acteur qui débite son rôle) et culmine par les gestes parfaitement chorégraphiés d'un accouplement « parfait ». Pourquoi donc, en dépit de toute cette perfection, tant de conquêtes de don Juans entrent-elles dans mon cabinet en expliquant qu'elles sont incapables de « se laisser aller » entre les bras de ces amants-vedettes ?

« Il était pourtant le genre d'amant dont j'avais toujours rêvé, m'a raconté une femme. Il savait appuyer sur les bons boutons au bon moment. Et il m'excitait vraiment au début. Puis j'ai commencé à ressentir une horrible sensation de vide et je me suis sentie toute froide. J'ai fini par ne plus avoir d'orgasme et il s'est mis en colère. La soirée s'est mal terminée. Je me sentais terriblement mal. J'avais l'impression d'avoir gâché cette merveilleuse occasion.

— Qu'est-ce qui manquait, à votre avis ? »

La jeune femme a longuement réfléchi. Puis elle a dit : « Un être vivant. » Oui, un être vivant.

Il est beaucoup plus difficile pour un don Juan de retrouver cette partie vivante de son être qui a disparu. Au cours des années 70, un nombre croissant de ces « héros conquérants » est entré dans mon cabinet, sous le coup d'une dépression sexuelle. Plusieurs se plaignaient de n'avoir même plus d'orgasme. Pour eux, faire durer leur érection et permettre à leur partenaire de jouir avant eux (de préférence plusieurs fois), c'était l'exploit sexuel suprême. Par conséquent, leurs activités sexuelles commençaient et finissaient par la domination, la leur et celle de leur partenaire. Malheureusement, la maîtrise parfaite signifie pour un homme qu'il ne peut plus avoir d'orgasme du tout. Un « amant parfait » ne ressent aucune satisfaction sexuelle.

C'est peut-être un signe des temps, mais je rencontre un nombre croissant d'hommes qui ont pris l'habitude de feindre de jouir. Jusqu'à présent, cette simulation était réservée aux femmes.

« Il arrive un point où je suis fatigué et je ne pense plus qu'à en finir, m'a expliqué l'un d'entre eux. En faisant semblant, je m'en tire élégamment sans que ma partenaire se sente coupable. »

Cela ne vous rappelle-t-il pas « l'épouse reconnaissante » ?

D'autres hommes se plaignent qu'ils perdent leur intérêt et leurs besoins sexuels. Il leur arrive aussi de perdre leur concentration (et parfois leur érection) au beau milieu de la séance.

« C'est incroyable, m'a confié un patient. J'adore faire l'amour. C'est le plus grand plaisir de ma vie. Et aujourd'hui, c'est ce plaisir qui me laisse tomber.

— Je ne crois pas qu'il vous ait laissé tomber, ai-je répondu. C'est vous qui l'avez laissé tomber il y a longtemps. Vous ne vous êtes pas suffisamment préoccupé de vos propres sensations. Vous n'avez jamais pris ou donné de plaisir sexuel pour votre propre satisfaction. Vous étiez trop occupé par vos techniques. »

Au cœur de la révolution sexuelle, quelque chose a disparu de la vie de ces hommes : l'excitation de la conquête. Tout le monde était soudainement disponible : les femmes n'avaient plus besoin d'être conquises, c'étaient elles qui amenaient les hommes dans leur chambre. Brusquement, ces hommes qui avaient appris et pratiqué tous les artifices de la séduction et de l'accouplement se retrouvaient « Gros-Jean comme devant ». Ils ne savaient que faire. Ils se sentaient perdus et beaucoup d'entre eux avaient l'impression d'avoir été émasculés. L'objet sexuel avait disparu et rien n'était venu le remplacer. C'est pourquoi leur corps a déclaré forfait.

Lorsqu'une personne obsédée par l'idée de l'exploit sexuel se marie, elle court le risque de voir ce genre de situation se développer. L'homme a conquis, et la conquête se retrouve couchée près de lui, consentante jusqu'à la fin de ses jours. Toute l'excitation de la chasse a disparu. Comment cet homme pourrait-il être capable de faire l'amour avec cette conquête pour tout le reste de sa vie ?

La corvée sexuelle

Un jeune et beau couple, Jane et Edgar K., est entré dans mon cabinet. Tous deux paraissaient mélancoliques. Ils étaient mariés depuis quatre mois et, pendant cette période, n'avaient fait l'amour que deux fois.

« Avant notre mariage, nous faisions l'amour trois ou quatre fois par semaine, m'a dit Jane. Mais depuis notre nuit de noces, notre vie sexuelle est devenue catastrophique.

— Je crois que tu exagères, a déclaré Edgar nerveusement. Il est un peu tôt pour porter ce genre de jugement sur notre vie sexuelle de couple marié. »

C'était malheureusement une histoire que je connaissais déjà : la vie sexuelle avait connu un changement radical à la suite d'un engagement matrimonial. Il pouvait y avoir plusieurs raisons expliquant ce changement mais, dans le cas de Jane et d'Edgar, j'avais une idée précise de ce qui avait provoqué cette volte-face : Jane était vierge lorsqu'elle avait rencontré Edgar qui, de son côté, avait eu de nombreuses aventures avant de la connaître. Je soupçonnais qu'après avoir finalement « conquis » pour la vie une jeune fille innocente il avait perdu une bonne partie de sa motivation sexuelle. Jane était à lui, il ne faisait plus d'efforts. Jane n'avait pas non plus une attitude propice à améliorer la situation. Elle attendait encore que son « amant expérimenté » la prît par la main. Edgar était condamné à la corvée sexuelle.

De nombreux couples mariés sont victimes de ce problème. La sexualité est revêtue de couleurs contrastantes : ou l'on est conquérant, ou l'on est conquis. Soit que l'on accomplisse un exploit sexuel, soit que l'on se retrouve condamné aux travaux forcés de la sexualité conjugale. Il n'existe plus de demi-mesure. Quel que soit l'extrême auquel il se trouve, l'amant-vedette considère les relations sexuelles comme quelque chose qu'il fait *à* ou *pour* sa partenaire et non comme une activité à laquelle il s'adonne pour son propre plaisir.

La partenaire de ce genre d'homme attend trop

de lui et ne se gêne pas pour critiquer sa technique. L'idée qui veut qu'un bon amant puisse conserver indéfiniment une érection est renforcée par des épouses qui se plaignent que leur mari atteint l'orgasme trop vite ; elles vont jusqu'à s'écrier au moment où il éjacule : «Tu ne penses jamais qu'à toi ! Et moi, alors ? »

C'est donc un spectacle que ce type de femme exige. Et c'est un spectacle qu'elle reçoit. Il ne lui vient pas à l'idée qu'elle peut avoir des orgasmes autrement que par le coït et que son insistance peut conduire le couple à une sexualité-spectacle dévastée par l'angoisse.

A la fin de l'une de nos premières séances, je suggérai à Edgar et à Jane qu'ils essaient l'exercice de toucher I, Edgar remplissant le rôle passif.

«Pendant toutes ces années vous avez joué le rôle de séducteur, lui ai-je dit. C'est maintenant votre tour de découvrir comme il peut être amusant de se laisser séduire. »

Il n'a guère été facile de le persuader, pas plus qu'il n'a été simple de persuader Jane de jouer le rôle du partenaire actif. Depuis trop longtemps, elle était la «petite fille timide». Edgar a résisté pendant plusieurs séances à l'idée de changer de rôle. Il m'a expliqué qu'elle le mettait mal à l'aise et lui donnait un sentiment de culpabilité. Il se sentait dépourvu de sa virilité. Mais au bout d'un certain temps, il a fini par goûter le plaisir de se décontracter, de se laisser aller et de ressentir, pour la première fois de sa vie, du plaisir sensuel. L'amant-vedette a cédé sa place au «jouisseur».

Si les hommes sont les principales vedettes sexuelles avant le mariage, ce sont les femmes qui jouent fréquemment ce rôle après celui-ci. Mais leur rôle n'est pas le plus important des deux, il est plutôt secondaire. Même à notre époque égalitaire, le mythe — selon lequel après le mariage la sexualité est l'apanage de l'homme et que la femme doit se plier aux envies et aux besoins de son mari — persiste. C'est son devoir, son obligation contractuelle, sa propre *corvée sexuelle*. Dès que l'alliance se trouve à son doigt, la femme abdique toute sensualité personnelle pour jouer un rôle, celui de l'épouse soumise.

«*Bien sûr que non*, entends-je de nombreuses jeunes femmes protester. *C'était peut-être le cas de la génération de nos mères, mais ce n'est plus vrai en ce qui nous concerne!*»

Je regrette bien de les contredire. Bien sûr, lorsqu'elles arrivent dans mon cabinet, de nombreuses femmes, jeunes et moins jeunes, ont atteint le niveau de saturation : elles sont écœurées de leur corvée sexuelle. Elles sont prêtes à déclarer forfait. Elles veulent faire l'amour pour faire l'amour, pour se faire plaisir et non pour faire plaisir à quelqu'un d'autre. Cependant, avant d'atteindre ce stade, elles ont incarné pendant des années l'épouse soumise, sans même se rendre compte de ce qui leur arrivait. Même au sein des couples les plus modernes, qui partagent également les corvées de la maison et l'éducation des enfants, lorsque la porte de la chambre à coucher se referme, tout redevient comme autrefois : *la sexualité est l'apanage, le privilège de l'homme*. Neuf fois sur dix, c'est l'homme qui fait les premiers pas et, si son épouse refuse, c'est elle qui est coupable. Les représailles vont de la mauvaise humeur à de véritables menaces. En revanche, si elle entreprend de faire les premiers pas, son mari ne se sent pas l'obligation contractuelle de lui faire plaisir. Non, elle est en général gentiment réprimandée pour avoir outrepassé ses droits, pour avoir demandé quelque chose, pour avoir oublié un instant son rôle passif. Cette idée est parfois communiquée avec une certaine subtilité — un regard désapprobateur ou étonné, un soupir, un long silence —, mais le message arrive quand même cinq sur cinq : sois une bonne épouse ; fais ton travail !

De même, c'est l'homme qui décide de l'endroit, de l'heure, de la durée de la séance et des positions à adopter. Il n'exprime pas toujours verbalement ses préférences (en réalité, il n'ouvre sans doute même pas la bouche), mais il est indubitablement celui qui commande. Il est producteur-réalisateur tandis que l'épouse détient « le second rôle ». Même si l'on parle pendant le dîner de féminisme et d'égalité sexuelle, une fois dans la chambre à coucher, il semble que l'on retourne trente ans en arrière.

Comme nous l'avons vu, le rôle de l'épouse nous vient en droite ligne de « maman ». Maman s'occupait de tout : elle satisfaisait les besoins de chacun, faisait la cuisine, nettoyait les placards, et les rapports sexuels n'étaient que l'une de ses multiples tâches. Une femme m'a raconté se souvenir que sa mère avait l'habitude d'aller se coucher tôt un soir par semaine et qu'elle s'excusait en disant : « Bon, maintenant je dois aller m'occuper de ton père. » « *M'occuper* ! » En réalité, elle accomplissait une autre de ses corvées ménagères. Et Dieu la préserve d'en éprouver le moindre plaisir !

Autrefois, la sexualité était la chaîne qu'une femme passait à la cheville de son mari pour l'empêcher d'aller courir les filles, de se sentir déprimé ou furieux. Remplir son rôle sexuel, c'était sa façon de « gérer » leur relation et cela l'empêchait de se poser trop de questions qui l'auraient sans doute troublée. Bien entendu, la plupart des femmes qui « cèdent » chaque fois que leur mari fait les premiers pas parviennent à éprouver du plaisir, une fois la séance commencée. Mais cela ne les empêche pas de nourrir une rancune secrète qui ne peut que s'amplifier. « Pourquoi est-ce toujours lui qui décide ? Pourquoi ne le faisons-nous pas quand c'est moi qui en ai envie ? »

A moins que les rapports sexuels ne résultent d'une entente réciproque du genre « s'il vous plaît, séduisez-moi ! » (voir chap. 13), beaucoup de femmes ne jouissent pas vraiment lorsqu'elles se contentent de « céder ». L'idée même a une connotation négative. Une patiente l'a très bien décrite : « Comment puis-je m'amuser en sachant très bien que je le fais uniquement pour l'empêcher d'être de mauvaise humeur ? »

Les membres d'un couple m'ont confié qu'ils souffraient d'un manque de synchronisation, la femme ne parvenait à être excitée que *le lendemain* du jour où ils faisaient l'amour.

« Elle est tout simplement têtue », m'a dit le mari en souriant, afin de me faire croire qu'il ne s'agissait que d'une petite plaisanterie de la part de sa femme.

Ce n'était pas une plaisanterie. Comme nous l'avons découvert après quelques séances, cette femme ne pouvait pas éprouver de plaisir lorsqu'elle ne faisait que « céder ». Mais, dès que son « devoir » était accompli, elle se sentait libre de s'amuser... le lendemain. C'était la manière dont elle se récompensait après avoir accompli sa corvée.

Paradoxalement, beaucoup d'épouses modernes ont un rôle sexuel beaucoup plus complexe que celui qui incombait à leur mère. Ces jeunes femmes ne vont pas loyalement « s'occuper » de papa, car tout mari moderne se sentirait offensé si sa femme se contentait de s'allonger passivement pour le laisser agir à sa guise. Non, la femme moderne doit « répondre ». Elle doit faire mine de jouir, que tel soit ou ne soit pas le cas. Bien entendu, elle ne doit pas non plus donner l'impression de trop jouir car son attitude risque d'être considérée comme une exigence et certains hommes se sentent furieux lorsque la « jouissance » de leur femme semble surpasser la leur. L'épouse parfaite doit trouver le savant compromis entre un abandon passionné et une attitude de

120

femme reconnaissante. Et le point culminant de la scène qu'elle joue doit être l'orgasme, vrai ou simulé. Elle ne peut risquer de décevoir ou d'irriter son mari en le privant du compliment suprême.

Simuler l'orgasme n'est pas la solution idéale. Jouer un rôle n'est pas non plus propice à l'apparition d'une authentique sensualité. Les don Juans et les épouses soumises ne sont guère différents les uns des autres : ils finissent toujours par dissocier leurs sentiments véritables de l'«acte sexuel». Mais il est possible que l'épouse soumise ne soit pas seulement victime d'un mythe : elle subit peut-être la pression constante d'un «travailleur consciencieux».

Le travailleur consciencieux au lit

Certaines des femmes qui simulent l'orgasme gardent le secret pendant un certain temps, jusqu'au jour où, grâce à la thérapie et aux exercices, elles apprennent à en avoir réellement. Les maris n'y voient en général que du feu.

J'autorise mes patientes à ne pas révéler la supercherie car certains hommes seraient tout simplement incapables d'encaisser le coup d'une telle révélation. Le mariage n'y résisterait probablement pas.

Au cours des dernières années, la prétendue «redécouverte» de l'orgasme féminin a fait naître une obsession chez beaucoup d'hommes qui ne perçoivent que l'aspect «exploit» des rapports sexuels. Ils doivent absolument provoquer l'orgasme chez leur partenaire, et ce, uniquement au moyen du coït, faute de quoi ils se considèrent comme de mauvais amants. L'amant parfait réussit à faire jouir sa partenaire à chaque reprise. C'est à la fois sa croix et sa médaille. Rien d'étonnant à ce que sa partenaire finisse un jour par simuler l'orgasme.

L'obsession de l'orgasme féminin est un aspect du donjuanisme qui envahit la chambre conjugale. Elle se traduit par une angoisse perpétuelle qui rend malheureux autant l'homme que la femme. J'ai parlé à des hommes qui avaient trompé leur femme uniquement parce qu'elles n'avaient pas d'orgasme. Il leur fallait à tout prix se prouver leur capacité de faire jouir une femme. J'ai aussi parlé à des hommes qui avaient perdu tout intérêt pour la sexualité ou, pire, qui étaient devenus impuissants parce que leur épouse n'avait pas d'orgasme. Pour ces hommes, faire l'amour avec une femme qui n'a pas d'orgasme équivaut à ne pas «savoir s'y prendre». Chaque fois qu'ils ont des rapports sexuels avec leur épouse, l'absence d'orgasme chez cette dernière leur rappelle qu'ils «ne font pas le poids» sur le plan sexuel.

Anna et Brian G. en étaient arrivés à ce stade lorsqu'ils sont venus me consulter.

«Je me sens si coupable chaque fois, se plaignait Brian. C'est comme si je manquais à mon devoir. Au lieu de la satisfaire, j'accrois sa frustration.

— Ce n'est pas vrai, a protesté Anna. Je peux trouver nos rapports agréables sans pour autant avoir un orgasme.»

A ces mots, j'ai cru voir une fugitive lueur de colère traverser le regard de Brian.

«Il est possible que les réactions d'Anna n'aient rien à voir avec vous, ai-je expliqué. Ne pensez-vous pas qu'elle pourrait tout simplement avoir un problème?»

Brian a émis un grognement peu convaincu. Sa colère était toujours présente et je croyais savoir ce qui le tracassait. Il craignait que sa femme ne retînt volontairement ses orgasmes. Si tel était le cas, elle le privait *délibérément* de satisfaction ou, pire encore, elle ne l'aimait pas assez. Il était trop obsédé par son propre «travail» au lit pour comprendre que, si Anna privait quelqu'un de plaisir, c'était elle et *seulement* elle. Il s'était convaincu qu'il ne se souciait que de la satisfaction sexuelle d'Anna. En réalité, ce qui le préoccupait, c'était son propre « travail ».

Malheureusement, les époux (et les épouses) qui sont victimes de cette obsession considèrent chaque rencontre sexuelle comme un examen auquel ils se soumettent et qui ne peut que leur apporter un échec. Ils s'arrangent souvent pour truquer l'examen de manière à échouer. La première question est souvent la suivante : « Puis-je avoir une érection ? » Elle est suivie de plusieurs autres : « Mon érection durera-t-elle assez longtemps pour que ma femme atteigne l'orgasme ? Atteindra-t-elle l'orgasme avant moi ? Y arriverons-nous ensemble ? » Ces exigences s'accroissent progressivement, au même rythme que nos propres angoisses. Je me souviens d'avoir parlé avec un patient obsédé par le « travail » sexuel et dont la femme avait des orgasmes multiples. Bien entendu, il les comptait. Par conséquent, si elle en avait quatre un soir et seulement trois le lendemain, il était anxieux. Qu'avait-il fait de mal ?

Dans un vieux sketch, Lenny Bruce se souvient d'avoir entendu son frère et l'amie de celui-ci qui faisaient l'amour dans la chambre voisine. Le jeune Lenny, intrigué, n'entendait qu'une espèce d'incantation indistincte qui lui rappelait une étrange complainte vaudoue : « Jacomyet, jacomyet, jacomyet… » Il lui fallut des mois pour comprendre que c'était son frère qui demandait constamment à son amie : « Did you come yet ? Did you come yet* ? » La jeune fille ne devait guère apprécier la séance. A l'instar de presque toutes les partenaires d'hommes obsédés par la conclusion de leur spectacle, elle devenait un élément de l'examen. La conclusion, son orgasme,

* « As-tu joui ? As-tu joui ? » *(N.d.T.)*

était tout ce qui importait à son amant. Quant au plaisir sensuel, il n'était que le moyen de parvenir à cette fin.

Je qualifie ces hommes de « travailleurs consciencieux ». Ils travaillent en amour exactement comme s'ils travaillaient dans un bureau. Ils sont honnêtes, enthousiastes, loyaux et ne perdent jamais de vue leur objectif. Les rapports sexuels ne représentent qu'une tâche parmi d'autres, qu'il faut mener à bien. Le fait de faire l'amour n'est pas aussi important que le *fait d'en avoir terminé*. Il s'agit d'un autre exploit du travailleur. Bien entendu, l'abandon, la décontraction, le plaisir demeurent lettre morte pour eux. Et ils demeurent souvent lettre morte pour leur partenaire.

« J'ai l'impression qu'il n'est pas vraiment avec moi, m'a confié une femme. J'ai l'impression d'être en train de regarder un jeu vidéo. Il tourne les boutons, manœuvre les leviers et s'efforce de marquer le maximum de points en un temps record. »

Les épouses des « travailleurs consciencieux » se plaignent souvent de leur mari qui se dépêche trop. Ces hommes n'ont pas envie de s'attarder aux préliminaires et aux caresses préalables, surtout une fois qu'ils ont leur érection. S'ils sont stimulés trop longtemps avant la pénétration, ils craignent de ne pouvoir faire durer leur érection suffisamment longtemps pour amener leur femme à l'orgasme. Pour un « travailleur consciencieux », c'est une catastrophe d'avoir un orgasme avant sa partenaire. Malheureusement, nombreuses sont les épouses qui ne se soucient pas du fait que leur partenaire atteigne l'orgasme avant elles. En fait, cette attitude serait bien perçue par plusieurs d'entre elles. En outre, il est évident que si ces hommes n'étaient pas tant angoissés par l'idée de garder leur érection le plus longtemps possible, ils la conserveraient beaucoup plus

facilement. L'angoisse sexuelle est la cause principale de l'éjaculation précoce.

« C'était merveilleux de le voir se laisser aller
spontanément, pour une fois, m'a raconté une
femme, un jour où son mari avait éjaculé tandis
qu'ils étaient encore en train de se caresser. Il avait
enfin perdu sa maîtrise de soi. Et j'ai parfaitement
vu que c'était le meilleur orgasme qu'il avait eu
depuis longtemps. Mais il a commencé à s'excuser,
à prendre un air coupable et tout a été fini. Il ne
pouvait croire à mon propre plaisir. »

Ce genre d'hommes s'imagine que la séance doit
forcément se terminer après son éjaculation. Au lieu
de s'excuser, cet homme aurait pu reprendre les
préliminaires et conduire ainsi sa femme à l'orgasme. Mais il était un travailleur consciencieux et
le rideau venait de tomber sur son spectacle. C'était
terminé. Pourquoi continuer à perdre son temps en
caresses ?

S'il avait cru sa femme, il se serait senti soulagé.
Sachant qu'elle ne lui en voulait pas du tout d'avoir
eu un orgasme avant elle, il aurait peut-être commencé insensiblement par abandonner son obsession du spectacle et toute la maîtrise qu'elle exige
de lui, pour enfin s'amuser. Sa femme n'aurait pas
tardé à trouver leurs activités sexuelles beaucoup
plus drôles.

Une autre femme m'a confié que son mari était
tellement obsédé par l'idée de conserver indéfiniment son érection qu'elle simulait fréquemment
l'orgasme « afin d'en finir ». Elle a ajouté : « Chaque
fois, c'est pour lui un marathon. Personnellement, je
me contenterais volontiers d'un sprint ! »

Je recommande à ces couples l'exercice de toucher II, chaque partenaire ayant *à son tour* un
orgasme.

Il est facile d'en vouloir à un travailleur consciencieux, mais il est plus difficile de se mettre en colère

contre lui. Après tout, il s'agit d'un comportement si altruiste ! Apparemment, il semble travailler si dur pour que sa partenaire éprouve du plaisir. Et, dans la plupart des cas, il ne se comporte pas en amour avec le panache macho et l'égoïsme évident d'un don Juan. La plupart des travailleurs consciencieux font l'amour avec toute la tendresse et toute la considération que l'on remarque chez leur homologue féminin, l'épouse soumise. Ils veulent « bien s'y prendre », tels des Eclaireurs qui travaillent pour obtenir leurs médailles de bonne conduite. Un travailleur consciencieux semble être la sollicitude et la générosité incarnées : « As-tu joui ? As-tu trouvé ça bon, chérie ? »

Mais est-il réellement dépourvu d'égoïsme ?

Le travailleur consciencieux est tout autant préoccupé par sa maîtrise de soi qu'un don Juan. Il désire tout autant dominer sa partenaire. Il utilise la femme pour se prouver sa propre puissance sexuelle. Les orgasmes féminins lui sont destinés avant tout. Le plaisir de sa femme est un moyen de satisfaire son ego, quelle que soit son attitude. Et sa partenaire finit un jour ou l'autre par comprendre cela. En définitive, le couple perd contact avec sa sensualité profonde. Et c'est bien dommage.

Faire l'amour en s'excusant

« Je sais que ça a l'air ridicule, m'a confié une patiente, mais mon mari est *trop* attentionné au lit. Lorsque je commence à m'abandonner, il se met à parler : "Suis-je trop lourd ? Est-ce que je te fais mal ? Veux-tu que je ralentisse ?" C'est comme si nous étions dans une soirée mondaine. Il est si poli que ça me donne envie de hurler. »

Je savais exactement ce qu'elle voulait me dire. Les travailleurs consciencieux et les épouses soumises montrent une sollicitude exagérée, au point que tout plaisir spontané disparaît. Ils sont tellement obsédés par la réaction de l'autre qu'ils en oublient leurs propres sensations. De nouveau, ils se donnent en spectacle, un spectacle poli.

«Pendant des années, j'ai seulement fait l'amour avec ma femme dans la position du missionnaire, en faisant porter mon poids sur mes coudes, m'a confié un homme d'âge moyen. J'avais lu dans un guide du mariage, il y a des années, que c'était la position la plus confortable pour la femme. Jamais je n'ai pensé qu'une autre manière de faire l'amour aurait pu lui plaire.»

La politesse en amour, ce que j'appelle «faire l'amour en s'excusant», est une variante de l'attitude dont nous avons déjà parlé poussée à l'extrême. Elle fait entrer l'étiquette dans le lit conjugal alors que c'est bien l'endroit où on devrait l'oublier totalement. Je me souviens d'un couple auquel plusieurs séances ont été nécessaires avant que les deux partenaires puissent parler ouvertement d'une question qui les préoccupait.

«Après que j'ai eu un orgasme, a commencé le mari, je sors. Vous savez ce que je veux dire, je ne peux plus rester en elle.

— Mais où est le problème? ai-je demandé.

— Eh bien, en général, elle me dit: "Oh, mais je voulais te garder encore"; je fais mes excuses et nous nous sentons mal à l'aise.

— Pourtant, c'est ce qui se passe la plupart du temps, lui ai-je assuré. Le pénis se recroqueville et glisse au-dehors.»

Un autre mari m'a demandé confidentiellement si c'était «bien» de continuer à bouger pendant que sa femme avait un orgasme.

«Une seule personne peut répondre à cette question. Votre femme. Je suis sûre que ça ne l'ennuierait pas du tout de vous répondre. Mais évitez cependant de le lui demander pendant que vous êtes en train de faire l'amour. »

La manifestation la plus fréquente de politesse pendant l'amour semble concerner la synchronisation des orgasmes : qui jouit avant. Les hommes ne sont pas les seuls à s'excuser. Beaucoup de femmes sont navrées de «prendre tant de temps». Pour certains couples, faire l'amour ressemble à une pièce de boulevard. On imagine une scène au cours de laquelle deux personnes s'apprêtent à franchir la même porte : «Mais je vous en prie!» «Mais après vous!» «Mais je n'en ferai rien!» Et pour finir : «Excusez-moi d'être passé devant. »

C'est bien suffisant pour avoir envie de hurler.

Comment avoir l'air d'un mannequin de *Vogue* en faisant l'amour

L'un des grands torts que nous ont faits les films parsemés de scènes vraiment érotiques est de nous avoir transmis une image déformée de notre apparence durant l'orgasme. On ne s'agrippe pas. On ne se tord pas la bouche en rugissant et en grimaçant. On ne roule pas des yeux. Nous devrions toutes partager le regard extasié et ému de Jane Fonda dans *Le Retour* ou les transports romantiques de Debra Winger dans *Un officier et un gentleman*.

Il est surprenant de constater jusqu'à quel point les femmes se soucient de leur apparence pendant le spectacle sexuel. Fréquemment, je reçois des femmes qui me confient qu'elles ont peur de l'orgasme parce qu'elles perdent leur maîtrise de soi et que cela les rend laides. Elles ont peur que leur partenaire les rejette parce qu'elles ne sont pas belles à regarder pendant l'orgasme.

128

Dans le meilleur des cas, l'orgasme *est* une perte totale de la maîtrise de soi. Nous grimaçons, rugissons, remuons la tête dans tous les sens, un peu comme pendant un accouchement. Bien entendu, ce n'est pas très joli, du moins pas au sens cinématographique. Mais pour de nombreux êtres humains, quoi de plus spontané et de plus naturel qu'un orgasme sans inhibition? La vision et les bruits qui caractérisent l'abandon total peuvent s'avérer merveilleux pour un partenaire. Nous nous voyons comme nous ne nous verrions pas autrement. Car, le reste du temps, nous portons un masque.

La sexualité sans le spectacle

Nous voulons souvent conserver le côté « spectaculaire » de notre vie sexuelle. Des éléments de séduction peuvent effectivement rendre le jeu plus agréable et recréer l'atmosphère de l'aventure et de la conquête. Dans la deuxième partie de ce livre, nous verrons comment nous pouvons délibérément jouer la comédie afin d'éviter le piège de la monotonie et de la morosité. Mais, tout d'abord, nous devons comprendre comment la maîtrise totale de soi, l'attitude dépourvue de spontanéité de notre partenaire nous empêchent tous deux d'éprouver un plaisir pur et simple. Tout commence naturellement par nos sensations sexuelles les plus fondamentales. En retrouvant ces sensations, nous retournons au début du spectacle.

Aux personnes qui sont préoccupées par le côté spectaculaire des rapports sexuels, je recommande de retrouver le plaisir de la passivité. Un homme qui reste allongé pendant que sa femme le caresse ne peut, pour une fois, dominer la situation. Plus de spectacle, plus de conquête, simplement le plaisir à l'état pur. Il trouvera sans doute difficile de demeurer immobile, passif, car la sexualité a toujours été pour lui un acte délibéré. Mais en fin de compte, seul un «homme véritable» peut recevoir le plaisir sensuel. Il n'a rien à prouver à quiconque. Il peut simplement s'amuser.

6

L'espace vital

Une jeune femme intelligente mais perplexe, Tara M., est entrée dans mon cabinet pour m'annoncer sans préambule qu'elle avait «quelque chose qui n'allait pas» du point de vue sexuel. Elle m'a ensuite déclaré qu'elle n'était pas capable d'être excitée «au bon moment».

«Je crois que je suis naturellement perverse, a-t-elle conclu. Et je n'y peux rien.»

Elle m'a raconté qu'au cours des cinq dernières années de son mariage elle s'était sentie glisser vers la morosité sexuelle. Elle avait eu de plus en plus de mal à atteindre l'orgasme et, finalement, ne «cédait» plus à son mari qu'une fois tous les deux mois environ. «Et encore, je le faisais uniquement parce que je me sentais très coupable.» Quelque temps après, sur les instances de Tara, le couple s'est séparé. «J'avais l'impression de vieillir et de perdre mon temps. J'ai décidé que je serais plus heureuse toute seule. A trente ans, il me semblait que j'étais devenue un vieux pruneau ratatiné.»

C'est vers cette époque que sa «perversité» a vu le jour. «David est parti et nous ne nous sommes pas vus pendant deux semaines. Puis il est venu un samedi chercher notre fille et, lorsqu'il l'a raccompagnée, je lui ai demandé de rester un moment pour prendre un verre. Tandis que nous étions assis face à face, je me suis aperçue que je ne pensais qu'à faire l'amour avec lui. Je le lui ai dit et cinq minutes après nous étions au lit. Je n'avais jamais fait l'amour avec autant de satisfaction depuis le jour de notre mariage. »

L'histoire de Tara ne se termine pas ici. Pendant les six mois qui ont suivi, Tara et David ont fait l'amour tous les samedis soir, avec abandon et passion, sur ce qui avait été leur lit conjugal. Tara connaissait chaque fois plus d'un orgasme. Finalement, ils ont décidé qu'il était ridicule de vivre séparés alors qu'ils s'entendaient si bien. David est revenu vivre avec Tara.

« Le soir où il est revenu, je suis devenue frigide. Lorsqu'il m'a touchée, j'ai eu l'impression que j'allais avoir une syncope. Et lorsqu'il est monté sur moi, j'ai eu l'impression d'être enfermée dans une boîte, un cercueil. Je suis devenue claustrophobe. Et c'est ainsi depuis. Pourtant, je sais que, s'il repartait, j'aurais de nouveau envie de lui. Si vous n'appelez pas ça de la perversité, je me demande ce que c'est ! »

Le comportement de Tara peut effectivement paraître étrange, mais il n'en est pas moins fréquent. D'une manière ou d'une autre, les couples s'éloignent sexuellement lorsqu'ils sont trop proches physiquement. Une fois qu'ils ont mis une certaine distance entre eux, ils recommencent à éprouver du désir l'un pour l'autre. Sans aller jusqu'à la situation extrême de Tara et de David, de nombreux couples s'efforcent de maintenir une certaine distance entre eux pour éviter de tomber dans l'apathie sexuelle. Ils se querellent, puis se raccommodent au lit. Ils se séparent pendant quelque temps, puis se retrouvent avec émoi. Ils se conduisent comme des aimants qui ne peuvent pas se rapprocher sans se « repousser ». Parfois le couple trouve un équilibre. Mais dans certains cas, la tension et l'incertitude de ce va-et-vient finissent par écraser l'un des partenaires. Le mariage, comme celui de David et de Tara, se trouve alors dans une impasse.

La peur d'être «étouffé» par la proximité de l'autre entraîne la frustration de ne pas être assez proche. Il s'agissait, en l'occurrence, du problème qui rongeait David.

«J'ai toujours eu l'impression que Tara s'éloignait de moi lorsque j'essayais de la toucher, sauf, bien sûr, pendant la période où nous nous sommes séparés. Comme si je ne pouvais jamais la posséder complètement. Vous avez entendu parler des gens qui ont toujours un pied à l'extérieur de la porte? Eh bien, on aurait dit que Tara avait toujours un pied en dehors du lit.»

David se plaignait de sa solitude lorsqu'il vivait avec Tara. «Je ne sais jamais comment elle va réagir d'un jour à l'autre. Parfois, lorsque je me glisse dans le lit à côté d'elle, elle me paraît tellement renfermée, tellement peu communicative que j'ai l'impression de me coucher à côté du Sphinx. Et c'est drôlement refroidissant de faire l'amour avec un sphinx!»

Avez-vous déjà joué à cache-cache avec votre partenaire?

Tara et David souffraient d'une divergence dans leur conception de l'espace vital. Lorsque David se rapprochait trop d'elle, Tara se sentait suffoquer. Lorsqu'ils faisaient l'amour (après avoir recommencé à vivre ensemble), elle se sentait sexuellement claustrophobe. Quant à David, il se sentait frustré car il ne parvenait jamais à se rapprocher de sa femme. Elle semblait lui échapper, surtout lorsqu'ils étaient au lit ensemble (sauf pendant leur période de séparation) et il se sentait seul, abandonné. Evidemment, plus il recherchait l'intimité, plus Tara se retirait dans sa tour d'ivoire. Plus elle s'éloignait, plus il s'approchait. En fin de compte, ils s'étaient placés dans une situation qui ne permettait plus aucun contact.

Dans la plupart des relations, on observe des traits semblables à ceux qui caractérisent le couple David-Tara. L'un des partenaires est le «poursuivant» tandis que l'autre est plutôt le «poursuivi». Le premier veut davantage posséder le second, désire qu'il se révèle, qu'il soit plus ouvert. Le second partenaire désire au contraire plus d'espace, d'intimité personnelle. Il ne veut pas se sentir étouffé. Naturellement, ces sentiments se retrouvent au cœur des relations sexuelles. L'un des partenaires s'efforce de «posséder» physiquement l'autre. Il voudrait que l'autre lui donne davantage de lui-même. En général, c'est le poursuivant qui fait les premiers pas et qui essuie fréquemment un refus. L'autre partenaire se sent harcelé, attaqué, soumis aux exigences du premier. Il fait rarement les premiers pas et se sent souvent furieux ou coupable (ou les deux) lorsqu'il repousse les avances du poursuivant.

Le dialogue, muet ou non, qui se déroule entre ces deux personnes peut facilement prendre la forme d'un tableau:

Le premier dit:	Le second dit:
«J'ai besoin de me sentir plus près de toi.»	«J'ai besoin qu'il y ait plus d'espace entre nous.»
«Je ne suis jamais rassasié de toi.»	«J'ai besoin d'être seul de temps en temps.»
«Je me sens rejeté par toi.»	«Je me sens attaqué par toi.»
«Tu n'es pas assez communicatif; tu gardes tout à l'intérieur.»	«Tu es trop curieux.»
	«Tu attends trop de moi; tu ne respectes pas mon intimité.»

«Je me sens seul lorsque je suis avec toi.»

«Je me sens étouffé lorsque je suis avec toi.»

«Tu es un étranger pour moi.»

«Je te connais trop; tu me sembles *trop* familier.»

Le dialogue se poursuit dans la chambre:

Le premier dit:	Le second dit:
«Tu es froid.»	«Tu en demandes trop.»
«Tu ne sais pas t'abandonner sexuellement.»	«Tu es trop jouisseur.»
«Tu ne réagis pas.»	«Tu me harcèles et tu me brutalises.»
«Tu te retiens pour ne pas te laisser aller.»	«Tu ne respectes pas ma sexualité.»
«Si tu m'aimais, tu aurais plus souvent envie de faire l'amour.»	«Si tu m'aimais, tu me laisserais tranquille jusqu'à ce que j'en aie envie.»
«Tu es sexuellement égoïste.»	«Non, *c'est toi* qui es sexuellement égoïste.»

Les éléments de ce dialogue nous sont sans doute très familiers. Parfois, certaines répliques se chevauchent. Par exemple, une femme peut estimer que son mari n'est pas assez «ouvert» sexuellement mais, en même temps, elle peut le trouver trop agressif et exigeant, une brute et un fléau sur le plan sexuel. Mais, dans l'ensemble, le schéma demeure le même.

La clé d'une relation durable repose sur un équilibre délicat. La distribution des rôles doit être assez souple et il faut éviter la polarisation. Si notre relation est mûre, nous passons du rôle de poursuivant à celui de poursuivi de temps à autre. Nous donnons à notre partenaire l'espace vital qui lui est nécessaire et nous lui apportons notre aide lorsqu'il semble en avoir besoin. Enfin et surtout, nous devons essayer de ne pas *forcer* notre partenaire à nous donner plus d'espace ou plus de chaleur humaine. Les rapports de force ne peuvent qu'être néfastes au couple. David et Tara ont finalement été obligés de se séparer.

Pour Tara, le moindre geste de David constituait une menace : elle se sentait étouffée simplement en vivant dans la même maison que lui et elle se sentait attaquée chaque fois qu'il essayait de la toucher dans leur lit. Comme beaucoup de personnes de son âge ou un peu plus âgées, elle souffrait d'une crainte exagérée de l'intimité. Derrière sa peur d'être trop proche de son mari, se dissimulait sa peur d'aimer trop profondément. Après quelques séances, Tara a pu me dire :

« Lorsque j'ai finalement obligé David à déménager, j'ai eu une réaction des plus bizarres. Pendant un jour ou deux, j'ai vraiment été soulagée, je pouvais enfin respirer. Mais j'ai ensuite commencé à penser qu'*il* m'avait abandonnée. Et je me répétais : "Je savais qu'il me quitterait, il fallait que ça arrive un jour." Je me mettais dans un état incroyable. C'est pourquoi, lorsqu'il venait à la maison le samedi, je ne pensais qu'à faire l'amour avec lui. C'était comme si je voulais qu'il me prouve qu'il m'aimait encore en se montrant passionné avec moi. »

Pour la plupart d'entre nous, la peur de l'engagement affectif dissimule la peur de l'abandon. Comme des enfants qui craignent d'être abandonnés par leurs parents, nous avons peur de trop nous donner, de nous rapprocher de notre partenaire, de peur de le perdre et de tout perdre avec lui. En le rejetant, nous devançons la peur d'être rejetés. En exigeant notre espace vital, nous nous débarrassons de notre crainte d'être abandonnés. Nous ressemblons à l'homme qui ne pouvait se guérir de son vertige qu'en vivant au sommet d'une montagne.

A notre peur de perdre notre partenaire s'ajoute la peur de nous perdre nous-mêmes. Tara m'a expliqué qu'elle aurait l'impression de se perdre si elle se donnait « complètement » à David. Elle serait totalement dominée par son mari et en deviendrait totalement dépendante.

« Lorsque nous faisions l'amour, les samedis soir, je me laissais aller complètement. Plus rien ne m'arrêtait. J'étais entièrement à lui. J'atteignais parfois l'orgasme trois ou quatre fois avant que nous ayons terminé et chaque fois était plus délicieuse que la précédente. Mais ensuite, je me sentais immanquablement *écrasée*. Par exemple, s'il passait la nuit suivante avec moi, je me disais que je finirais par être entièrement à sa merci, que je deviendrais son esclave. Je me sentais bizarre, comme droguée. Et quel soulagement de le voir partir le matin ! Je me sentais de nouveau en pleine possession de mes facultés. »

Fondamentalement, Tara avait peur de perdre sa maîtrise d'elle-même, une crainte qui se manifeste presque toujours dans la chambre à coucher. Si elle se laissait aller complètement, elle avait l'impression d'être déséquilibrée, « bizarre ». En outre, telle une droguée, elle craignait de devenir « asservie » à David. Elle avait peur de redevenir un enfant totalement dépendant.

Hommes et femmes peuvent être victimes de cette crainte de « ressentir » trop intensément ce qui se passe en eux et, donc, de perdre toute maîtrise d'eux-mêmes. Pourtant, ils devraient savoir que la sexualité est une perte de maîtrise, voire de conscience. Nos sensations prennent le dessus et nous laissons toutes nos inhibitions sexuelles disparaître. Pourtant, nous avons peur de redevenir des enfants dépendants si nous nous laissons aller. C'est la même peur qui nous empêche de pleurer, notamment en présence de notre partenaire.

Cette peur peut exister sur un plan purement physique : un homme m'a consultée car il ne pouvait se décontracter au lit. Il se sentait constamment tendu.

Il pouvait faire l'amour d'une manière satisfaisante, m'a-t-il expliqué, mais il était incapable de se laisser aller. Ses orgasmes n'étaient jamais aussi agréables qu'ils auraient dû l'être, jamais complets. Je lui ai demandé s'il se souvenait d'un jour où il s'était entièrement décontracté en faisant l'amour. Après plusieurs semaines, il a reconnu que cela lui était arrivé une fois : « J'étais avec ma petite amie, à l'université, et au milieu de l'orgasme j'ai... eh bien... j'ai eu un vent. C'est arrivé juste comme ça. Imaginez ma gêne ! Je crois que j'ai commencé à m'excuser, mais je me souviens que nous avons rompu peu après.

— Pourtant, ai-je expliqué, ce qui vous est arrivé est très normal. Vous avez resserré vos sphincters avant de les relâcher. C'est un réflexe normal au cours d'un orgasme puissant. Je suis certaine que vous avez dû être embarrassé mais, dans un sens, c'était un compliment. »

Les adultes n'ont pas de flatulences au lit, ils ne pleurent ni ne gémissent. Toutes ces réactions sont réservées aux enfants. Pourtant, en essayant de les retenir, cet homme retenait aussi ses orgasmes. Pour ne pas passer pour un « enfant », il se refusait des relations sexuelles épanouissantes.

Parallèlement, je connais de nombreuses femmes qui ne se décontractent jamais complètement en faisant l'amour car elles ont peur de ce qui pourrait leur arriver au milieu d'un orgasme : hurler, gémir, pleurer, rouler des yeux, voire uriner. Pourtant, ces réactions font partie du processus de décontraction et d'abandon. Ces femmes se refusent un orgasme satisfaisant car elles ne veulent pas paraître laides ou ridicules.

Tara était victime d'une crainte bien particulière : celle d'être asservie à son mari, sur le plan sexuel. Nombreuses sont les femmes qui, consciemment ou inconsciemment, éprouvent cette crainte. Je crois qu'elle est moins aiguë chez les hommes, peut-être parce que l'on sermonne plus volontiers les jeunes filles sur les dangers de l'abandon et de la passion. Une femme qui grandit en réprimant sa sexualité finit par penser que, si elle se laisse aller, elle ne sera plus jamais capable de se maîtriser. Il existe un mythe selon lequel une jeune femme est à jamais liée à l'homme qui l'a déflorée : « Une femme n'oublie jamais le premier homme. Elle est sienne pour la vie. » Voilà un mythe bien commode pour les hommes, tout au moins ! Si la femme le croit, elle ne s'éloignera jamais de celui qui l'a déflorée. Malheureusement, je ne puis croire qu'il contienne une parcelle de vérité. La plupart des femmes se souviennent de « la première fois » comme d'une expérience douloureuse et peu excitante. Elles ne se sentent pas du tout liées à leur premier amant. Pourtant le mythe s'ancre dans notre esprit et il traîne dans son sillage la notion que les femmes ont le potentiel de s'accrocher sexuellement à un seul homme, que leur dépendance sexuelle risque de devenir totale et éternelle.

Un exemple extrême de cette peur — peur que de nombreuses femmes m'ont confiée —, c'est que nous craignons, au plus profond de nous-mêmes, d'être ce que l'on appelait autrefois des « nymphomanes ». L'une des conséquences heureuses du féminisme et de la révolution sexuelle est que ce mot absurde, « nymphomanie », a pratiquement disparu du vocabulaire. Autrefois, il s'appliquait aux femmes qui étaient sexuellement insatiables, qui voulaient faire l'amour tout le temps avec tout le monde, par opposition aux hommes qui, eux, étaient normalement censés vouloir faire l'amour tout le temps avec tout le monde. Malheureusement, cette idée a laissé son empreinte chez de nombreuses femmes. Comme Tara, elles ont peur de se laisser aller car elles sont persuadées que, si elles s'abandonnent, elles deviendront dépendantes de la sexualité.

La crainte de Tara lui faisait jouer un scénario impossible : elle n'était excitée par David que s'il était sur le point de la quitter. Il lui était impossible de former un véritable couple avec lui. Pourtant, sa situation n'est pas si extraordinaire. J'entends souvent parler de couples qui, après avoir entendu prononcer leur divorce, quittent le tribunal ensemble pour aller s'allonger sur le lit le plus proche.

Nombreux sont les couples qui jouent à un jeu moins dangereux. Ils se querellent, l'un des partenaires menace de s'en aller puis, alors qu'il a déjà passé un pied de l'autre côté de la porte, ils tombent dans les bras l'un de l'autre.

Une femme m'a raconté : « Chaque fois que nous décidons que nous avons atteint le point de non-retour, que notre mariage est sans espoir, que ça ne vaut pas la peine de continuer, nous faisons l'amour avec passion. En fait, c'est le seul moment où nous nous montrons passionnés. »

La querelle est souvent l'aphrodisiaque le plus efficace pour un couple. Nous nous débarrassons ainsi des sentiments négatifs qui nous empêchent de nous rapprocher l'un de l'autre. La querelle fait circuler notre sang et établit quel doit être l'« espace » entre nous. Pourtant, la stratégie du bord de l'abîme a des inconvénients au bout d'un certain temps : nous nous épuisons et recherchons la stabilité et la sécurité que nous pensions trouver au départ dans le mariage. Il peut arriver aussi que nous finissions par en avoir assez de notre propre mélodrame.

C'est ce qui est arrivé à Tara dont j'ai parlé précédemment.

« Avec les années, cette habitude a fini par devenir trop évidente. Ça ne marchait plus du tout. Lorsque mon mari disait : "Ça suffit, je m'en vais", je savais bien qu'il ne s'en irait pas. Dans trois secondes, me disais-je, il va m'étouffer sous les baisers. Finalement, nous n'avions plus rien pour faire fonctionner notre sexualité.»

Sans la menace de séparation, les relations sexuelles devenaient ennuyeuses. C'était, du moins, l'impression de Tara. Lorsque David est revenu vivre avec elle, elle a cessé de le désirer. Bien entendu, c'était la seule méthode qu'elle connaissait pour lui refuser toute intimité avec elle. Sa méthode était, sur le plan pratique, la suivante:

«Dès que David se couchait, je me mettais automatiquement à penser à tout ce que je n'aimais pas chez lui. Les choses importantes et les autres. Je me disais: il fume trop, il danse affreusement mal. Je pensais aussi à ses défauts physiques, par exemple, la tache de naissance sur son cou. Je la regardais et elle m'écœurait. Bien entendu, au cours de nos fameuses soirées du samedi, je l'embrassais justement à cet endroit.»

Tara avait besoin de trouver une méthode pour vivre avec David tout en continuant à vouloir faire l'amour avec lui. Elle ne disposait que d'une solution: préserver son espace vital. Chaque fois qu'elle ferait un pas vers David, il serait obligé de faire au moins un demi-pas en arrière.

La solitude du coureur de fond

«J'ai l'impression de ne jamais recevoir assez de Tara, m'a expliqué David. Elle est toujours distante, un peu comme si elle se gardait une partie importante d'elle-même. Elle ne partage pas vraiment ce qu'elle ressent avec moi. Et lorsque nous faisons l'amour, j'ai parfois l'impression de le faire tout seul. Au lieu d'un pas de deux, je fais un solo.»

J'entends presque quotidiennement ce genre de doléances, mais elles proviennent plus fréquemment des femmes que des hommes. Ces personnes me parlent de l'intense solitude dont elles souffrent, notamment lorsqu'elles sont couchées à côté de leur compagnon. Elles ont l'impression de faire l'amour avec un partenaire muet.

« Dès qu'il se couche, il devient muet, m'a raconté une femme. Il n'ouvre pas la bouche avant que nous ayons fini. Alors, il dit quelque chose comme : "C'était très bien, chérie. Bonne nuit." Et j'ai envie de lui dire : "Bien pour toi mais pas pour moi. Tout ce que je ressens, c'est un grand vide." »

Un partenaire muet n'est pas seulement silencieux. Il a aussi l'habitude de fermer les yeux dès que la séance sexuelle commence et, s'il ouvre la bouche, c'est pour donner un léger baiser à sa partenaire au début et à la fin, avant de prononcer ses mots d'« adieu ».

« Il est si renfermé, j'ai l'impression qu'il n'est même pas là, m'a expliqué une autre femme. Il pourrait tout aussi bien être en train de faire l'amour avec quelqu'un d'autre, ça ne changerait pas grand-chose. Même une poupée gonflable lui suffirait. »

Ces femmes ne se sentent pas seulement délaissées, elles se sentent aussi utilisées comme des objets sexuels. Et ce dont elles souffrent le plus, c'est de l'explication qu'elles attribuent à cette attitude : « Il (ou elle) ne m'aime pas. »

« S'il m'aimait vraiment, il serait ici, avec moi, disent-elles. S'il m'aimait vraiment, il aurait envie de me parler. »

Provoqué par son épouse (ou, dans de rares cas, par son mari), le partenaire muet possède en général un vaste répertoire d'arguments.

« J'ai d'autres moyens de communication. Je suis obligé de parler toute la journée et ce n'est qu'en me couchant que je peux enfin me décontracter et communiquer autrement que par la parole. »

Ou bien :

« La parole rend les rapports sexuels vulgaires. Lorsqu'on parle, on retire à cet acte toute sa magie. »

Ou simplement :

« Je ne suis pas du genre bavard. Je ne parle jamais beaucoup. Pourquoi me mettrais-je soudainement à jacasser au lit ? »

Une autre position de repli est parfois utilisée :

« Nous nous connaissons assez bien pour ne plus être obligés de parler tout le temps. Tu sais à quel point je t'aime et je n'ai pas besoin de te le répéter constamment. »

Ou, comme Tara, le partenaire muet peut déclarer :

« J'ai besoin de mon espace vital. »

Je ne peux que compatir à la solitude de ces épouses et époux d'amants et d'amantes distants. Car nous considérons la sexualité comme l'« expérience partagée » la plus importante de notre vie et il s'avère très déprimant de constater que notre partenaire n'est tout simplement pas « avec nous ». Faire l'amour, nuit après nuit, avec un partenaire tellement occupé à se donner en spectacle qu'il en oublie jusqu'à notre existence, c'est sans doute l'expérience la plus démoralisante qui soit. Si, comme David, nous avons toujours l'impression que notre partenaire s'éloigne de nous — physiquement ou affectivement —, nous souffrons non seulement de la solitude mais aussi d'un sentiment de rejet.

Cependant, il se peut que beaucoup d'entre nous exigent de leur partenaire une « proximité » qui n'est pas raisonnable. Si, par exemple, vous êtes marié à quelqu'un qui n'exprime pas facilement ses sentiments dans la vie de tous les jours, il n'est pas réaliste d'attendre de cette personne qu'elle devienne soudainement loquace en faisant l'amour. Dans le cas contraire, non seulement êtes-vous injuste envers votre partenaire mais envers vous-même, car vous vous condamnez à une frustration et à une solitude perpétuelles. En outre, il se peut que nous recherchions trop d'assurance chez notre partenaire. Est-il vraiment obligé de répéter «je t'aime» chaque fois qu'il se glisse à vos côtés dans le lit? Vous n'avez qu'à envisager votre vie commune dans son ensemble pour essayer de trouver une partie de la réponse à cette question.

Les personnes qui ont particulièrement besoin de contacts et de «proximité» ont aussi tendance à accorder au moindre incident une importance exagérée. Si leur partenaire se montre distant pendant une semaine, elles ont l'impression que toute leur relation est chancelante et négligent parfois de s'enquérir des problèmes qui peuvent assaillir l'autre à ce moment précis. Il se peut aussi que le deuxième membre du couple ait tout simplement besoin de son espace vital. Nous devons absolument essayer de considérer notre partenaire comme une personne bien distincte, qui possède ses humeurs et ses cycles affectifs, qui sont sans rapport avec les nôtres, au lieu de sombrer dans notre propre insécurité. Le silence n'est pas toujours un signe de rejet. C'est souvent un besoin personnel. Nous devons apprendre à laisser notre compagnon seul de temps en temps. A cette fin, il nous faut absolument abandonner l'idée de le changer, l'idée que nous avons le pouvoir d'«arranger» ou de «détruire» sa vie. La seule vie dont nous possédions la clé, c'est la nôtre.

Une bonne partie de mon travail consiste à aider les gens à modifier leur comportement, à découvrir et à redécouvrir des sensations, des sentiments qu'ils doivent ensuite apprendre à exprimer. Pourtant, en fin de compte, je crois que *la véritable intimité* est atteinte lorsque les deux membres d'un couple se montrent tels qu'ils sont l'un à l'autre. Cela est vrai tant sur le plan sexuel que dans la vie quotidienne. Si notre partenaire s'exprime par des gémissements et des larmes en faisant l'amour, prenons plaisir à l'entendre et à le voir. Et s'il s'exprime en retenant sa respiration et en fermant les yeux, acceptons son attitude. En outre, il n'est pas judicieux de considérer l'acte sexuel comme le moment suprême de l'intimité partagée. Cet acte peut être bien d'autres choses, ne serait-ce que la satisfaction d'un simple besoin corporel. Pourquoi nous sentir isolés si tel est le cas ? Essayons de nous concentrer sur le plaisir que nous pouvons ressentir.

Pourtant, je sais bien que ce sentiment de solitude a la vie dure.

David se sentait rejeté par Tara, et à juste titre. Elle ne se rapprochait de lui que lorsqu'il était sur le point de s'en aller. Mais, comme j'ai fini par l'apprendre, leur relation n'avait pas toujours été aussi déséquilibrée. David avait lui-même contribué à l'éloignement de Tara. Dès le début de leur relation, il avait *exigé* d'elle une plus grande intimité.

« J'avais toujours pensé que deux personnes qui s'aimaient finiraient par "se fondre l'une dans l'autre", m'a-t-il confié. Mais ça n'arrivait jamais avec nous. A un moment donné, n'importe quand, pendant le dîner, dans la voiture, je me retournais vers Tara pour lui demander à quoi elle pensait. Ou j'arrêtais tout, même si nous étions en train de faire l'amour, pour lui demander ce qu'elle ressentait. Inutile de vous dire qu'elle se fermait comme une huître dès que je lui posais la question. »

Rien n'est plus susceptible de nous éloigner de notre partenaire que ses tentatives trop évidentes de rapprochement. Et, *inconsciemment, David le savait.* En exigeant l'intimité, il essayait en réalité de lutter contre sa propre peur de l'intimité. Car il savait que cela aurait pour effet d'éloigner Tara. Nous avons fini par découvrir cette peur lorsque David a fait un aveu à propos de ces samedis soir «passionnés», à l'époque de leur séparation.

«Elle était une femme entièrement différente. Elle faisait des choses qu'elle n'avait jamais faites auparavant, elle disait des choses qu'elle n'avait jamais dites auparavant et, parfois, elle ne se contentait pas de parler, elle hurlait! Elle disait par exemple: "Dieu, que c'est bon!" ou: "J'ai l'impression de flotter sur un nuage" ou: "Je pourrais te manger tout cru." C'était merveilleux mais, lorsque le moment de mon départ arrivait, je me sentais un peu soulagé. J'avais l'impression que *c'était trop*... Que si nous avions continué nuit après nuit, j'aurais été mis à nu... sur le plan psychologique, bien sûr. Lorsque je m'habillais pour partir, je me sentais libéré.»

Il existe un vieux proverbe bédouin qui se traduit à peu près ainsi: «Méfie-toi de ce que tu désires, car tu finiras par l'obtenir.» Après avoir exigé de Tara une plus grande intimité pendant des années, David l'avait finalement obtenue et il se sentait écrasé. C'est une volte-face que je constate souvent dans le cadre de ma vie professionnelle. Le mari ou la femme qui est obligé de «traîner» son conjoint chez le sexologue est en général celui des deux qui se «ferme» le plus. Mais auparavant, il (ou elle) a réussi à tenir son partenaire à distance en la (ou le) harcelant.

Les billevesées psychologiques des psychothérapies en vogue depuis les années soixante nous ont malheureusement amenés à nous jouer personnellement ce mauvais tour. En insistant pour que notre partenaire s'extériorise, nous dissimulons notre propre peur de l'intimité sous un babillage dont *nos véritables sentiments sont le sujet principal*. En réalité, nous dressons entre nous un mur verbal de fausse intimité qui est finalement plus difficile à pénétrer que le silence.

David, semble-t-il, avait autant besoin que Tara

146

d'espace vital. Une fois qu'il aurait admis cela, il lui serait plus facile, ainsi qu'à Tara, de comprendre ce qu'est le véritable rapprochement. Ils feraient chacun leur petit pas en arrière, en respectant la distance dont chacun des deux avait besoin.

L'âme sœur asexuée

Beaucoup ont grandi avec l'idée que le mariage idéal ne peut avoir lieu qu'entre deux « âmes sœurs ». Nous recherchons le compagnon idéal avec lequel nous bâtirons d'année en année une intimité totale.

« Lorsque j'étais adolescente, m'a confié Alice K., je rêvais de rencontrer un homme qui me comprendrait parfaitement dès le premier jour. Il connaîtrait tous mes sentiments sans avoir besoin de m'interroger. Il serait capable de lire mes pensées. Et, bien sûr, je l'épouserais. Lorsque j'ai rencontré Carl, à l'université, c'est un peu cela qui est arrivé. Nous nous spécialisions tous les deux en histoire de l'art et, plus particulièrement, en peinture préraphaélite. Nous aimions les mets indiens, Erik Satie et Nantucket... La liste était infinie. C'était palpitant. Nous n'en revenions pas de notre chance. Un soir, en sortant d'un cinéma où on jouait un film de Truffaut, nous nous sommes regardés en souriant, sans avoir besoin de parler. Nous savions exactement ce que l'autre ressentait. Je crois que c'est ce soir-là que j'ai su que j'allais l'épouser. Nous n'avions pas encore fait l'amour ensemble mais j'ai probablement pensé que cela aussi serait merveilleux. »

En réalité, ce fut loin d'être merveilleux. Dès le départ, Carl avait manifesté une certaine réticence. Il disait qu'il voulait attendre leur nuit de noces pour faire l'amour avec Alice, car elle était quelqu'un de « spécial » pour lui. Alice en avait été surprise : Carl avait une grande expérience sexuelle (en général composée d'aventures d'une nuit) et il ne manquait pas d'assurance dans ce domaine. « Je me suis dit que, puisqu'il m'aimait tant, ça ne pouvait que bien se passer », m'a confié Alice.

Elle avait tort. Après avoir parlé avec Carl, j'ai commencé à comprendre pourquoi leur vie sexuelle n'était pas réussie.

« Alice est ma meilleure amie, la meilleure amie que j'aie jamais eue. Je me sens incroyablement proche d'elle. Je suis d'ailleurs plus proche d'elle que ne le sont la plupart de mes amis avec leur femme. Je viens d'une famille très unie et c'est un aspect important de ma vie. C'est pourquoi j'ai pensé que la tiédeur de notre vie sexuelle était secondaire. En fait, c'était un échange : les rapports sexuels contre le bonheur de posséder une compagne parfaite. Après tout, on ne fait l'amour que pendant quelques minutes alors que l'intimité véritable dure toute la vie. »

Malheureusement, l'intimité sans sexualité n'était suffisante pour aucun des deux. A l'instar des deux célèbres âmes sœurs de la littérature, Virginia et Leonard Woolf, ils se sont rendu compte que tout partager, excepté la sexualité, ne pouvait que conduire l'un d'eux, en l'occurrence Carl, à rechercher la sexualité en dehors du mariage. Mais cette solution, comme c'est généralement le cas, a apporté plus de chagrin que de plaisir.

La disparition de l'amant-mystère

C'est Carl qui a commencé à ressentir les effets sexuellement oppressants d'une si grande intimité sur le plan psychologique, bien qu'il ne l'ait pas immédiatement compris. Mais, dès le départ, il m'avait fourni des indices sur son problème : il m'a expliqué qu'en tant que fils unique d'une mère divorcée, il

148

s'était beaucoup rapproché de celle-ci. Par conséquent, il voyait peut-être l'intimité sous l'angle de l'amour familial, par opposition à l'amour sexuel. Pour lui, être proche de quelqu'un, ça signifiait éliminer tout sentiment d'ordre sexuel à l'égard de cette personne, exactement comme il avait été obligé de le faire avec sa mère.

Après plusieurs séances, il a avoué qu'il y avait quelque chose d'autre qui l'empêchait d'avoir des rapports sexuels satisfaisants avec Alice : « Nous nous ressemblions beaucoup au départ, et, avec les années, cette ressemblance s'est accrue. Nous sommes devenus l'image l'un de l'autre... même sur le plan physique. Par exemple, Alice a tendance à froncer un sourcil lorsqu'elle veut prouver quelque chose... C'est exactement ce que je fais. Lorsque je la regarde, j'ai l'impression d'être Narcisse en train de se regarder dans son étang. Mais je ne suis pas Narcisse. Je n'ai pas envie de faire l'amour avec moi-même. Lorsque je fais l'amour, je veux *m'oublier* ! »

Carl avait cerné l'une des principales raisons pour lesquelles une trop grande intimité peut être néfaste à la sexualité : elle peut tuer l'élément fantastique de notre relation, elle peut tuer l'amant-mystère que nous portons tous en nous.

L'un des plaisirs des relations extraconjugales était, pour Carl, la sensation de faire l'amour avec une étrangère, pour laquelle il *était aussi un étranger*. La personne qui était allongée à ses côtés ne le connaissait pas « sous toutes ses coutures », c'est pourquoi il pouvait enfin être qui il voulait, un amant-mystère s'il le voulait. De plus, il pouvait exprimer de nouveaux sentiments, qui n'avaient rien à voir avec ceux qu'Alice attribuait au « vrai » Carl. Il pouvait se laisser noyer dans un fantasme et s'oublier pour faire tout simplement l'amour.

A la maison, Alice et Carl étaient trop proches l'un de l'autre pour concentrer leur attention sur la sexualité. Après un certain temps, Alice a pu reconnaître que cette intimité avait un effet désastreux sur leur vie sexuelle et sur ses propres sensations. «Lorsque nous faisons, ou du moins essayons de faire l'amour, je pense à ce que Carl doit ressentir : Est-il tendu? Est-il fatigué? La lumière est-elle éblouissante pour lui? Aime-t-il mes cheveux? Et, lorsqu'il me touche, je me souviens avec effroi que j'ai un corps qui m'appartient. Je l'avais complètement oublié. »

Alice était tellement occupée à remplir le rôle de l'âme sœur parfaite qu'elle en oubliait effectivement son propre corps et ses propres sensations. Paradoxalement, elle avait annihilé ses réactions sexuelles parce qu'elle se préoccupait trop de celles de Carl. Il s'en rendait compte. Il lui en voulait d'être sexuellement si insensible : «Alice est si douce qu'elle en est frigide. »

Alice et Carl, emprisonnés dans leur intimité, avaient chassé la sexualité de leur vie. Mon travail, comme nous le verrons plus loin, consistait à les aider à redevenir des «étrangers» l'un pour l'autre, à ne plus se concentrer si intensément sur leurs sentiments mutuels. Il fallait au contraire qu'ils apprennent à se concentrer sur leur propre sexualité. Tous deux devaient apprendre à se montrer plus égoïstes en amour afin d'accroître leurs réactions. En établissant une certaine distance entre eux, ils seraient capables de se rapprocher l'un de l'autre, une fois au lit.

Laissons entrer le soleil

La fin des relations sexuelles avait sonné le glas de la relation d'Alice et de Carl, tout comme elle avait sonné le glas de la relation de David et de

Tara. Par conséquent, il me paraissait judicieux de commencer par cet aspect de leur mariage.

Pour débuter, je suggérai de laisser de côté le problème de l'«intimité». Leur vie sexuelle avait subi trop de pressions à la suite des exigences de l'un et des refus de l'autre.

«Laissez tomber tout ça, leur ai-je recommandé. Ressuscitons votre vie sexuelle pour commencer et l'intimité viendra toute seule. Elle trouvera son équilibre sans intervention de votre part.»

J'ai demandé à chaque couple d'établir un programme des moments qu'ils devraient passer séparément. Pour Tara, cela signifiait une nuit «toute seule» par semaine, chacun faisant chambre à part. David a choisi une fin de semaine de camping par mois avec des amis. En outre, je leur ai suggéré de s'isoler aussi à la maison. J'ai particulièrement recommandé à David de laisser Tara dans son coin si elle paraissait renfermée et silencieuse.

«Attendez qu'elle parle la première. A mon avis, elle sortira de sa coquille plus rapidement que si vous la harceliez.»

Pour redonner du tonus à leur vie sexuelle, je leur ai demandé de faire l'amour de manière «impersonnelle» pendant quelque temps.

Alice et Carl, les âmes sœurs, ont trouvé ce conseil particulièrement difficile à mettre en pratique. Leur relation était fondée sur un contact personnel très intense. Comment pouvaient-ils faire l'amour de manière impersonnelle?

«Cette idée me paraît absurde, m'a déclaré Alice. C'est vulgaire, comme quelque chose qu'on pourrait faire avec n'importe qui.

— Justement. Je veux que vous fassiez l'amour avec Carl comme s'il était n'importe qui. Oubliez-le complètement et concentrez-vous sur vos sensations.»

Pendant des années, Alice s'était tellement préoccupée des sensations de Carl qu'elle en avait oublié les siennes. Pour que leurs rapports sexuels soient satisfaisants, Alice devrait apprendre à penser sexualité.

Je leur ai recommandé de commencer par l'exercice de toucher. Au départ, Carl serait le partenaire actif. J'ai demandé à Alice de concentrer toute son attention sur ce qu'elle ressentirait.

> *Fermez les yeux et laissez-vous emporter par vos sensations. Oubliez que vous n'êtes pas seule. Combattez le désir de penser à Carl et de savoir ce qu'il ressent. Qu'il s'ennuie ou qu'il s'amuse ne doit pas vous intéresser pour le moment. Plus tard, ce sera son tour. Pour le moment, imaginez que ce sont des mains qui n'appartiennent à personne que vous sentez sur votre corps.*

Comme je le craignais, Alice a flanché le premier soir. Elle a manifesté le désir d'abandonner l'exercice au bout de cinq minutes.

« Je ne pouvais pas me décontracter. Je me sentais trop… euh… coupable. »

Je les ai incités à persévérer. Au bout de la troisième tentative, Alice a compris ce qu'on attendait d'elle.

« Je ne me suis jamais sentie si détendue, m'a-t-elle ensuite confié joyeusement. Ma peau était devenue hypersensible. Et, ce qui est merveilleux, c'est que lorsque j'ai ouvert les yeux et que j'ai vu Carl à côté de moi qui souriait, je me suis sentie plus proche de lui que jamais. Mais d'une manière différente. »

Pour Carl, l'exercice s'est aussi révélé fructueux : « C'était amusant de jouer avec son corps, sans intentions sérieuses, sans obligations. »

Le moment est venu où Carl devait remplir le rôle du partenaire passif. Tout s'est bien passé mais ils n'ont pu s'empêcher de « tricher » en faisant l'amour ensuite. Finalement, leurs corps avaient réussi à

152

créer une intimité que leurs âmes sœurs leur avaient toujours refusée. C'était l'intimité qui consiste à donner et à recevoir le plaisir sexuel. En commençant par des relations « impersonnelles », ils avaient fixé la distance qui était nécessaire à leur rapprochement ultérieur.

Dans le cas de Tara et de David, j'ai décidé de laisser Tara faire les premiers pas pendant un certain temps. Puisqu'elle se sentait « attaquée » lorsque son mari la touchait, je lui ai conseillé de le toucher la première. David a montré une certaine résistance la première fois.

« J'ai automatiquement tendu la main vers Tara. Je voulais établir le contact avec elle.

— Laissez-la établir le contact avec vous, lui ai-je conseillé. Oubliez-la pendant un certain temps. Imaginez que vous êtes ailleurs, si cela peut vous aider. En fait, vous pouvez tous les deux imaginer que vous êtes ailleurs. Contentez-vous de laisser vos corps dans le lit. »

Tara exécutait docilement les exercices mais avouait qu'elle n'y trouvait pas un grand intérêt.

« C'est ennuyeux au bout d'un moment. Je pense à un tas d'autres choses que je préférerais faire.

— Quoi, par exemple ?

— Lire, pour commencer.

— Emportez un livre avec vous la prochaine fois. Lisez autant que vous le voulez pourvu que vous ne cessiez pas de toucher David. »

Les exercices se sont ensuite déroulés avec un certain succès, mais la véritable percée a eu lieu lorsque je leur ai suggéré autre chose. Tara m'avait fourni un indice lorsqu'elle avait demandé de passer une nuit seule dans une autre chambre.

« Pendant un certain temps, ne faites l'amour que cette nuit-là. Même si Tara doit sortir, David, attendez-la et vous ferez l'amour ce soir-là. Ensuite, chacun regagnera son propre lit. »

Tous deux ont éclaté de rire à cette idée saugrenue. Ils avaient compris mes intentions : recréer la distance qui avait fait de leurs samedis soir des moments si passionnés. La tactique s'est avérée efficace. Et je crois bien qu'elle l'est encore.

« Je me sens encore "perverse", m'a confié Tara lors de la dernière séance. Mais je suis aussi très heureuse. »

7

Le sport d'intérieur le plus compétitif du monde

L'année dernière, lorsque dans la rubrique scientifique du *New York Times* on a révélé les statistiques les plus récentes concernant la décroissance de la fréquence des rapports sexuels chez les couples mariés proportionnellement à la durée de leur mariage, je jure que j'ai entendu un soupir de soulagement qui a résonné dans toute l'île de Manhattan.

Chaque couple semble penser que le couple voisin «le fait» plus souvent, mieux et plus agréablement. Invariablement, lorsque je demande à un couple quelle est la fréquence de ses rapports sexuels, il me répond puis s'enquiert anxieusement: «Est-ce normal?» ou: «Sommes-nous dans la moyenne?»

Je réponds: «Normal pour quoi, pour qui? Pour votre âge? Votre poids? Me demandez-vous si vous êtes "moyens"? Etes-vous moyens dans tout ce que vous entreprenez? Est-ce que vous voulez être moyens?»

Les couples américains tiennent absolument à «conserver leur moyenne». Apparemment, ils ont tous un chiffre à l'esprit — une fois par jour, une fois par semaine ou une fois par mois — et s'ils prennent du retard, ils ont l'impression d'un échec personnel. Ils ne sont plus «normaux». Malheureusement, chaque membre du couple se met à blâmer l'autre de cet échec.

Il est une question que ces couples ne se posent jamais : désirent-ils réellement faire l'amour plus souvent ? Cette question paraît sans rapport avec le problème qui les obsède. Le chiffre magique a une valeur en soi, c'est tout ce qui compte. Cette préoccupation fait des deux membres du couple des acteurs de l'amour-spectacle. Ils font équipe pour se livrer au sport d'intérieur le plus compétitif du monde. Malheureusement, c'est une compétition dans laquelle il n'y a que des perdants.

Ne pas se laisser doubler par les voisins

Sally et Ted M., un couple charmant qui approchait de la quarantaine, étaient restés nerveusement assis devant moi pendant quelques minutes. Ni l'un ni l'autre n'osait parler. Finalement, après d'énormes efforts de ma part pour sonder leur problème, Ted m'a expliqué ce qui les tracassait : « Nous devenons frigides. En moyenne, nous ne faisons l'amour qu'une fois par mois... Parfois une fois toutes les six semaines. »

« Nous avons l'impression d'être vieux avant l'âge, a déclaré Sally. Je crois que c'est parce que nous avons eu un mauvais départ. Nous nous sommes mariés en sortant de l'université, dans les années soixante, à l'époque où tout le monde couchait avec tout le monde. Nous ne sommes jamais parvenus à vivre intensément notre vie sexuelle. »

De nouveau, ils se sont tus. Tous deux étaient bien habillés, soignés et ils s'exprimaient posément.

« Vous sentez-vous souvent frustrés ? ai-je demandé.

— Oui, a répondu Ted. Surtout lorsque je me rends compte qu'il y a six semaines que nous n'avons rien fait.

— Je veux dire frustrés *sexuellement* et non *statistiquement*. »

Tous deux se sont alors permis un petit sourire. Il était évident que la frustration dont parlait Ted était davantage causée par la lecture de statistiques que par son désir inassouvi. Ses premiers mots trahissaient ses préoccupations : «frigides» signifiait clairement qu'ils se retrouvaient au-dessous de la moyenne. Sally était également préoccupée par l'idée d'égaler les autres couples : elle était certaine que, pendant les années soixante, «tout le monde couchait avec tout le monde». Elle avait l'impression qu'ils avaient raté quelque chose que tous les autres avaient eu. Elle ne réfléchissait pas vraiment à ce qu'elle désirait, elle.

La suite nous a révélé que les appétits sexuels de Ted et de Sally étaient supérieurs à leurs évaluations. Mais avant d'en arriver là, il fallait qu'ils cessent de comparer leur vie sexuelle à celle des autres couples. D'ailleurs, en concentrant leur attention sur les statistiques, ils avaient évité de faire face aux inhibitions qui les empêchaient de se montrer sexuellement plus expressifs. Ils étaient venus me consulter dans l'espoir que je les aiderais à conserver leur «moyenne». Ils voulaient que je leur apprenne à faire l'amour plus fréquemment. Ils voulaient redevenir «normaux». En réalité, mon travail consistait à les inciter à cesser de faire l'amour pour obéir à des statistiques et à apprendre à le faire naturellement, sans inhibition, en fonction de leur désir.

J'ai connu un autre couple qui avait le même problème, mais dans des circonstances qui auraient pu être cocasses si elles ne les avaient pas rendus tous deux si malheureux.

Peg et Peter L., âgés d'une quarantaine d'années, exerçant des professions libérales, étaient harassés, de fatigue et d'anxiété, la première fois que je les ai rencontrés. Ils connaissaient parfaitement leur problème : un an auparavant, un couple avait emménagé dans l'appartement contigu au leur. Une mince cloison séparait les deux chambres et, chaque nuit, Peg et Peter entendaient ce couple faire bruyamment l'amour durant ce qui leur paraissait être des heures entières. Peu de temps après, Peg et Peter se sont aperçus qu'eux-mêmes ne faisaient plus l'amour que très rarement.

Tous deux savaient que leur problème était « idiot », qu'ils avaient honte de laisser ce couple fantôme s'immiscer dans leur vie sexuelle, mais ils m'ont aussi avoué que leur insatisfaction sexuelle s'en était trouvée accentuée. Le problème avait touché une corde sensible qui avait toujours été présente, bien que dissimulée, dans leur relation.

Je leur ai expliqué que leur problème n'était pas inhabituel, que des couples entraient fréquemment en compétition avec d'autres couples — réels ou imaginaires — et que cela avait souvent un effet désastreux sur leur vie sexuelle. Leur problème était simplement exacerbé par rapport à celui des autres couples car la concurrence provenait directement de l'autre côté du mur.

Pour commencer, je leur ai suggéré de tenter d'insonoriser le mur. Il est évident que le bruit ne nous empêche pas seulement de faire l'amour : il nous empêche de dormir et de nous reposer. Si cela se révélait impossible, je leur proposais de placer leur lit dans une autre pièce ou, carrément, de déménager. Cependant, je leur ai également expliqué qu'ils avaient raison de penser que les activités bruyantes de leurs voisins avaient touché une corde sensible de leur relation : elles révélaient que Peg et Peter n'étaient pas heureux de leur propre sexualité.

A la fin de la première séance, je leur ai suggéré d'entreprendre un exercice paradoxal. C'est un exercice qui ne peut être que bénéfique à tous les couples : il les oblige à choisir leurs propres « concurrents ».

Imaginez que vous êtes le couple de l'appartement voisin. Ces deux personnes font, pensez-vous, l'amour plus souvent que vous et semblent en éprouver plus de plaisir. Parlez de ce que vous aimeriez faire l'un avec l'autre. Improvisez. Imaginez. Faites ce que vous pensez que vos voisins font. Réalisez vos fantasmes dans la mesure de vos capacités.

Il fallut plusieurs semaines à Peg et à Peter pour « trouver le temps » de se livrer à cet exercice mais entre-temps, ils avaient suivi mon conseil et déplacé leur lit dans le salon. Cependant, leur première tentative s'est soldée par un échec total.

« Je me sentais simplement plus tendu que d'habitude, a expliqué Peter. Je me sentais aussi tellement ridicule. Je ne peux pas faire semblant d'être quelqu'un d'autre.

— Mais c'est merveilleux ! » Tous deux m'ont regardée comme si j'étais subitement devenue folle. « Oui, vous avez bien entendu. Comment pouvez-vous entrer en concurrence avec quelqu'un que vous ne voudriez pas être ? C'est là que le bât blesse, n'est-ce pas ? Votre sexualité est une partie de vous-même. C'est une expression de votre personnalité, tout autant que votre manière de parler ou votre signature. Il serait absurde de vouloir que votre vie sexuelle ressemble à celle de quelqu'un d'autre. »

Peter a semblé rassuré mais Peg n'était guère convaincue. Je lui ai alors demandé à quoi elle pensait.

« Je crois que j'aimerais tout de même ressembler à d'autres couples. Lorsque nous avons commencé à parler de nos voisins, je me suis aperçue d'une chose : ils passaient plus de temps que nous à faire l'amour et ça m'a donné envie de faire comme eux.

Ils avaient aussi l'air de prendre leur temps, plus que nous, et j'ai aussi eu envie d'essayer ça. Est-ce que cela signifie que je désire toujours entrer en concurrence avec eux ?

— Probablement pas, ai-je répondu. Vous venez tout simplement de parler de ce que vous aimeriez faire, pour votre propre satisfaction et non de ce que vous devriez faire pour être "normale" ou comme tout le monde. »

Comme à la plupart de mes patients, je leur ai recommandé de commencer par les exercices de toucher qui leur feraient reprendre contact avec leurs propres sensations et avec le corps de l'autre. Les résultats ne se sont pas fait attendre. Peu après, ils ont décidé de faire l'amour dans leur ancienne chambre « pour s'amuser » en se montrant le plus bruyants possible.

« Nous avons pensé que cela plairait à nos voisins », a dit Peg en riant.

Il nous arrive fréquemment d'entrer en concurrence sur le plan sexuel avec un couple que nous connaissons, que nous fréquentons parmi notre groupe d'amis. Il s'agit souvent d'un homme et d'une femme physiquement favorisés, qui prennent soin de leur apparence et qui semblent être constamment en train de s'embrasser et de se caresser. Parfois, ils font des allusions grivoises à leur vie sexuelle « passionnée ». Il est difficile de ne pas se sentir complexé face à un tel couple. Tous deux semblent tellement s'amuser !

Mais s'amusent-ils vraiment ?

C'est peut-être de la déformation professionnelle, mais je me méfie toujours des couples qui exposent devant tout un chacun leur sensualité et leur vie sexuelle. Très simplement, je soupçonne que leur attitude est destinée à dissimuler une vie sexuelle peu réussie ou qu'elle est une manifestation de la nervosité qui accompagne souvent l'amour-spectacle, dépourvu de sentiments.

Evitez de vous demander si cet autre couple est vraiment plus «performant» que vous. Quelle importance cela peut-il avoir pour votre propre vie sexuelle? Conséquence malheureuse et inutile de cet esprit de compétition: nous cessons rapidement d'apprécier la compagnie de cet autre couple. Comme toutes les autres formes d'envie, celle-ci n'est guère propice à l'épanouissement de l'amitié.

Les athlètes sexuels suédois vont aux jeux Olympiques

Lorsque je suis arrivée en Amérique, j'ai constaté que mes compatriotes suédois, hommes et femmes, jouissaient d'une réputation d'athlètes sexuels. Le simple adjectif «suédois» évoquait immédiatement des rapports sexuels faciles, fréquents et athlétiques. Je suis d'accord avec cette dernière conception: les Suédois ont en effet tendance à considérer les rapports sexuels comme une gymnastique, une forme d'exercice qui garde en bonne santé, un peu comme la voile ou le ski. En d'autres termes, je ne crois pas que les Suédois en général vivent leur sexualité sur un plan particulièrement personnel ou expressif. Quoi qu'il en soit, le Suédois en tant que symbole du «champion» sexuel est un bon exemple de la manière dont nous pouvons devenir sexuellement obsédés par la concurrence: nous sommes persuadés que des groupes entiers de gens font plus et mieux l'amour que nous. Malheureusement, ce genre de mythe fait souffrir tout le monde.

Admettons que nous rêvions d'un amant suédois (ou latin ou noir) au point que notre propre vie sexuelle nous paraisse terriblement terne. «Je ne ressens rien lorsque je fais l'amour», m'expliquent fréquemment des patients. A quoi je réponds : « Rien du tout ? Ou moins que ce que vous espérez ressentir ? » Les fantasmes qui mettent en scène des amants athlétiques, voraces, infatigables, etc., transmettent à la réalité de nos activités sexuelles une allure de second ordre. Pourquoi les Suédois (et leurs amants et amantes) sont-ils les seuls à s'amuser ? *Pourquoi les Noirs, les Italiens, les adolescents, les célibataires ou les divorcés prennent-ils plus de plaisir que nous à faire l'amour ?*

Ce type de préjugé, mélange de jalousie et d'esprit de compétition, ne peut que faire naître l'amertume et l'insatisfaction. Pourtant, ces mythes ne contiennent que peu ou pas de vérité. Bien sûr, certains des groupes que j'ai mentionnés se consacrent peut-être plus que nous à leur sexualité, mais leur goût est-il fondé sur le plaisir à l'état pur ou sur la volonté de donner un spectacle ?

Comme je l'ai dit plus haut, ces mythes sont néfastes pour tout le monde. Par exemple, un Noir qui estime qu'il doit être à la hauteur de sa réputation fera tous les efforts pour la justifier. La pression est pour lui constante. S'il a un moment d'impuissance, causée simplement par la fatigue ou l'énervement, il le considérera comme un échec total.

Chacun de ces groupes subit la même pression, même si elle se manifeste sous des formes différentes. Prenez par exemple un homme célibataire ou récemment divorcé âgé d'une trentaine ou d'une quarantaine d'années. D'après le mythe, il passe toutes ses nuits à « courir les jupons ». Ses amis mariés font continuellement des allusions à sa vie de libertinage et le harcèlent pour qu'il leur donne des détails. Mais, si l'idée qu'ils se font de lui ne correspond pas à la réalité, il risque de se prendre au jeu afin de se montrer à la hauteur de leurs attentes. Il se trouve en concurrence avec eux aussi. A ce jeu, nul n'est gagnant.

Comme me l'a expliqué un homme récemment divorcé : « Je me suis senti perdu lorsque mon mariage a éclaté mais, au bout d'un certain temps, j'ai compris que plusieurs de mes copains mariés m'enviaient. Chaque fois que je sortais avec une femme, ils étaient persuadés que je faisais avec elle un tas de choses incroyables. Ils ne savaient pas à quel point je me sentais seul, à quel point je les enviais. Aussi, je n'ai pas tardé à sortir avec des femmes sexy simplement pour qu'ils continuent à m'envier. En réalité, nous ne nous amusions ni les uns ni les autres. »

Aujourd'hui, la génération qui a vécu la révolution sexuelle fait l'envie des couples mariés qui ont vécu leur adolescence pendant une époque de grande répression sexuelle. Parfois cette envie prend la forme d'une amère désapprobation : nous disons que les adolescents d'aujourd'hui sont dévergondés et sans morale, qu'ils se perdent en libertinage inutile. Nous citons les statistiques de grossesses chez les adolescentes et de fréquence des maladies vénériennes avec une certaine satisfaction. C'est bien fait pour eux. Mais d'autres sont simplement jaloux et se sentent dupés par l'Histoire : nous avons manqué toutes ces occasions alors que nous étions dans la fleur de l'âge. Ce n'est pas juste. Pourquoi n'avons-nous pas eu tout ce que ces jeunes gens ont aujourd'hui ?

Je reçois de temps à autre des couples qui ont laissé cette jalousie contaminer leur relation, provoquant chez l'un des deux membres du couple une insatisfaction chronique. Ils sont obsédés par l'idée des « occasions » qu'ils ont manquées.

« J'ai raté la révolution sexuelle d'une minute, m'a dit une femme. Je me suis mariée alors que tout le monde commençait à s'amuser. »

« Je ne savais rien lorsque je me suis marié, m'a confié un homme. J'étais sexuellement naïf. Soudain, je me suis aperçu que tout le monde couchait à droite et à gauche alors que j'étais enchaîné. Bien entendu, j'ai commencé à en faire autant après mon mariage. »

Je crois bien que la cause de divorce la plus fréquente au cours des vingt dernières années a été l'obsession des « occasions » manquées. Nous étions furieux de ne pouvoir faire l'amour qu'avec une seule personne alors que « tout le monde » s'amusait autour de nous. Nous nous sommes sentis dupés et cela a exercé des pressions intolérables sur le mariage. De nouveau, en concentrant notre attention sur les occasions manquées et la vie joyeuse des adolescents libérés, nous laissons passer la plus belle occasion de notre existence : bâtir une vie sexuelle solide, aventureuse et variée avec la personne que nous aimons.

La vie de famille

Je crois que la forme la plus commune de concurrence sexuelle que nous rencontrons est « intramurale » : père et fils ou beau-fils, mère et fille, parents et enfants.

Jill et Larry F., couple qui approchait de la quarantaine et vivait en banlieue, sont venus me consulter à ce propos, bien qu'au moment de leur première visite aucun des deux ne fût conscient de la cause de leur problème. La situation était très simple : environ un an plus tôt, Larry avait soudainement décidé qu'il voulait faire l'amour quatre ou cinq fois par semaine, c'est-à-dire environ deux fois plus que d'habitude. Jill ne pouvait pas soutenir ce rythme.

« Assez, c'est assez, m'a-t-elle dit. Et je suis persuadée que ce problème n'a rien à voir avec moi.

— Mais alors, d'où provient-il ? » Ils ont simplement haussé les épaules en guise de réponse.

Je soupçonnais qu'il ne s'agissait pas simplement de deux personnes dont les appétits sexuels étaient différents. Il y avait autre chose.

« Avez-vous des enfants ? »

Jill me révéla qu'ils en avaient deux, une fille de douze ans et un garçon, un « adorable bambin », « notre merveilleux accident ».

« Le bébé doit vous occuper beaucoup, lui ai-je dit.

— Vous voulez dire qu'elle ne s'occupe que de lui, a déclaré Larry.

— Dans ce cas, vous ne devez pas avoir beaucoup de temps de reste pour faire l'amour. »

J'avais raison. Depuis la naissance du bébé, Jill refusait fréquemment de faire l'amour sous prétexte qu'elle était fatiguée. Il lui arrivait aussi d'interrompre les jeux amoureux en entendant des bruits provenir de la chambre du bébé. Mais plus elle repoussait Larry, plus il était déterminé à faire l'amour. En fait, il le désirait beaucoup plus souvent qu'autrefois. La situation était nette : Jill, préoccupée par le bébé, négligeait son mari ; Larry était jaloux de l'attention que recevait le bébé.

Pour les aider à sortir de leur impasse, je leur donnai un exercice paradoxal à faire :

> J'ai expliqué à Jill que, pendant un mois complet, elle devrait se soumettre aux exigences de son mari et faire l'amour avec lui aussi souvent qu'il le lui demanderait. Et j'ai recommandé à Larry de bien en profiter.

Pendant la première semaine, ils ont effectivement fait l'amour cinq fois. Mais la semaine suivante, ils se sont contentés de quatre fois. Et ainsi de suite. Finalement, ils sont parvenus à leur moyenne habituelle de deux fois par semaine, dont le rythme avait été interrompu par la naissance du bébé. Confronté à des possibilités illimitées, Larry avait été obligé de comprendre qu'en réalité il n'avait pas tant envie de faire l'amour avec sa femme que de « faire match nul ».

Il n'est pas inhabituel de rencontrer des hommes d'âge mûr qui désirent soudainement augmenter leur fréquence. D'une certaine manière, cela leur donne l'impression qu'ils sont restés jeunes et virils. En réalité, une vie sexuelle active permet de ralentir le vieillissement si le désir de faire l'amour vient tout naturellement. Un homme d'âge mûr qui découvre soudainement son potentiel sexuel et qui est capable de l'exploiter se sentira certainement plus jeune et en meilleure forme. Il découvrira probablement que son énergie sexuelle est la même que celle dont il jouissait bien des années auparavant. Il n'y a rien de mal à cela. Mais tout homme qui se met à penser en termes de « chiffres », chiffres qui symbolisent sa virilité et sa jeunesse, n'atteindra jamais son potentiel sexuel maximal car celui-ci repose d'abord et avant tout sur le désir sexuel.

A la fin du premier mois, j'ai demandé à Larry et à Jill d'entreprendre les premiers exercices de toucher. Plusieurs semaines plus tard, Larry m'a confié en souriant : « Nous sommes comme dans ce vieux message publicitaire lancé par un fabricant de cigarettes : nous le faisons moins souvent, mais nous en jouissons davantage. »

Les pères d'adolescentes ou de jeunes femmes sont particulièrement victimes de la concurrence sexuelle. C'est une vieille histoire : Fifille rentre à la maison en compagnie d'un jeune homme et, soudain, papa est préoccupé par sa propre virilité. Son anxiété peut revêtir la forme d'un harcèlement de son épouse, d'une dépression, d'une série d'aventures avec des femmes plus jeunes ou, comme c'est fréquemment le cas, de moments d'impuissance. J'ai eu l'occasion de traiter un homme d'âge mûr qui était devenu impuissant le soir du mariage de sa fille. Les causes psychosexuelles de cette impuissance étaient complexes, mais je crois que la concurrence sexuelle pure et simple était au cœur même du problème. «Une génération disparaît tandis qu'une autre génération apparaît», dit le livre de l'Ecclésiaste. C'est un peu sous cet angle que cet homme considérait sa propre sexualité. La virilité de son gendre sonnait le glas de la sienne. La lutte était tellement inégale qu'il a simplement abandonné la partie.

Les mères ne sont pas dépourvues de cette jalousie qui revêt souvent la forme d'une attitude répressive. Il n'est pas rare qu'une jeune adolescente arrive à la maison, toute rose de bonheur, pour se retrouver face à face avec sa mère qui est prête à se quereller avec elle pour n'importe quelle futilité. Une mère moderne, «libérée», ne réprimandera pas sa fille, mais cela ne l'empêchera pas de ressentir de la jalousie : «Pourquoi a-t-elle le droit de s'amuser? On ne me l'a jamais permis.»

Dans la plupart des cas, la concurrence sexuelle avec les parents ne joue qu'un rôle minime, voire inexistant. Après tout, depuis notre plus jeune âge on nous a appris à penser que nos parents n'avaient pratiquement aucune vie sexuelle. Mais les fils de pères «coureurs» sont particulièrement victimes de cette concurrence. Et voici l'exception qui confirme la règle : j'ai récemment rencontré une jeune femme mariée, âgée d'une trentaine d'années, qui m'a relaté l'épisode suivant avec une jalousie à peine voilée :

«J'ai parlé à ma mère, qui a presque soixante ans, de ces nouvelles éponges contraceptives, que l'on n'utilise qu'une seule fois. Elle m'a demandé quel était leur prix et, lorsque je lui ai appris qu'elles coûtaient un dollar pièce, elle s'est exclamée : "Mon Dieu, heureusement que ton père et moi n'avons plus besoin de contraceptifs! Ça nous coûterait près de vingt-cinq dollars par mois !" Je peux vous assurer qu'elle a gâché ma journée ! »

Mais qui donc est gagnant ?

De toutes les formes de concurrence auxquelles nous nous livrons — l'argent, la puissance, le territoire, la force physique, la popularité, la situation sociale, les exploits, le sport —, la concurrence sexuelle est la seule qui ne laisse guère apparaître de gagnant. Joe a peut-être une jeune et jolie femme mais prend-il plus de plaisir à faire l'amour que nous ? Nous ne savons pas ce qui se passe dans leur chambre, nous ne savons que ce que Joe veut bien nous dire. Et, bien entendu, tout le monde raconte des mensonges à ce sujet : ça commence dans les vestiaires du collège et ça ne s'arrête plus jamais. Qui peut nous prendre en défaut ? La seule preuve tangible de notre activité sexuelle est une grossesse, et même cela ne compte plus de nos jours. Malgré tout, personne n'étant là pour noter les points sur le tableau, nous sommes presque tous persuadés d'être perdants.

Mais qui donc est gagnant ?

Beaucoup de gens sont prisonniers de l'idée qu'ils sont seuls au monde à réprimer leur sexualité, que leur vie sexuelle est beaucoup moins active que celle des autres qui, eux, passent leur temps à coucher à droite et à gauche avec tout le monde.

Et si les mensonges de Joe ne suffisent pas pour nous convaincre, ce que nous lisons dans les journaux et entendons à la télévision nous confirme dans notre opinion. Il suffit de regarder les annonces publicitaires, d'aller au cinéma ou de lire les romans populaires pour clouer notre cercueil. Dans le monde dépeint par les médias, tout le monde « le fait » mieux que nous et bien plus souvent que nous. Les partenaires pullulent, les érections durent éternellement et le plaisir est grandiose. Et, bien entendu, ces personnes sont plus belles que nous, mieux « membrées », sexuellement plus attirantes. Ce qui donne naissance au mythe sexuel le plus destructeur qui soit : toutes ces personnes favorisées par la nature prennent plus de plaisir que nous au lit.

Les héros de l'écran ou des romans sont les seuls concurrents sexuels qui ne peuvent nous raconter de mensonge : nous entrons dans leur chambre (dans leur yacht ou dans leur lagon secret) pour assister sans vergogne à leurs ébats. En d'autres termes, les seuls concurrents sexuels que nous voyons « en action » sont des *personnages fictifs*.

Hélas, cela ne nous empêche pas d'être convaincus que nous sommes « sous la moyenne », bons perdants dans la grande loterie sexuelle.

La revanche du pauvre

Il est vraiment étrange que l'activité la plus intime fasse l'objet de la concurrence la plus publique. Mais, à une certaine époque, cette concurrence sexuelle avait un corollaire social bien en vue : plus on faisait d'enfants (surtout des garçons), plus on accroissait la puissance sociale et économique de la famille. Les chefs de tribus et les rois étaient jugés en fonction du nombre d'enfants qu'ils concevaient. La puissance sexuelle et la fécondité étaient synonymes. Rare était l'homme sexuellement puissant qui ne pouvait engendrer des enfants.

Voici donc un autre exemple de la manière dont ce comportement primitif s'est inscrit en nous. La puissance sexuelle demeure un élément de la concurrence sexuelle à une époque où la production de hordes d'enfants est devenue un lourd fardeau économique. De nos jours, les classes favorisées se contentent fréquemment de deux ou trois enfants tandis que les pauvres continuent à engendrer des bébés. «Les riches s'enrichissent et les pauvres font des enfants», pourrait-on dire en parodiant un vieux refrain. Mais «le faire» plus souvent et mieux demeure, même à notre époque où la contraception joue un rôle si crucial, un symbole de puissance. Si l'application de cette théorie vous paraît un peu tirée par les cheveux, étudiez donc un mythe qui nous obsède encore : un père qui engendre des garçons est considéré comme plus «viril» que celui qui engendre des filles. Nous le considérons comme plus puissant sur le plan sexuel.

Au cours des âges, l'activité sexuelle est devenue la revanche du pauvre, le dernier domaine dans lequel il pouvait être gagnant. Même si l'autre était plus riche ou plus puissant, le pauvre faisait l'amour, ou du moins donnait l'impression qu'il le faisait. Par conséquent, c'était lui le gagnant. (Notamment, bien sûr, si le pauvre faisait l'amour avec l'épouse ou la maîtresse d'un riche.) La sexualité était la grande «niveleuse».

En Amérique du Nord, il n'existe pas de meilleur exemple que le stéréotype du Noir, sexuellement imbattable : autrefois, tandis que le maître buvait son bourbon dans sa grande demeure, les esclaves noirs passaient la nuit à faire l'amour dans leur hutte. Ce qui faisait naître chez les Blancs une fureur homicide. Les hommes blancs étaient — et sont toujours — obsédés par la sexualité des Noirs, de la taille de leur pénis jusqu'à leur endurance sexuelle. Et certains Noirs sont fiers de leur réputation au point de considérer la séduction d'une Blanche comme l'exploit sexuel suprême.

La psychologie freudienne confirme cette conception de la concurrence sexuelle. Selon cette théorie, *toute* concurrence est en définitive sexuelle ; l'homme ou la femme qui recherche le pouvoir dans un

170

domaine quelconque, tel que les affaires ou le travail, ne fait que sublimer ses pulsions sexuelles. Ce qu'il ou elle recherche n'est autre que la puissance sexuelle. Cette version populaire de la théorie freudienne est cependant beaucoup trop simpliste. Elle ne fait que confirmer notre obsession de la concurrence sexuelle. Elle en justifie l'existence et nous incite à demeurer prisonniers d'une conception de la vie qui nous empêche de profiter purement et simplement de notre vie sexuelle.

Le télescope de Dudley Moore

Dans *10*, un film qui, malgré toutes ses scènes de nu, contient plus d'ironie sexuelle que d'activités érotiques, Dudley Moore joue le rôle d'un homme d'âge mûr qui passe une bonne partie de son temps à regarder dans son télescope chez l'un de ses voisins, un homme plus jeune qui vit dans un état d'orgie perpétuelle. Dudley est obsédé par tous les ébats qui se déroulent sous son nez et se sent malheureux de ne pouvoir y prendre part. Malheureusement, dans sa propre chambre, il ne semble pas capable de faire l'amour avec la femme qu'il aime. Sa principale activité sexuelle consiste à regarder dans son télescope. Il fait l'amour à distance. De près, il perd tout intérêt sexuel.

Le télescope de Dudley est un symbole parfait de la manière dont la sexualité empreinte de concurrence nous atteint. En nous comparant à des gens réels ou imaginaires, en comparant notre sexualité avec celle de groupes mythiques ou avec des normes statistiques, nous maintenons notre vie sexuelle à bonne distance. Nous ne serons jamais forcés de considérer la personne qui est allongée à nos côtés comme quelqu'un de réel. En faisant de la sexualité un sport de compétition, nous évitons de regarder en face nos propres angoisses. De nouveau, nous avons trouvé un moyen d'éviter de nous perdre dans le plaisir et la sensualité. En gardant l'œil collé au télescope, nous évitons de donner une partie de nous-mêmes.

Mais comme l'illustre si cocassement le film *10*, le prix que nous payons pour cela est l'impossibilité de prendre plaisir à faire l'amour. Dudley, malgré ses activités de voyeur et sa poursuite de l'éphémère (incarné par la plastique parfaite de Mlle Bo Derek), ne parvient pas à faire l'amour.

Cette concurrence perpétuelle présente un point commun avec l'amour-spectacle : elle nous tient éloignés de notre vraie sensualité. Nous recherchons constamment les résultats, nous essayons de conserver «une moyenne», nous voulons marquer des points, mais nous regardons rarement le corps qui est allongé près du nôtre. Et si nous le regardons, nous sommes déçus. Faire l'amour avec ce corps ne peut se comparer avec ce qui se passe chez les autres. Nous glissons dans la morosité, puis dans l'apathie sexuelle. Et si notre «moyenne» baisse, nous perdons le moral, convaincus que nous devrions «le faire» plus souvent, pour faire comme les voisins, pour être «normaux». C'est un cercle vicieux dont nous pourrions fort bien nous passer.

Si vous avez le vertige, ne jouez pas à Tarzan

Alan L., un homme d'apparence sérieuse, âgé d'une trentaine d'années, est venu me consulter, seul, car il s'inquiétait de la diminution de son désir sexuel. Depuis plus de deux mois, il n'avait eu aucun contact sexuel avec sa femme et se sentait très malheureux.

«J'ai l'affreuse impression que je ne ferai plus jamais l'amour», m'a-t-il confié.

Je lui ai demandé ce qui s'était passé dans sa vie

au cours des derniers mois. Il a commencé par répondre : «Oh, pas grand-chose.» Puis il a fini par reconnaître qu'il avait reçu de l'avancement quelques mois plus tôt et s'efforçait depuis de ne pas décevoir son employeur.

«Il n'est pas anormal de perdre l'appétit sexuel lorsqu'on a d'autres soucis, lui ai-je expliqué. Je suis certaine que votre problème n'est pas définitif.»

Il ne m'a pas paru convaincu. J'ai essayé une autre tactique.

«A quel âge vous êtes-vous marié?

— A vingt-six ans.

— Et pendant toutes vos années de célibat, vous n'avez jamais laissé passer deux mois sans faire l'amour?»

Il a fini par sourire.

«Mais je m'en suis passé pendant des années entières!

— Et cela ne vous inquiétait pas. Alors, où est la différence? Etes-vous quelqu'un d'autre aujourd'hui? Votre appétit sexuel est-il différent?

— Il y a une différence : aujourd'hui j'ai des obligations sexuelles, m'a-t-il répondu avec le plus grand sérieux.

— Des obligations? Voilà qui ne me paraît pas très emballant! Mais avez-vous ces obligations envers votre femme ou envers votre moyenne mensuelle?»

Alan s'était créé ses propres problèmes sexuels. Au lieu de s'accorder une période bien méritée d'inactivité sexuelle, il s'était plongé dans une attitude qui pouvait fort bien lui causer de véritables problèmes sexuels. D'après lui, un homme marié devait respecter un certain *chiffre*, faute de quoi, il devait se faire soigner. En réalité, lorsque j'ai rencontré sa femme, je me suis aperçue qu'elle était bien plus préoccupée par l'état dépressif de son mari que par l'absence temporaire de rapports sexuels. Nous avons fait équipe pour essayer de convaincre son mari de cela, et nous n'étions pas trop de deux.

Les rapports sexuels les plus agréables qui soient sont une expression de notre personnalité. Nous forcer à ressembler à quelqu'un d'autre, à respecter une fréquence, ne conduit qu'à la déception, voire à la dépression. Lorsqu'une femme timide dans la vie de tous les jours est venue me consulter en se lamentant de n'être pas assez «passionnée» au lit, je lui ai demandé : «Si vous avez le vertige, pourquoi vouloir jouer à Tarzan?»

Nous nous rendons malheureux en essayant d'être à la hauteur d'idéaux sexuels qui n'ont rien à voir avec ce que nous ressentons vraiment. La manière dont une personne fait l'amour est en quelque sorte sa signature. Elle reflète sa personnalité, et la sienne seulement. Nous avons parlé plus haut du mythe de la maturité sexuelle mais, à mon avis, une authentique maturité sexuelle consiste à pouvoir dire que l'on aime sa propre sexualité telle qu'elle est, avec ses désirs et ses appétits. Et qui vous demande de jouer à Tarzan si cela ne vous plaît pas? Vous n'êtes pas Tarzan. Au risque de parodier Norman Vincent Peale, je dirais qu'il faut être courageux pour s'accepter tel que l'on est, sur le plan sexuel comme sur tous les autres plans.

Cela s'applique aussi à la manière dont nous considérons notre partenaire. Attendre de lui que sa personnalité sexuelle soit *radicalement* différente de sa personnalité tout court, qu'elle reflète un comportement qui ne lui ressemble pas, sera source de problèmes entre vous deux. Nombreuses sont les femmes qui épousent des hommes organisés et efficaces dans tous les domaines et qui se plaignent par la suite de leur trop grande «efficacité» au lit, de leur peu de considération pour les préliminaires et de leur éjaculation précoce! A quoi s'attendaient-elles donc? Malheureusement, ces femmes ont probablement épousé ce genre d'hommes justement parce qu'ils étaient efficaces et organisés. Elles voulaient un mari fiable, capable de réussir dans la vie. Pourquoi donc sont-elles déçues de ne pas trouver en lui un amant fou et passionné ?

Il est vrai qu'une partie de ce livre est consacrée aux diverses méthodes qui devraient nous permettre de nous décontracter sur le plan sexuel. Mais il est évident qu'un mari ordonné et organisé peut avoir le potentiel d'un amant fou et passionné sans pour autant devenir « quelqu'un d'autre ». Je n'ai pas l'intention de vous dire : « Comme vous avez fait votre lit, couchez-vous, pour le meilleur et pour le pire. » Je désire seulement que vous vous souveniez que la personne qui est allongée près de vous est celle que vous avez épousée pour les qualités qu'elle possède. Si vous épousez une Julie Andrews, ne vous attendez pas à trouver une Bo Derek dans votre lit. Souvenez-vous, comme s'en est finalement souvenu Dudley, que vous n'aviez pas envie d'épouser une Bo Derek.

Nous pouvons nous débarrasser de ces normes inaccessibles en évitant d'évaluer chaque séance amoureuse. En replaçant notre sexualité dans le contexte de notre vie quotidienne, nous n'aurons plus à nous poser les questions suivantes :

« Etait-ce aussi bon que la dernière fois ? »

« Que la semaine dernière ? »

« Que la *première fois* ? »

« Etait-ce aussi bon que cela devrait l'être ? »

« L'avons-nous fait assez souvent ? »

« Cela aurait-il été meilleur avec quelqu'un d'autre ? »

Si nous examinions chaque dîner au microscope (« Etait-ce aussi bon qu'hier soir ? »), nous ne serions sans doute plus capables d'apprécier un seul repas de notre vie.

« À ma façon »

Les personnalités sont des entités complexes. J'ai peut-être trop simplifié la question en essayant de faire passer mes arguments. Nous savons tous qu'aucun homme n'est uniquement « organisé et efficace », tout comme aucune femme n'est que « timide ». Nous modifions notre comportement en fonction du contexte dans lequel nous nous trouvons. Le mari organisé et efficace peut devenir agressif et audacieux lorsqu'il se trouve au volant d'une voiture de sport. La femme timide peut perdre sa timidité et prendre de l'assurance dès qu'elle se met à danser. Nous apprenons à adapter notre comportement aux différentes situations. Et nous pouvons parfois nous aider mutuellement à y parvenir.

Voici un exercice simple, et souvent amusant, qui permet au couple d'atteindre ce but. C'est une méthode sans danger et dépourvue de tout jugement, qui permet de communiquer à l'autre ce que vous aimeriez qu'il devienne lorsque vous faites l'amour.

Chaque partenaire doit dire à l'autre : « J'aimerais que tu fasses l'amour comme tu conduis ta voiture [par exemple] et non pas comme si tu remplissais ta déclaration d'impôts [par exemple]. » Continuez jusqu'à ce que le fou rire vous arrête ou que vous soyez prêts à faire une tentative.

Ce jeu ne consiste pas à demander à votre partenaire d'être quelqu'un d'autre, mais simplement à favoriser l'expression d'un aspect latent de sa personnalité.

Comme m'a révélé une patiente après avoir pratiqué cet exercice en compagnie de son mari : « Maintenant, je fais l'amour aussi sauvagement que je jouais au tennis. Mais le plus drôle, c'est que je joue au tennis comme je faisais l'amour. »

8

Comment résister
à la tentation

Megan L., une jeune femme qui avait récemment commencé un traitement en compagnie de son époux, m'a téléphoné un jour pour me supplier de la rencontrer *seule*. Lorsqu'elle est entrée dans mon cabinet quelques jours plus tard, j'ai constaté que ses yeux étaient tout rouges.

« J'ai pleuré toute la matinée, m'a-t-elle dit.

— Pourquoi ?

— J'ai fait l'amour avec un autre ! C'est arrivé comme ça... Un type au bureau... Il m'a simplement regardée, à l'heure du déjeuner, et j'ai su que ça allait arriver. Nous sommes allés tout droit à l'hôtel. C'était la semaine dernière. Nous l'avons refait deux fois depuis. »

Megan a secoué tristement la tête.

« Comment ai-je pu me jeter dans ce guêpier ?

— Pourquoi dites-vous que c'est un guêpier ?

— Pourquoi ? Mais vous savez bien pourquoi ! J'aime Bob [son mari]. Je veux que les choses s'arrangent entre nous. Et voilà ce qui m'arrive ! »

Bien sûr, je ressentais de la compassion pour Megan, mais je ne pouvais m'empêcher de penser qu'elle refusait simplement d'assumer la responsabilité de son infidélité. Exactement comme elle avait refusé d'assumer la responsabilité de sa propre sexualité dans le contexte de son mariage.

«Vous me racontez cela comme si c'était arrivé à quelqu'un d'autre », lui ai-je dit.

La plupart des gens qui sont infidèles m'expliquent que «c'est arrivé comme ça». Exactement comme l'adolescente perd sa virginité en se laissant «emporter» malgré elle. Ces personnes m'assurent qu'elles n'ont pas pu faire autrement, qu'elles avaient un peu bu ou que les circonstances ne pouvaient que favoriser leur infidélité. Mais bien qu'elles refusent d'assumer la responsabilité de ce qui «est arrivé comme ça», elles sont prisonnières des conséquences émotives de leur acte : confusion, sentiment de culpabilité, crainte de perdre leur conjoint et leur famille... Un vrai guêpier.

Il n'est certes pas dans mes intentions d'assommer le lecteur avec un sermon moralisateur sur le «péché» d'infidélité. Ce n'est pas mon métier. Mais je crois sincèrement que nous nous devons, tout autant que nous devons à notre partenaire, d'examiner les *raisons* de notre infidélité et de décider si le jeu en vaut vraiment la chandelle. Et je vais tout de même poser au départ une hypothèse quelque peu moralisatrice : à mon avis, des adultes ne devraient pas se permettre d'abdiquer toute responsabilité grâce à un «c'est arrivé comme ça».

Entre deux amants, mon cœur balance

Le dilemme de Megan consistait, m'a-t-elle révélé, à être soudainement amoureuse de deux hommes en même temps : «Bob est ma force. Il est ma sécurité, mon meilleur ami, le père de mon fils. Je ne peux concevoir la vie sans lui. Mais pour Tom, je ressens des choses que je n'ai jamais ressenties pour Bob... une espèce d'excitation, le sentiment d'être véritablement en vie. La sexualité est entièrement différente avec lui. Je crois que, si je quittais Tom, j'abandonnerais tout ce qui reste de jeune et de vivace en moi...

— En réalité, vous pouvez tout avoir avec Bob, si vous voulez bien essayer. Et c'est exactement là-dessus que nous étions en train de travailler jusqu'au jour où vous avez abdiqué.

— Je n'ai pas abdiqué, a-t-elle protesté.

— Je crois bien que si. Du moins pour le moment. Je ne vois pas très bien comment vous pouvez améliorer la qualité de votre vie sexuelle avec Bob si vous passez vos heures de loisir à faire l'amour avec un autre. »

Megan a de nouveau protesté, mais avec moins de véhémence. Elle m'a expliqué que plusieurs autres femmes mariées lui avaient raconté qu'une liaison avait « pimenté » leur vie sexuelle avec leur conjoint.

« Je suis sûre que ces femmes faisaient plus souvent l'amour avec leur mari alors qu'elles avaient un amant, ai-je précisé. C'est souvent ce qui arrive. Mais cette sexualité accrue est invariablement une expression du sentiment de culpabilité et l'amour, dans ces conditions, n'est guère viable. »

Megan m'a regardée d'un air triste.

Au cours des deux séances précédentes, Megan et son mari s'étaient plaints de la rareté de leurs rapports sexuels et de l'apathie sexuelle dont ils souffraient tous deux. L'un de leurs principaux problèmes était, me semblait-il, l'impression d'« étouffement » que provoquait chez eux une intimité trop grande. Megan, notamment, semblait répugner à faire l'amour à son « meilleur ami ». C'était un exemple classique d'une proximité excessive. Je considérais l'infidélité de Megan comme le corollaire de cette anxiété : en prenant un amant, elle tenait son mari à distance. La question qui se posait maintenant était la suivante : cette distance était-elle devenue définitive ?

« Vous me dites que vous vous sentez déchirée

entre vos deux amants. Mais demandez-vous si vous êtes réellement amoureuse des deux ou de l'un d'entre eux. Ou votre infidélité est-elle une manière d'éviter tout engagement affectif ? »

Les raisons de l'infidélité de l'un des partenaires sont, en général, intimement liées aux raisons pour lesquelles, au foyer, il a des difficultés à s'exprimer, surtout sur le plan sexuel. L'homme qui ne peut exprimer verbalement sa colère envers son épouse peut, par ailleurs, extérioriser cette colère en entretenant une liaison avec la meilleure amie de son épouse. La femme qui se sent coupable d'éprouver un plaisir sexuel lorsque les enfants sont dans la maison peut «résoudre» ce problème en ayant des rapports sexuels avec un homme de l'extérieur. L'homme qui ne peut se résoudre à suggérer à sa femme quelques variantes sexuelles risque de rechercher l'assouvissement de ses désirs auprès d'une prostituée. La liste des motifs d'infidélité est sans fin et recoupe les raisons pour lesquelles, comme nous l'avons vu plus haut, nous réprimons nos instincts sexuels lorsque nous sommes en présence de notre partenaire légitime. Après avoir courageusement exploré ces motifs, nous découvrons généralement que l'infidélité ne se produit pas «juste comme ça». Nous la *faisons* arriver, et en général, pour une bonne raison.

Megan parlait de l'attirance qu'elle éprouvait pour Tom comme s'il s'agissait d'une obsession. Il n'avait qu'à poser le regard sur elle pour qu'elle commence à se sentir excitée. Cela ne lui était jamais arrivé avec Bob.

« C'est comme un courant électrique qui passe entre nous, m'a-t-elle dit. Je ne peux pas le nier. »

Elle avait probablement raison, mais j'étais certaine que l'absence d'obligation affective envers son amant était la première cause de ce «courant électrique». En outre, Megan semblait adorer son obsession. En raison des problèmes qui avaient conduit le couple à me consulter au départ, elle trouvait un soulagement dans l'idée que ces problèmes n'étaient pas de son ressort. Ainsi, elle n'était pas tenue d'améliorer sa relation conjugale.

Nous aimons tous avoir de temps à autre une petite «obsession». Les adolescents ne connaissent rien de plus excitant que de «tomber amoureux» d'une vedette de cinéma ou de la chanson. Mais, en agissant en fonction de ces obsessions, nous risquons — surtout après le mariage — de tomber dans le piège qui consiste à confondre fantasmes et réalité. J'ai rencontré plus d'une fois des hommes qui, après s'être séparés de leur épouse pour convoler avec leur maîtresse, se retrouvaient victimes des mêmes inhibitions et frustrations sexuelles qui avaient fait échouer leur premier mariage. Le fantasme était devenu réalité, l'obsession avait disparu, laissant la place à la vie quotidienne. Malheureusement, ces hommes laissaient derrière eux une famille brisée.

«*Mais attendez un peu!* protesterez-vous. *Une liaison et le divorce sont deux choses entièrement différentes! L'un ne conduit pas nécessairement à l'autre!*»

C'est vrai, une liaison n'est pas nécessairement suivie d'un divorce, mais la vérité nous oblige à reconnaître que c'est pourtant fréquemment ce qui arrive. Dans la plupart des cas de divorce, une tierce personne se trouve dans les coulisses. Même si cette personne n'est pas la cause profonde du divorce, elle représente un moyen d'abdication pour l'un des deux conjoints. Elle symbolise la distance qu'une personne veut établir entre elle et son conjoint. C'est pourquoi, de la liaison au divorce, il n'y a qu'un pas. La question que j'ai posée à Megan — que je pose d'ailleurs à tout époux qui décide d'avoir une liaison — est la suivante : « Avez-vous l'habitude des aventures d'une nuit ? En aviez-vous fréquemment *avant* votre mariage ? Ou considériez-vous les rapports sexuels comme faisant partie intégrante d'une relation suivie ? » Si cette personne répond par l'affirmative à la dernière question, une liaison peut s'avérer le commencement de la fin de son mariage.

Je ne nierai pas que de nombreux mariages éclatent pour d'excellentes raisons. Je ne nierai pas non plus que les seconds mariages contractés avec la personne qui a été responsable de la rupture du premier puissent devenir des unions heureuses, sexuellement satisfaisantes. Il est bien évident que nous pouvons commettre une erreur de jugement en nous mariant, erreur que ni thérapie ni bonne volonté ne peuvent corriger. Je n'annonce pas invariablement à chaque couple qui vient me consulter : « Vous verrez, tout s'arrangera. Respectez votre engagement et les relations sexuelles résoudront vos problèmes conjugaux. » Dans de nombreux cas, c'est impossible. Les deux conjoints ne se font plus confiance, ils ont peut-être été blessés trop gravement pour pardonner ou ils se sont tellement éloignés l'un de l'autre qu'il leur est impossible de combler le fossé qui les sépare. Pourtant, nous savons tous qu'un divorce est l'une des expériences les plus traumatisantes qui soient. Se précipiter chez son avocat à cause d'une « erreur », d'une liaison qui est « arrivée comme ça », c'est une véritable tragédie que nous serions stupides de ne pas vouloir éviter.

Laissez-moi aussi vous assurer que la requête immédiate d'un divorce parce que l'*autre* conjoint a été infidèle peut aussi s'avérer une grave erreur. Il est évident que l'infidélité n'est jamais facilement pardonnable et qu'elle risque de demeurer à jamais gravée dans la mémoire de celui qui en a été victime mais, en se remémorant ses propres tentations, on peut arriver à replacer l'erreur de son conjoint dans un contexte logique. Il est probable que son infidélité est davantage liée à ses propres inhibitions et fantasmes qu'à votre comportement et à votre personnalité.

« Je fais… donc je pense »

L'infidélité fait toujours surgir la question suivante : Pourquoi nous sommes-nous mariés ? Et pourquoi sommes-nous toujours mariés ? Megan a facilement reconnu que les raisons pour lesquelles elle avait épousé Bob étaient toujours importantes à ses yeux : sécurité, stabilité, confiance, création d'un foyer. Elle avait eu trois relations durables avant son mariage et elle a expliqué : « Lorsque la dernière s'est terminée, j'ai pensé que je ne voulais plus passer par là. L'idée de vivre avec quelqu'un pour une durée indéterminée me paraissait insensée. Et, lorsque j'ai rencontré Bob, il m'a avoué qu'il était du même avis. »

Megan commençait à répondre elle-même aux questions qu'elle se posait : si les raisons pour lesquelles elle avait épousé Bob étaient toujours valables, pourquoi allait-elle mettre son mariage en danger à cause d'une liaison passagère ?

Aujourd'hui, plus que jamais, les gens qui se marient ont déjà vécu des expériences sexuelles. Pour eux, la décision de se marier représente un engagement, une promesse de permanence qui suit l'insécurité d'aventures diverses ou de liaisons temporaires. Ces personnes craignent la monotonie d'une vie sexuelle conjugale, mais elles préfèrent cette perspective à l'autre possibilité qui s'offre à elles : changer de partenaire jusqu'à la fin de leurs jours.

Il m'arrive cependant de discuter avec des couples

qui font exception à la règle : des couples qui sont arrivés «presque» vierges au mariage et qui, vivant dans un monde «libéré», estiment qu'ils ont laissé passer de nombreuses occasions. Un grand nombre de ces personnes sont terriblement tentées par des liaisons extraconjugales. Elles sont convaincues que tous les autres jouissent plus de leur vie sexuelle.

«C'est comme si je m'étais contentée de crème glacée à la vanille toute ma vie, m'a expliqué une jeune femme. Il est tout naturel que je finisse par me demander quel goût aurait la crème glacée au chocolat ou à la pistache.

— Pourquoi ne les avez-vous pas goûtées avant votre mariage?»

La jeune femme a haussé les épaules.

«J'étais trop timide.»

A l'instar de Megan, cette jeune femme était venue me voir pour apprendre à surmonter ses inhibitions ; elle pensait aussi qu'une liaison lui permettrait d'atteindre rapidement ce but.

«Vous pouvez essayer tous les amants que vous voulez, lui ai-je dit. Mais ce sera toujours *vous* qui serez au lit avec eux. Il serait préférable, je crois, que *vous* vous transformiez en crème au chocolat ou à la pistache ou à ce que vous voulez. Vous n'avez pas besoin d'un amant pour cela. Cela ne tient qu'à vous. »

La jeune femme n'était pas convaincue et elle a décidé d'«essayer» un nouvel amant. Malheureusement, l'expérience ne s'est pas révélée des plus agréables.

«Un vrai fiasco, m'a-t-elle raconté. J'étais encore plus tendue qu'avec mon mari. J'étais là, allongée, aussi raide qu'un cadavre.»

Ce genre d'obsession disparaît souvent à la suite d'un fiasco. Le fantasme est tellement plus doux, tellement plus romantique que la réalité. Et la question demeure la suivante : Pourquoi sommes-nous convaincus de la nécessité de faire l'amour avec quelqu'un d'autre pour maintenir notre santé physique et mentale ? En est-il de même pour les autres choses que nous n'avons jamais expérimentées ? Est-il indispensable de visiter l'Inde ou de devenir moine bouddhiste ? Je ne veux pas dire que, quelle que soit la personne avec laquelle on fait l'amour, l'expérience demeure la même. Mais, en fin de compte, ce sont nos propres réactions sexuelles qui déterminent la différence. Si l'amant de nos rêves se présente à nous et que nous sommes trop anxieux pour prendre plaisir à notre liaison, celle-ci se soldera par un échec cuisant.

Je ne suis ni pour ni contre les relations sexuelles avant le mariage. Il est heureux qu'elles ne soient plus une cause de méfiance et de jalousie, comme cela était autrefois le cas. Cependant, le mythe qui prévaut actuellement selon lequel *il faut* avoir eu des relations sexuelles avant de se marier nous induit en erreur. La vie sexuelle d'un couple est différente de celle d'un célibataire et le seul moyen de la rendre agréable est de s'y préparer, par le mariage. Un éventail de partenaires sexuels ne nous prépare guère au mariage. C'est pourquoi nous devons être prêts à entreprendre tous les efforts nécessaires pour rendre stimulante notre vie sexuelle de couple marié.

Comme on fait son lit, on se couche

Un homme d'âge moyen, Jack L., est venu, troublé et anxieux, me raconter l'histoire suivante :
« J'étais marié avec Barbara depuis dix ans lorsque j'ai rencontré Judy. Pendant toutes ces années, il ne m'était jamais venu à l'esprit d'avoir une liaison. Barbara est une épouse et une mère extraordinaires. Mais avec Judy, j'ai découvert qu'il me manquait

quelque chose, une espèce de communication intellectuelle, des intérêts communs. Nous sommes tous deux avocats spécialisés dans le droit maritime, nous nous intéressons à la politique, nous lisons les mêmes magazines, nous parlons le même langage. Je n'avais jamais connu cela avec Barbara. J'ai découvert un jour que j'attendais avec impatience mes déjeuners avec Judy et il m'a semblé tout à fait normal de poursuivre notre relation jusqu'au bout. Aujourd'hui, je ne sais plus que faire. Judy n'exige rien de moi. Elle ne me suggère même pas de divorcer. D'ailleurs, je m'y refuserais. Mais je ne sais pas combien de temps je vais tenir le coup. Il est difficile de mener cette double vie ! »

J'avais déjà entendu de nombreuses histoires de ce genre : maris et femmes qui s'étaient aperçus qu'ils avaient dépassé leur conjoint en maturité et qui avaient rencontré une personne qui partageait leurs intérêts, qui « parlait le même langage » qu'eux. Cette étape me paraît très compréhensible. Ce qui l'est moins, c'est cette obligation qu'ils semblent tous avoir de « consommer » leur relation en faisant l'amour avec cette âme sœur. Ils ouvrent ainsi la porte à une série de sentiments troublants, allant de la culpabilité jusqu'au tourment, que provoque chez tout un chacun l'idée de mener une double vie.

Jack m'avait dit qu'il lui avait paru tout « naturel » de faire l'amour avec Judy. Pourtant, s'il avait simplement joui de leur relation amicale, voire de l'attirance qu'elle exerçait sur lui, il ne se serait pas senti déloyal. Cette relation avec Judy aurait-elle vraiment été incomplète s'ils n'avaient pas couché ensemble ?

De nouveau, il n'entre pas dans mes intentions de porter un jugement moraliste sur le comportement de Jack. Mais il est évident que cet homme s'était placé dans une situation qu'il jugeait lui-même intolérable. Comme tant de gens qui se laissent entraîner dans une liaison extraconjugale, il ne savait pas comment s'en sortir.

Il arrive fréquemment que l'on entende des gens expliquer que la situation idéale serait de placer le conjoint et la famille dans un compartiment et la sexualité — avec quelqu'un d'autre — dans un autre compartiment. Cet «idéal», si attirant qu'il puisse paraître en théorie, est rarement viable. Nous ne semblons pas être nés pour mener une double vie. Souvenez-vous de la mode du «mariage libre» qui faisait fureur dans les années soixante et soixante-dix : les deux partenaires concluaient un marché selon lequel ils avaient le droit d'avoir des relations sexuelles avec autant de personnes qu'il leur plaisait. On ne se cachait rien. L'ouverture d'esprit et l'honnêteté devaient constituer la base de la relation. Pourtant, l'un après l'autre, ces mariages se sont brisés. En définitive, il paraissait plus «naturel» d'assortir l'engagement affectif d'une vie sexuelle pleine et satisfaisante.

Tournons la page et rentrons chez nous

Megan, la jeune femme qui était «déchirée» entre son mari et son amant, m'avait expliqué qu'elle était sexuellement «obsédée» par son amant.

«J'aimerais vraiment me libérer de lui. Mais c'est impossible. Il est devenu une drogue pour moi.

— Ce n'est peut-être pas aussi difficile que vous le pensez, lui ai-je expliqué. Nous sommes passés maîtres dans l'art de nous détourner.»

Megan m'a souri sans conviction. Au cours des séances auxquelles son mari et elle avaient assisté, avant sa liaison, nous avions parlé de diverses méthodes qu'ils avaient employées pour se détourner l'un de l'autre au cours des années : la liste des défauts de l'autre, qui leur venait à l'esprit dès qu'ils se couchaient ; la manière dont ils concentraient leur attention sur les aspects moins attirants du physique de l'autre ; les arguments, distractions, alibis et excuses qu'ils utilisaient pour éviter de se sentir excités. Comme la majorité d'entre nous, ils avaient mis au point un éventail d'artifices et de techniques destiné à les empêcher de ressentir le plaisir sexuel. J'ai suggéré à Megan que, pour une fois, il lui serait peut-être utile de puiser dans cette diversité de méthodes pour se détourner de son amant.

« La prochaine fois que vous verrez Tom, concentrez-vous sur tous les aspects négatifs de sa personne. Jusqu'à présent, vous n'avez pensé qu'à ce qui vous semblait "parfait" en lui, par comparaison à toutes les imperfections que vous attribuez à votre mari. Essayez maintenant de faire exactement le contraire. »

Bien entendu, cela était plus simple à dire qu'à faire. Mais cette idée a plu à Megan. Elle a compris qu'elle n'était pas victime d'un ensorcellement, mais seulement d'elle-même. Elle a donc sérieusement envisagé l'idée de se détourner de son amant pour retourner vers son mari. Un jeune homme marié m'a fait part de sa méthode quelque peu saugrenue pour résister à la tentation :

« Je rencontre perpétuellement des femmes qui me plaisent, dans le métro, au bureau, dans la rue. J'ai un tas de fantasmes à propos de ces charmantes créatures. Alors, je me mets à jouer à un jeu que j'appelle "le mariage explosif" : je m'imagine marié avec cette superbe blonde qui marche devant moi ! Nous avons cinq enfants, vivons en banlieue, nous disputons pour des questions d'argent, etc., et tout cela en l'espace d'une minute. Du coup, elle ne me plaît plus. Je suis excité mais je préfère faire profiter ma femme de cette excitation. »

Résister à la tentation d'être infidèle n'est pas la

tâche impossible que beaucoup d'entre nous imaginent. Il ne s'agit pas d'éliminer tous les fantasmes qui nous passent par la tête, mais simplement d'éviter de les réaliser.

Faire de son partenaire l'amant de ses rêves

En qualité de sexologue, on m'accuse de beaucoup de choses. Mais l'accusation qui m'a le plus réjouie a été celle d'un mari furieux : « Vous êtes le Norman Vincent Peale de la chambre à coucher. »

Je venais d'expliquer à ce mari que, s'il consacrait la moitié du temps et de l'énergie qu'il engloutissait dans des relations extraconjugales pour rendre son épouse heureuse sexuellement, il trouverait la vie beaucoup plus drôle.

Vous trouvez que je parle comme Norman Vincent Peale ? Peut-être. Je suis néanmoins persuadée d'avoir raison. J'ai rencontré tant de gens qui trouvent le temps de prendre des rendez-vous clandestins avec leurs amants, mais qui n'ont jamais pensé à prévoir un après-midi ou une soirée d'amour avec leur conjoint. Il s'agit de gens qui recherchent soigneusement les décors romantiques lorsqu'ils désirent séduire un amant de passage, mais qui n'ont jamais pensé à faire sortir leur vie sexuelle conjugale de la chambre à coucher, de gens qui trouvent l'énergie de passer des nuits entières à faire l'amour avec leurs amants, mais qui se plaignent chez eux qu'ils sont trop fatigués pour s'amuser au lit, des gens qui sont capables de se retrouver en une seconde « dans l'ambiance » lorsqu'ils sont avec un amant, mais qui attendent indéfiniment d'être « dans l'ambiance » à la maison, des gens qui jouent à toutes sortes de jeux sexuels avec leurs amants, mais qui n'osent pas faire autre chose que s'accoupler dans le lit conjugal. En bref, il s'agit de gens qui font de la sexualité extraconjugale un jeu et de la sexualité conjugale une affaire sérieuse.

Pourtant, je suis persuadée que, si nous canalisons toute notre énergie sexuelle en direction de notre conjoint, nous pouvons bénéficier du meilleur des deux mondes : la sécurité et la confiance d'une relation durable et l'aventure d'une liaison, une « liaison » avec notre mari ou notre femme. Chacun de nous a la capacité de transformer son conjoint en l'amant de ses rêves. Je sais, par expérience professionnelle, que c'est la clé d'un mariage réussi.

Dans la première partie de ce livre, nous avons examiné les divers moyens que nous employons pour nous détourner sexuellement de notre conjoint. Dans la partie qui suit, nous apprendrons à nous en rapprocher.

Au lieu de succomber aux « douches froides de la vie quotidienne », pourquoi ne pas essayer d'extérioriser notre sexualité, ou de faire l'amour en nous amusant « avec notre conjoint » ?

Au lieu d'attendre inlassablement d'être tous les deux « dans l'ambiance », pourquoi ne pas essayer de s'amener mutuellement au lit une fois par semaine ?

Au lieu de nous emprisonner dans des stéréotypes asexués (« papa » ou « maman »), pourquoi ne pas penser « sexuellement » à notre partenaire ?

Au lieu de nous limiter chaque soir au seul, au vrai, à l'unique coït, pourquoi ne pas essayer une variété de gourmandises sexuelles ?

Au lieu d'être obsédés par la « corvée sexuelle », pourquoi ne pas apprendre à nous concentrer égoïstement sur notre propre plaisir, grâce à « l'art de s'utiliser l'un l'autre » ?

Au lieu de nous laisser étouffer par une proximité excessive, pourquoi ne pas faire de notre partenaire l'amant de nos fantasmes ?

Au lieu de considérer notre vie sexuelle comme

un échec en envisageant notre sexualité comme le sport d'intérieur le plus compétitif du monde, pourquoi ne pas redécouvrir le plaisir de le faire chaque fois pour la première fois?

Dans la première partie, nous avons vu comment la familiarité pouvait engendrer l'ennui. Dans la deuxième partie, nous apprendrons comment la familiarité peut engendrer la confiance et la décontraction, les deux clés d'une vie sexuelle réussie. Tout comme deux partenaires de tennis s'améliorant ensemble au cours des années connaissent instinctivement les gestes et les réactions de leur partenaire, des amants peuvent améliorer la qualité de leur vie sexuelle en consacrant leur énergie à polir ensemble les gestes qui leur procurent du plaisir.

DEUXIÈME PARTIE

La reconnaissance de notre sexualité

9

Penser « sexuellement »

Quel homme ne se souvient pas avec nostalgie de ses années d'adolescence, au cours desquelles la simple suggestion de sexualité faisait affluer le sang vers ses organes génitaux, créant ainsi une fâcheuse bosse sous son pantalon! Tout était bon: la vision fugitive d'une bretelle de soutien-gorge à travers le chemisier de sa voisine, pendant le cours d'anglais; une cuisse nue aperçue pendant une fraction de seconde alors qu'une jeune femme enfourchait sa bicyclette; une affiche de Janet Leigh en maillot de bain... Et, bien entendu, *la danse*... En dansant, ça marchait à tous les coups!

«A partir de la huitième année, m'a raconté un homme, le principal sujet de conversation entre garçons était: ce qu'il fallait faire de son érection lorsqu'elle se présentait pendant que nous dansions. De l'avis général, nous étions censés reculer le bassin en faisant ressortir les fesses afin que la fille ne se doute de rien. Bien entendu, ça ne facilitait pas les mouvements pendant la danse. Nous avions constamment l'impression d'être en équilibre instable sur nos jambes.»

Des souvenirs de ce genre ne se présentent pas aussi facilement à l'esprit de la majorité des femmes car, depuis leur plus tendre enfance, on leur a appris à réprimer leur sensualité. En outre, il n'existe pas, chez la femme, de phénomène physique aussi évident qu'une bosse dans le pantalon. Pourtant, la sensualité était présente et elle se manifestait par des réactions physiques. Quelle jeune fille n'a pas constaté, après un match de basket-ball, que sa culotte était humide ? La sexualité d'une adolescente est aussi puissante que celle d'un jeune garçon. Un rien peut déclencher des réactions sexuelles : une lecture clandestine de *L'Amant de lady Chatterley*, un trajet en autobus sur une route cahoteuse, la vue du mot sexe imprimé sur une page de magazine et, bien entendu, la danse.

La découverte de la sexualité est une merveilleuse surprise pour tout adolescent, après la répression sexuelle des années d'enfance. « Je me souviens, m'a raconté une femme, d'avoir pensé avec émerveillement que chaque personne qui vivait aujourd'hui dans le monde n'existait que parce que, à un moment donné, deux personnes avaient fait l'amour ensemble. C'était étourdissant. Je regardais les gens marcher dans la rue en pensant : Eh bien ! voici le fruit de cinq cents accouplements. »

Un homme m'a confessé ce qui suit : « Lorsque j'étais adolescent, je n'arrivais pas à croire que, sous leurs vêtements, tous les gens possédaient des organes sexuels, tous, absolument tous ! »

La sexualité était partout lorsque nous étions adolescents. Elle fleurissait comme une fleur sauvage et éclatante dans les endroits les plus inattendus. Un rideau brusquement tiré devant une fenêtre illuminée faisait surgir un fantasme qui mettait en scène deux amants dont les corps nus ondulaient sur un lit. Une voiture isolée garée sur un terrain de stationnement en plein milieu de l'après-midi évoquait des passions clandestines. Que dire du jeu qui consistait à déshabiller mentalement les passants ! *« Penser sexuellement » devenait un réflexe.*

Mais, à un moment donné, en général vers l'époque de notre mariage, nous avons perdu ce réflexe. Il a été enterré sous les nombreux réflexes que nous avons mis au point pour réprimer notre sexualité.

Pour retrouver notre capacité de stimulation sexuelle, nous devons recourir au procédé qui a tant éclairé notre adolescence : nous devons *penser sexuellement*. Nous devons considérer le monde et ses habitants comme des créatures et un environnement sexuels. Nous devons éliminer les réflexes qui nous permettent de nous réprimer perpétuellement.

La meilleure méthode pour réveiller notre sensualité à la maison consiste à nous permettre de « penser sexuellement » tout au long de la journée. Il est virtuellement impossible, après avoir passé des heures entières à réprimer notre sexualité, d'exécuter une volte-face dès que nous nous retrouvons seuls avec notre partenaire et d'être alors prêts pour une séance passionnée. Il faut commencer par nous « resensibiliser » sexuellement, par laisser nos fantasmes défiler dans notre esprit sans les refouler parce que nous nous sentons coupables ou embarrassés. Laissons notre regard vagabonder, notre imagination s'envoler vers le royaume de la sexualité. Laissons nos réactions physiques — l'accélération de notre pouls, la « bosse » dans le pantalon, l'humidité entre nos jambes — devenir des sources de plaisir au lieu de les réprimer avant même leur apparition, de peur d'être « distraits » ou de passer pour des « obsédés sexuels ».

« Vous plaisantez, me direz-vous en chœur. *Il faut toute la volonté du monde pour ne pas "penser sexuellement" toute la journée dans la société actuelle ! Nous sommes bombardés de sexualité criarde et de connotations sexuelles à chaque minute du jour... Les annonces publicitaires, les magazines, les films... La sexualité nous assaille constamment. Sans parler de la manière aguichante dont les gens s'habillent de*

nos jours! L'imagination est bien inutile à qui veut "penser sexuellement" aujourd'hui!»

Absolument pas. La sexualité n'est pas un symbole que le monde extérieur vous présente. C'est une réaction physique. N'importe qui peut se trouver au beau milieu d'une orgie et ne ressentir aucune réaction sexuelle. D'ailleurs, je suis persuadée que la sexualité criarde dont on nous bombarde a justement l'effet contraire : elle nous refroidit à long terme. A l'instar du citadin qui, pour s'adapter aux décibels urbains, élève automatiquement son seuil de tolérance, de nombreux adultes répondent aux stimulants sexuels que leur impose la société actuelle en élevant leur « seuil de réactions » aux stimuli sexuels. Ils deviennent insensibles à la sexualité qui les sollicite à longueur de journée. Je crois que le résultat de ce phénomène d'adaptation est un engourdissement sexuel quasi total. Ce n'est pas du tout ce que j'appelle « penser sexuellement » !

« Dans ma jeunesse, j'étais un chaud lapin ! »

Au cours d'une réunion d'internes dans un hôpital, on a soulevé la question d'éventuelles relations sexuelles entre les patients installés dans les grandes salles.

« Vous plaisantez ! s'est exclamée, horrifiée, une jeune interne. Ces gens-là sont des malades. C'est bien la dernière chose à laquelle ils penseraient !

— Ah, tu crois ? a déclaré un autre interne. Je t'assure que, lorsque les lumières sont éteintes, ça se promène drôlement d'un lit à l'autre ! »

En réalité, la première interne se refusait à croire que ses patients puissent entretenir des pensées et des besoins sexuels. Et il est probable que sa vision de la sexualité ne se limitait pas à l'hôpital. Elle éprouvait certainement de la difficulté à concevoir que la population dans son ensemble pût avoir des pensées sexuelles.

Je connais plusieurs personnes qui ne parviennent pas à imaginer que des gens âgés de plus de soixante ans aient une sexualité. J'ai discuté avec d'autres personnes qui ne croient pas réellement que les hommes portant costume et cravate et travaillant à Wall Street puissent avoir de véritables pensées sexuelles. Pour couronner le tout, il est bien difficile d'accepter le fait que nos parents ont fait — et continuent à faire — l'amour.

Pourtant, tous les êtres humains ont une sexualité. Il est bon de s'en souvenir. Il est stimulant de retrouver le sentiment d'émerveillement de l'adolescente qui s'est soudain aperçue que chaque personne vivante est le fruit d'un acte sexuel, et l'ébahissement du jeune garçon qui a compris un jour que, sous nos vêtements, nous dissimulons tous des organes sexuels. Pour apprendre de nouveau à « penser sexuellement », nous devons retrouver l'état d'esprit des adolescents, leur émerveillement, leur étourdissement.

« *Impossible !* me direz-vous. *Si je commence à penser comme un adolescent, je vais devenir un obsédé sexuel ! Je ne parviendrai plus à penser à autre chose. Et hormis les adolescents, qui a le temps de s'amuser à cela ?* »

Sornettes ! Nous passons des heures à rêvasser de questions d'argent, de notre future carrière, à ressasser continuellement les mêmes problèmes. Je crois surtout que nous craignons de commencer à nous comporter comme des adolescents obsédés. Nous craignons de devenir dégénérés, esclaves de la sexualité, incapables de désirer autre chose que faire l'amour toute la journée. Nous avons peur de ne plus être capables de nous concentrer sur les choses « importantes ». Vous trouvez que j'exagère ? Pourtant, nombreux sont ceux qui vivent avec la crainte de passer pour des «obsédés sexuels». Nous avons réprimé nos perceptions et nos sensations sexuelles pendant tellement d'années que nous craignons que la plus petite fissure ne fasse voler en éclats le barrage de la bonne conduite. Nous avons peur, en fin de compte, de nous exciter sexuellement.

Mais c'est justement le but de cet exercice.

L'excitation sexuelle ne conduit pas obligatoirement à l'acte sexuel. Elle peut être plaisante, stimulante, sans avoir comme conséquence l'acte sexuel. D'ailleurs, les adolescents ne passent pas leur temps à faire l'amour, en dépit des croyances — ou de l'anxiété — populaires. Nous ne devenons pas des maniaques sexuels en laissant simplement libre cours à nos perceptions sexuelles et à nos fantasmes. Il nous est très facile de nous maîtriser. Mais, pour «penser sexuellement», nous devons au contraire apprendre à abandonner une parcelle de cette maîtrise.

Devenons peu à peu des créatures de passion

Maintenant, essayons de revenir en arrière dans le temps. A certains moments de la journée, tentons de nous concentrer sur la sexualité de notre monde quotidien :

- *La prochaine fois que vous passerez devant la fenêtre d'une chambre dont les rideaux sont tirés, essayez d'imaginer ce qui se passe à l'intérieur. Rêvez, laissez vos fantasmes vous emporter quelques minutes. Luttez contre le réflexe qui vous pousse à éloigner toute pensée sexuelle de votre esprit. Croyez-moi, vous ne perdrez pas la tête. En outre, personne ne peut savoir à quoi vous pensez.*
- *Redécouvrez l'art perdu de déshabiller mentalement les passants et les gens qui vivent*

autour de vous. Imaginez à quoi ils ressemblent, sous leurs vêtements. Imaginez leurs poitrines, leurs ventres, leurs fesses, leurs organes génitaux. Tout est là. L'illusion est de penser qu'ils n'ont pas de corps sous leurs vêtements. Souvenez-vous que cela ne fera de vous ni un «vieux satyre» ni une «nymphomane». Rien n'est plus naturel. Les humains ont commencé à se déshabiller mentalement le jour où ils ont commencé à recouvrir leur corps.

• Imaginez les autres couples en train de faire l'amour. N'importe quel couple. Un couple que vous connaissez, un couple qui passe devant vous enlacé tendrement, vos parents, la reine et le prince consort. Tous le font. Et cela ne leur paraît pas dégoûtant, au contraire. Imaginez ce qui les attire chez leur partenaire, imaginez-les en train de se caresser. Laissez votre imagination vagabonder. Vous ne vous retrouverez pas dans une situation fâcheuse. On ne vous arrêtera pas pour «attentat mental» à la pudeur!

• Enfin et **surtout**, ne vous alarmez pas si vous commencez à vous sentir excité en faisant l'un de ces exercices. Le sentiment de crainte ne sert qu'à vous refroidir. Concentrez-vous uniquement sur votre excitation. Sentez votre pouls s'accélérer, votre ventre palpiter, votre pénis se gonfler ou votre vagin se mouiller. Sentez la sensibilisation soudaine de tout votre corps. Ces réactions émanent de vous, de votre personne. Elles sont tout à fait naturelles. Si vous évitez de réprimer vos pensées sexuelles, vous passerez une agréable journée, entrecoupée de moments d'excitation aussi naturels que les moments de rire ou de détente.

«Penser sexuellement» équivaut à recréer un état d'esprit. Je viens de prescrire quelques exercices qui vous permettront de le faire, mais je n'aurai pas la présomption d'écrire vos propres scénarios à votre place. Vos fantasmes vous appartiennent. Profitez-en.

« Excusez-moi... Vous risquez de m'exciter »

L'anthropologue Desmond Morris a élaboré une théorie sur le motif qui nous pousse à nous excuser lorsque nous entrons accidentellement en contact physique avec un étranger : ce que nous faisons, en réalité, c'est essayer d'effacer les messages sexuels que nous lui envoyons involontairement. En d'autres termes, nous lui disons : « Excusez-moi... Vous risquez de m'exciter et je risque de vous exciter. »

Lorsque nous étions jeunes et célibataires, le moindre contact physique avec un étranger pouvait nous faire palpiter d'excitation. Et ce sentiment nous accompagnait quelques instants, rendant provisoirement le monde plus excitant. Lorsque la cuisse d'un étranger frôlait la nôtre accidentellement dans l'autobus, nous ressentions un plaisir innocent, jusqu'au moment où les deux mots fatidiques « excusez-moi » nous obligeaient à réprimer nos sensations.

« Attention ! protesterez-vous. J'espère que vous n'allez pas suggérer que ces contacts "accidentels" avec des étrangers s'inscrivent dans notre mode de vie ! Et les sadiques, qu'est-ce que vous en faites ? Je n'ai certainement pas l'intention de devenir la victime consentante de ces malades ! »

Malheureusement, le monde semble être plus que jamais composé de ce type d'importuns. Même le plaisir innocent et inoffensif d'un regard coquin — passe-temps très populaire à Stockholm lorsque j'étais étudiante — comporte aujourd'hui sa part de risque. Trop d'hommes (et de femmes) le considèrent comme une invitation directe et non comme un jeu qui commence et se termine dans l'autobus. Mais, je le répète, il existe une différence entre le harcèlement et un contact physique accidentel. Il n'est pas nécessaire d'être violeur en puissance pour apprécier le contact du corps d'une étrangère contre le sien dans un ascenseur bondé. Pourquoi nous refuser ce plaisir si simple ? Et si, par hasard, nous commettons une erreur de jugement et finissons par être importunés, rien ne nous empêche de nous mettre en colère contre l'insolent. Cependant, il n'est pas nécessaire de réprimer toute excitation pour nous protéger contre cette éventualité.

Prenez par exemple la situation suivante : vous êtes assis sur un canapé dans la salle d'attente d'un dentiste. Une autre personne s'assoit près de vous et, soudain, vous sentez votre jambe qui touche la sienne. Votre réflexe sera probablement de vous éloigner de quelques dizaines de centimètres. Mais, imaginez que, pour une fois, vous n'ayez pas ce réflexe. Toujours plongé dans la lecture de votre magazine, vous concentrez votre attention sur la pression de ce corps étranger contre le vôtre. Il est indubitable que cette sensation est excitante. Votre jambe est chaude et sa chaleur s'étend jusqu'à l'intérieur de vos cuisses. Vous vous laissez emporter par un fantasme qui ne met pas obligatoirement en scène la personne assise près de vous. Si vous êtes un homme, vous pouvez toujours poser votre magazine sur vos genoux de manière à dissimuler votre érection naissante. Si vous êtes une femme, vous n'avez pas à vous sentir embarrassée par l'humidité qui apparaît entre vos cuisses. Personne ne s'en doute. Un peu plus tard, l'étranger s'en va et tout se termine.

Vous n'avez commis aucun délit en vous autorisant ce petit interlude. Vous n'avez violé personne. Vous n'avez pas subitement plongé dans la catégorie des « dégénérés », des « vieux satyres » ou des « nymphomanes ». Vous n'avez pas trompé votre conjoint. Vous avez gardé tous vos vêtements et vous n'avez choqué personne. Souvenez-vous que tout cela n'est que fantasme. Vous n'êtes ni obsédé ni possédé. Au fur et à mesure que le fantasme s'estompe, vous revenez tranquillement à vos préoccupations. Mais vous vous sentez plus paisible, plus vivant parce que vous vous êtes permis ce petit plaisir inoffensif. Et le plaisir demeurera en vous, pendant chaque minute de la journée.

Loin de moi l'idée de prêcher en faveur du libertinage ou de l'autogratification sans considération pour autrui. Je suggère simplement qu'au lieu de nous écarter mécaniquement chaque fois que nous frôlons un étranger ou de détourner les yeux chaque fois que nous rencontrons un regard inconnu, nous agissions avec *naturel*. Le monde ne s'écroulera pas pour autant.

Faites-en profiter votre conjoint

Il n'existe pas de moment plus propice aux pensées et aux sentiments sexuels qu'une soirée dansante. Les invités se présentent à leur avantage, élégamment vêtus et coiffés, et le contact physique s'effectue au moyen de la danse. Le flirt devient alors facile. Mais nous risquons aussi de blesser ou d'humilier notre conjoint.

Abordons d'abord les risques que cela comporte. Nous connaissons tous l'attrait du fruit défendu : danser joue contre joue avec un inconnu tout en sachant que notre conjoint est quelque part dans la salle. Mais, comme vous le savez, cette attitude peut avoir de fâcheuses conséquences, surtout si la confiance entre les deux conjoints n'est pas totale ou si le couple traverse une période difficile sur le plan sexuel. Dans ces circonstances, il peut être bénéfique de se montrer prudent. Le jeu n'en vaut pas la chandelle.

Il existe cependant des couples qui, au cours des années, négocient un accord à propos du flirt qu'ils se permettent mutuellement. Ils savent jusqu'où ils peuvent aller. Ils connaissent la distance qu'ils doivent conserver entre eux et leurs partenaires de danse, ils savent combien de temps ils peuvent consacrer à une conversation en aparté avec un étranger sans humilier leur conjoint. En outre, nul n'ignore qu'une infime jalousie donne du piment à une relation. Lorsque les deux conjoints se connaissent parfaitement, ce genre de situation ne devrait pas engendrer de problèmes.

Cependant, le plaisir sexuel du flirt peut provoquer chez certains d'entre nous un sentiment de culpabilité. «Oui, je danse avec quelqu'un d'autre, mais je ne vais pas me laisser exciter. Ce serait vraiment dépasser les bornes!»

Les bornes? Quelles bornes! La danse exige une certaine promiscuité et, si votre conjoint n'est pas blessé de vous voir danser avec quelqu'un d'autre, il ne vous en voudra certainement pas de ce que vous ressentez pendant ce temps. Mais il est un élément du plaisir sexuel qui nous dérange: nous avons l'impression, lorsque nous sommes sexuellement excités par quelqu'un, qu'il nous faut continuer dans cette voie, qu'il faut «consommer» l'acte. Cela est totalement ridicule. L'excitation sexuelle est un plaisir en soi; il ne nécessite pas de «prolongation», de corollaire. Rien ne nous oblige à «aller jusqu'au bout», à nous laisser emporter par un désir «incontrôlable». La danse et le flirt nous permettent de réveiller notre sexualité. C'est tout. Quoi de plus inoffensif? Personne n'a été blessé, personne n'a été trompé. Plus tard, nous pouvons faire profiter notre conjoint de cette excitation. Au lieu de rentrer à la maison épuisés par la nécessité de maintenir notre sexualité à distance, nous arrivons frais et dispos, palpitants d'excitation.

En outre, notre partenaire peut nous apparaître sous un jour nouveau. Comme nous l'avons vu plus haut, l'engourdissement de la vie quotidienne nous empêche de voir la personne avec laquelle nous vivons autrement que comme une vague présence. La femme s'aperçoit parfois des semaines plus tard que son époux a rasé sa moustache. L'homme ne remarque même pas que son épouse porte une nouvelle toilette. Mais, dans une soirée, nous voyons notre partenaire comme les autres le voient. Cela peut nous aider à le *considérer de nouveau* comme un être doté d'une sexualité.

Voici un exercice que je recommande souvent aux personnes qui tiennent trop pour acquise leur relation avec leur partenaire et qui ne le perçoivent plus comme un être doté d'une sexualité.

> *Au cours d'une réunion mondaine, regardez les autres hommes ou les autres femmes en vous imaginant qu'ils jugent votre partenaire. Ressentez leur attirance au moment où ils croisent le regard de votre conjoint, effleurent son bras, éclatent de rire lorsqu'il [ou elle] raconte une anecdote. Imaginez que vous flirtez avec votre partenaire, que vous le séduisez. Continuez à rêvasser tandis que vous rentrez à la maison, une fois la fête terminée.*

L'excitation sexuelle ne doit pas obligatoirement naître et mourir à la maison. Si nous continuons à nous efforcer à chaque moment du jour de réprimer toutes nos pensées sexuelles, nous ne pouvons raisonnablement espérer redevenir des êtres dotés d'une sexualité à fleur de peau dès que nous nous retrouvons seuls, pour quelques heures, avec notre partenaire. L'esprit et le corps humains sont incapables d'une telle volte-face. C'est comme si nous attendions d'un chanteur professionnel qu'il donne un récital le soir sans avoir fait une seule vocalise dans la journée. Comme l'a exprimé une patiente que j'ai aidée à retrouver des pensées sexuelles : « Pendant des années, j'ai regardé le monde à travers des œillères, en essayant d'éliminer toute pensée ou excitation sexuelle. Je me disais qu'il fallait que je garde toutes ces sensations pour mon mari. Mais finalement, je m'apercevais que je n'avais plus rien à garder lorsque venait le moment de faire l'amour. Bien sûr, maintenant j'ai l'impression d'être redevenue une adolescente. Mais je préfère passer pour une adolescente attardée plutôt que ne rien sentir du tout. »

10

Un désir sain
dans un corps sain

Je crois que le traitement le plus bref que j'aie prodigué dans ma vie professionnelle a été suivi par un couple quadragénaire, Marcia et Larry M., venus me consulter parce que leur vie sexuelle, autrefois très active, avait dégénéré de manière tout à fait spectaculaire. Ils ne faisaient plus l'amour que tous les deux ou trois mois et, lorsqu'ils le faisaient, ils ne ressentaient plus grand-chose. Dès l'instant où ils sont entrés dans mon cabinet d'un pas traînant, une cigarette aux lèvres, j'ai compris qu'il s'agissait de deux êtres qui s'étaient entièrement désintéressés de leur corps : ils étaient obèses, à bout de souffle, se tenaient mal et n'avaient aucun tonus musculaire. Ils semblaient également dépourvus de toute énergie.

«Nous n'y arrivons jamais, m'a expliqué Marcia. Nous avons essayé de "prendre rendez-vous" pour le faire. Nous décidons le matin que nous ferons l'amour le soir mais, quand arrive le soir, nous restons cloués devant la télévision, nous buvons un verre, ou deux, ou trois et nous sommes ensuite trop fatigués. Nous allons nous coucher en prenant rendez-vous pour le lendemain. Mais le lendemain, ça recommence.»

J'ai constaté, en m'entretenant avec eux, que

Marcia et Larry n'étaient pas en colère l'un contre l'autre. Ils étaient simplement frustrés et déçus.

« Je suppose que nous ne pouvons nous habituer à l'idée de vieillir, a dit Larry.

— Je crois que vous faites plus que ça, ai-je répondu. Je crois que vous vous faites plus vieux que vous ne l'êtes. »

Avant que Larry et Marcia puissent reprendre contact avec leur sexualité, ils devaient absolument retrouver leur énergie sexuelle et, par conséquent, leur énergie en général. Ils prétextaient la fatigue et l'âge pour éviter tous rapports sexuels, car ils étaient la proie d'anxiétés que nous n'avions pas encore découvertes. Mais, pour retrouver des pensées sexuelles, ils devaient retrouver la joie de vivre pure et simple. Etant donné qu'il m'était impossible de revoir ce couple avant deux semaines, j'ai prescrit à Larry et à Marcia un exercice des plus simples :

> *Au lieu de regarder la télévision pendant les deux semaines qui viennent, allez faire une promenade chaque soir. Marchez d'un bon pas, sans flâner, sans vous arrêter toutes les cinq minutes pour fumer une cigarette. Essayez de marcher au moins une demi-heure.*

Larry a grommelé qu'il serait moins onéreux d'écrire à un quelconque courrier du cœur que d'aller consulter un sexologue si c'était là tout le traitement que je pouvais leur conseiller. Cependant, tous deux ont promis de suivre mon conseil.

Deux semaines plus tard, Marcia a immédiatement annoncé en entrant dans mon cabinet qu'ils étaient « guéris ».

« Nous avons fait plus souvent l'amour au cours des deux dernières semaines que pendant les six mois précédents, a déclaré Larry.

— Racontez-moi un peu ça.

— Eh bien, au bout de notre quatrième marche,

nous sommes revenus épuisés et en sueur, essoufflés comme des petits chiens. Nous avons décidé de prendre une douche. Marcia est entrée la première dans la douche et, en attendant, je me suis déshabillé dans la salle de bains. Elle m'a demandé de lui savonner le dos, aussi suis-je entré dans la douche avec elle. Ensuite, c'est elle qui m'a savonné... Et pas seulement le dos. Enfin, vous avez compris. Une chose en a entraîné une autre. Le lendemain soir, nous avons pris notre douche ensemble et ça s'est terminé de la même façon. Depuis, nous nous dépêchons de terminer notre promenade pour rentrer à la maison et nous glisser sous la douche ! »

Larry et Marcia étaient effectivement « guéris ». Contrairement à de nombreux couples qui utilisent l'excuse de la fatigue pour enterrer leurs anxiétés sexuelles, Larry et Marcia étaient *réellement* trop fatigués pour faire l'amour. Ils étaient seulement capables de se vautrer devant un écran de télévision. Les promenades suivies de douches se sont révélées particulièrement efficaces comme « préliminaires ». Il ne s'agissait pas seulement d'entreprendre un traitement. Le manque d'énergie, la perte de tout contact avec le corps de l'autre avaient empêché Larry et Marcia de mener une vie sexuelle active.

La forme physique est une condition *sine qua non* de toute vie sexuelle active. En courant, en marchant, en skiant, en jouant au tennis ou en nageant ensemble, nous faisons battre notre cœur, circuler notre sang, nous redonnons du tonus à nos muscles. Nous nous sentons plus vifs, plus forts, moins sujets à la fatigue et, surtout, nous sommes capables de nous décontracter. Des exercices réguliers éliminent la tension physique et psychologique de manière spectaculaire, nous permettant ainsi de mieux apprécier les activités sexuelles. On a récemment écrit de nombreux ouvrages sur les plaisirs du jogging. L'exercice physique n'a jamais été aussi en vogue. Par conséquent, je ne m'attarderai pas sur les bienfaits du sport en général. Mais il n'est pas inutile de répéter que l'acte sexuel demeure un acte *physique*. Pour en jouir, il faut être capable de réagir physiquement.

Une relaxation complète rend les rapports sexuels très agréables, d'où la popularité de l'alcool comme méthode de décontraction. Mais beaucoup de gens se sont aperçus que l'alcool, la marijuana et autres «décontractants» artificiels pouvaient facilement avoir l'effet contraire. Une dose excessive d'alcool rend difficile l'érection totale chez les hommes. En outre, l'impression de relaxation qu'il procure conduit plus facilement au sommeil qu'à l'excitation sexuelle. On remarque les mêmes effets à propos du Valium et autres tranquillisants populaires. De nombreux consommateurs de marijuana m'ont expliqué qu'ils avaient fini par découvrir que cette drogue déclenchait ce qu'ils appelaient «la roulette russe du sexe» : parfois elle éveille la sensibilité sexuelle, parfois elle fait surgir toutes les vieilles angoisses sexuelles.

Rien ne prépare mieux à des rapports sexuels agréables que l'exercice physique. Je ne parle pas simplement d'une séance de jogging dans les rues du quartier. Une petite promenade régulière, effectuée d'un pas vif, peut accomplir le miracle. En éliminant les tensions de la journée, nous parvenons plus facilement à libérer notre énergie sexuelle. Car nul ne l'ignore, les tensions et les anxiétés sont les principales causes de l'apathie sexuelle. Pour être plus précise, je dirai que nos organes sexuels et les muscles qui les entourent se décontractent après une petite période d'exercice. Lorsque ces muscles sont tendus, il est difficile de se sentir excité. Certains couples semblent considérer le yoga et la méditation comme un excellent prélude aux rapports sexuels. «Je commence par me décontracter complètement, m'a expliqué un amateur de yoga. Ensuite, j'oriente toute mon énergie vers mon ventre et mes organes génitaux. Je crois sentir littéralement le sang affluer vers ces parties de mon corps. Et alors, je suis prêt à sauter au lit. »

Marcia m'a fait part d'une autre raison pour laquelle l'exercice lui donnait envie de faire l'amour :

«C'est la transpiration. Il y a tellement longtemps que je n'avais pas transpiré à la suite d'un effort physique! J'ai l'impression d'être… comment vous dire… primitive… animale. La sueur, c'est excitant. »

Pour penser et réagir sexuellement, nous devons être bien dans notre peau. La manière dont nous considérons notre propre corps et celui de notre partenaire est un autre aspect important de la question.

L'âge avant la beauté

«Je suis trop fatigué» est probablement le prétexte le plus utilisé pour repousser les avances du conjoint. En deuxième place arrive : «Je suis trop vieux (ou trop vieille) pour faire l'amour. »

Cet alibi revêt des proportions mythiques. Tout d'abord, il est intimement lié au mythe du «seul, vrai, unique coït» : faire l'amour une fois que la phase reproductive de notre vie est terminée (après que nous avons eu tous les enfants que nous désirions ou une fois que la ménopause est apparue) paraît parfois «illégal». Bien sûr, nous le faisons de temps à autre, mais il serait «inconvenant» d'être aussi actifs sexuellement que lorsque nous voulions avoir des enfants. (Comme si, lorsque nous avions vingt ou trente ans, nous ne faisions l'amour *que* pour avoir des enfants!) A cette idée vient s'ajouter la croyance selon laquelle l'amour est réservé aux êtres jeunes et beaux. Les médias sont particulièrement responsables de la perpétuation de ce mythe. A la télévision, au cinéma, dans les romans populaires, seules les femmes aux seins fermes, au ventre plat et les hommes à la poitrine musclée et velue font passionnément l'amour. Bien entendu, des amants d'âge mûr sont parfois représentés, mais on laisse clairement entendre au spectateur ou au lecteur qu'il s'agit d'un amour quasi platonique. Le message est reçu cinq sur cinq : seuls les jeunes ont une sexualité ; il serait scandaleux que les personnes plus âgées s'arrogent aussi le droit d'en avoir une.

Ces deux idées sont éminemment absurdes. Pourtant, elles se sont infiltrées dans notre esprit dès notre plus jeune âge. Une femme m'a raconté un jour que sa mère, une veuve âgée d'environ soixante-dix ans, allait se remarier en Floride.

« Je suis contente pour elle, m'a dit la fille. Elle manque probablement de compagnie depuis qu'elle vit toute seule.

— Elle se sent peut-être aussi sexuellement frustrée », ai-je ajouté.

La femme m'a regardée comme si je venais de dire une énormité.

« Mais elle a soixante-dix ans, a-t-elle répété.

— Justement. Elle doit avoir d'autant plus envie de faire régulièrement l'amour. A cet âge, c'est réconfortant. En outre, elle a certainement plus de temps qu'autrefois pour le faire. »

Quiconque a travaillé dans une maison de retraite sait que les pensionnaires en bonne santé sont en quête d'aventures sexuelles. Le besoin sexuel ne disparaît pas avec l'âge et la perte de la beauté physique. Au contraire. Il nous permet de demeurer en contact avec l'existence même.

Heureusement, ce ne sont ni les sexagénaires ni les septuagénaires qui ont tendance à s'enfermer dans un « je suis trop vieux pour faire l'amour ». Ce sont les gens âgés d'une quarantaine ou d'une cinquantaine d'années. Au cours de cette phase de la vie, fréquemment troublée par des soucis professionnels, financiers et familiaux, l'alibi de l'âge est un prétexte commode pour enterrer les véritables causes de l'apathie sexuelle.

« Il est naturel de se laisser un peu aller lorsqu'on a cinquante ans, m'a déclaré un patient. Après tout, le réservoir commence à se vider.

— J'espère que ce n'est pas de votre réservoir séminal que vous parlez, ai-je répondu. Car celui-là se remplit quotidiennement jusqu'au jour de votre mort. »

Une femme de cinquante et un ans m'a annoncé :

« Comme je m'y attendais, mes besoins sexuels ont presque disparu après la ménopause.

— Ils ont probablement disparu *parce que* vous vous y attendiez, ai-je expliqué. Pour la plupart des femmes, la ménopause peut être le commencement d'une vie sexuelle plus agréable et plus détendue. »

Notre potentiel sexuel est comparable à un bon vin : il s'accroît au fur et à mesure que nous vieillissons. Il est faux de dire que l'âge est plus important que la beauté et que la jeunesse lorsqu'on fait l'amour. Au contraire, lorsque nous parvenons à un âge plus avancé, il nous est plus facile d'abandonner nos anxiétés sexuelles, notre esprit compétitif. Nous n'avons plus rien à prouver et ces préoccupations peuvent paraître enfantines après des années de vie sexuelle réussie. Les hommes qui avaient peur de l'éjaculation précoce sont parfois rassurés en vieillissant, car le processus commence à ralentir. Mari et femme peuvent donc jouir de rapports sexuels plus « confortables ». Et, en dépit des mythes qui véhiculent l'idée contraire, les femmes ménopausées sont, en général, plus sensibles aux caresses et plus facilement excitées que les jeunes femmes. C'est le résultat d'une décontraction provoquée par la disparition d'un souci : plus de contraception, plus d'angoisse d'être enceinte. La femme ménopausée peut concentrer toute son attention sur le plaisir pur et simple. Bien entendu, il existe une exception : les femmes qui souffrent de troubles gynécologiques susceptibles de rendre l'accouplement douloureux. Mais de nos jours, les traitements médicaux peuvent remédier à ces problèmes.

L'âge apporte un autre élément positif à la vie sexuelle d'un couple : la familiarité. Lorsque deux personnes ont fait l'amour ensemble pendant trente ou quarante ans, elles finissent par ressentir une satisfaction profonde. La connaissance intime du corps de son partenaire, de chaque fossette, de chaque recoin secret, procure un contentement intérieur. En outre, il est particulièrement plaisant de prévoir les réactions de l'autre, de connaître la sensibilité de ses mamelons, la manière dont il aime que l'on prenne ses testicules, sa position favorite en fonction de son humeur, etc. Finies les angoisses résultant de l'ignorance ou de la peur de « mal s'y prendre ». Comme me l'a expliqué un homme d'âge mûr, heureux en mariage : « Parfois, je nous imagine tous deux comme des animaux de ferme satisfaits, qui font l'amour ensemble aussi facilement qu'ils mangent ou dorment ensemble. Je crois que nous sommes simplement bien assortis. »

Cette satisfaction sexuelle est à la portée de tous. Elle représente le côté positif de la routine. Nous avons longuement traité des risques que l'on court lorsqu'on se laisse envahir par la monotonie sur le plan sexuel. N'oublions pas maintenant le réconfort et le plaisir que la familiarité peut engendrer chez chacun d'entre nous.

Aime-toi toi-même

L'une des «routines» qui incitent souvent les couples à dériver vers la morosité sexuelle est l'absence de variété dans les positions. De nos jours, rares sont les couples qui n'en connaissent qu'une (la position dite du missionnaire, selon laquelle l'homme est couché sur la femme qui, elle, est étendue sur le dos). Pourtant, beaucoup d'entre eux n'ont jamais osé en essayer d'autres, notamment la position dans laquelle la femme est assise à califourchon sur le ventre de l'homme. Des études ont révélé que les hommes se refusaient à adopter cette position, car le fait de n'être pas au-dessus de la femme, en position de domination, les rendait anxieux. De nombreuses femmes semblent aussi la bouder, pour des raisons semblables : elle leur donne l'impression de jouer à la tigresse, de perdre leur «féminité». En outre, il existe une autre raison pour laquelle les femmes se refusent souvent à adopter cette position même si elles aimeraient apporter de la variété dans leur vie sexuelle : elles sont *gênées par leur apparence.*

Lorsqu'une femme est assise sur son partenaire, celui-ci voit parfaitement ses seins et son ventre. En revanche, lorsqu'ils adoptent la position du missionnaire, le corps de la femme est pratiquement imperceptible. Pour une femme qui n'est pas satisfaite de sa poitrine, la «honte» qu'elle ressent à l'idée que son mari la regarde pendant qu'ils font l'amour suffit à inhiber toute sexualité.

«Je ne peux pas me sentir excitée lorsque je suis ainsi exposée, m'a avoué une patiente. Je me vois comme Bill doit me voir... Mon sein gauche est plus bas que le droit, tous les deux commencent à pendre et j'ai une cicatrice depuis ma césarienne. Je n'ai vraiment pas l'air d'une effeuilleuse !

— Bill s'est-il plaint de votre apparence ? Il a

explicitement déclaré ici même qu'il se sentait excité lorsqu'il vous regardait. »

La plupart d'entre nous, les hommes comme les femmes, sont généralement déçus de leur apparence. Ils passent des heures à «cataloguer» leurs moindres petits défauts physiques — chaque bourrelet, chaque creux, chaque tache. Je ne crois pas avoir rencontré de femme satisfaite de ses cuisses. Chaque Nord-Américaine semble croire qu'elle a été expressément désignée par le Créateur pour avoir des cuisses grasses ou informes. Peu de femmes sont satisfaites de leurs seins : ils sont trop petits, trop gros ou asymétriques. Ils pendent, les mamelons ne sont pas assez roses. En fait, nous n'aimons pas nos seins parce qu'ils ne ressemblent ni à ceux de nos poupées Barbie, ni à ceux des starlettes, ni à ceux des «Playmates» injectées de silicone qui exhibent des «melons» aussi durs que des balles de caoutchouc et dont les mamelons pointent, tels des phares, vers le ciel. Prisonnières de ces étranges idéaux, nous sommes condamnées à la déception et à la honte. Le dégoût des femmes pour leurs seins est attesté par les statistiques relatives aux opérations de chirurgie plastique : en Amérique du Nord, la grande majorité des femmes qui se font opérer demandent qu'on augmente le volume de leurs seins. Aux Pays-Bas, c'est le contraire : les femmes réclament une diminution du volume de leurs seins. Le sein «parfait» ne semble exister que dans notre imagination.

Malheureusement, comment des êtres persuadés qu'ils sont «affreux» peuvent-ils faire joyeusement l'amour ? En éteignant les lumières et en remontant les draps jusqu'au menton ? Que faites-vous alors du plaisir visuel ? Faire l'amour en étant convaincus que notre apparence est déplaisante revient à aller à une soirée, convaincus que notre toilette est affreuse. Ce qui est plus grave encore, c'est qu'en étant mal dans notre peau, en nous sentant «moches», nous finissons par devenir «moches» aux yeux de notre partenaire.

« Gail se plaint depuis si longtemps de ses cuisses qu'elle a fini par me persuader qu'elles étaient réellement affreuses », m'a confié un mari.

Une perception négative de soi se reflète dans l'image que les autres ont de nous. Comme nous disaient nos mères, «tu portes ta beauté en toi». Les hommes et les femmes qui agissent et se tiennent comme s'ils étaient physiquement attirants deviennent effectivement attirants. Malheureusement, l'inverse est également vrai et c'est avec une image peu reluisante de nous-mêmes que nous vivons la majeure partie de notre temps.

Il est un achat que je persuade de faire quiconque me consulte : un miroir dans lequel on se voit des pieds à la tête. Il est temps que nous commencions à nous regarder vraiment. Le premier exercice «Aime-toi toi-même» que je suggère est le suivant :

Lorsque vous disposez de cinq minutes de tranquillité, déshabillez-vous et examinez-vous chaque jour des pieds à la tête dans votre miroir. Concentrez votre examen sur **les endroits ou les formes de votre corps qui vous paraissent attrayants**. *Il ne s'agit pas d'une séance de narcissisme, pas plus que d'une tentative de discernement de tout ce qui est «beau» en chacun de nous. Il est évident que nous possédons tous des courbes, des parties du corps, des formes qui nous plaisent plus particulièrement, exactement comme certaines «poses», certains traits de notre visage nous paraissent plus attrayants que d'autres. Ne regardez pas votre «silhouette». Regardez les formes qui vous paraissent agréables. Pour une fois, concentrez votre attention sur ce qui vous plaît et non sur ce qui vous agace.*

Pendant votre examen, commentez à voix haute ce que vous regardez. Par exemple, dites : « Tiens, mon cou paraît doux et douillet. C'est sans doute pour cela qu'il aime y nicher sa tête. »

Ou :

« Lorsque je me tourne de ce côté, l'angle de ma poitrine me fait penser à une statue. »

Ou (si vous êtes un homme) :

« Lorsque je me tiens bien droit, mes épaules ont l'air fortes et carrées. Elles ne sont pas trop mal. » Ne laissez rien passer. Examinez-vous des pieds à la tête.

Le fait est que la majorité des gens qui n'aiment pas leur corps le regardent rarement. Les images qui les obsèdent sont, en général, le fruit de leur imagination. Un examen quotidien de cinq minutes peut, j'en suis convaincue, changer tout cela. Le simple geste qui consiste à regarder notre corps nous permet de nous sentir mieux dans notre peau. Nous commençons par considérer notre visage, nos membres, comme étant des expressions de notre personnalité. Comme me l'a expliqué une patiente : « Un jour, pendant que je faisais cet exercice, j'ai pensé que pendant tant d'années j'avais été malheureuse parce que je ne ressemblais pas à Bo Derek. Soudain, j'ai imaginé ma tête — moi — au-dessus du corps de Bo Derek et cette image m'a paru si cocasse que j'ai éclaté de rire. J'ai pensé que si je changeais tout de moi, ma tête aussi bien que mon corps, je ne serais plus moi, tout simplement. »

Camus a dit un jour que chaque homme (et chaque femme) de plus de quarante ans était responsable de son apparence physique. Il ne voulait pas dire que si nous ne respections pas un régime strict et négligions de faire les exercices préconisés par Jane Fonda, nous n'aurions qu'à nous en prendre à nous-mêmes. Ce qu'il voulait dire, c'était que le visage et le corps d'une personne de quarante ans reflètent sa personnalité, son vécu et son mode de vie. Nous ne pouvons nous aimer nous-mêmes sans aimer notre corps. Tout comme nous ne pouvons accepter l'amour d'autrui si nous ne nous aimons pas nous-mêmes ou que nous ne pouvons partager librement et sans inhibition notre corps avec notre partenaire si nous ne sommes pas capables d'aimer ce corps.

La deuxième étape de l'exercice «Aime-toi toi-même» est plus difficile. Elle consiste à regarder de près nos parties génitales.

«*Pouah!* protestez-vous déjà, comme proteste la majorité des patients à qui je prescris cet exercice. *Je ne crois pas que j'aie envie de me regarder d'aussi près. Et ne vaut-il pas mieux laisser certaines choses dans la pénombre?*»

Pourquoi? Nous condamnons nos organes génitaux en les qualifiant de «pendants», d'«affreux», de «sales» et préférons les laisser «dans la pénombre». Pourtant, qui peut se vanter d'avoir examiné de près ses organes génitaux?

D'après ce qu'on nous raconte durant notre enfance, cette honte des organes génitaux remonterait à Adam et Eve. Dès notre plus jeune âge, on nous apprend à les recouvrir, à éloigner nos mains «de là» parce que «c'est sale». Le message est demeuré ancré en nous. Par exemple, la plupart des adultes se lavent les mains *après* avoir uriné, *après* avoir touché leur pénis, plutôt qu'avant, comme si les mains s'étaient salies au contact du pénis. Oui, nous sommes toujours persuadés au fond de nous-mêmes que «c'est sale», même si nous recouvrons quotidiennement ces parties de sous-vêtements et de vêtements qui protègent de la saleté.

Pourtant, ce sont ces parties peu esthétiques et soi-disant «sales» que nous partageons lorsque nous faisons l'amour. Rien d'étonnant à ce que nous soyons rouges de honte lorsque nous nous glissons dans le lit ; rien d'étonnant non plus à ce que cette honte fasse de nous des amants timides et inhibés ! L'exercice qui suit est destiné à vous libérer de ces inhibitions.

> *Debout devant votre grand miroir, regardez bien vos organes génitaux. La première fois, faites-le froidement, objectivement, comme un médecin qui examinerait un patient.*
> *Si vous êtes une femme : des deux mains, ouvrez vos grandes lèvres et regardez à l'intérieur. Placez un miroir plus petit sur le sol et regardez-vous sous un angle différent. Ensuite, asseyez-vous devant le miroir pour vous examiner de plus près.*
> *Si vous êtes un homme : soulevez votre pénis, repoussez le prépuce, regardez bien la tête et le dessus de votre membre.*
> *Décrivez à voix haute ce que vous voyez.*

Le simple fait de regarder objectivement vos organes génitaux peut vous aider à vous sentir mieux dans votre peau. Après tout, ces organes ne sont ni aussi bizarres ni aussi « sales » qu'on nous a toujours incités à le croire. Ils sont simplement des parties de nous-mêmes que nous n'avons pas l'habitude de regarder, comme nos genoux ou comme nos fesses. Mais ce ne sont pas des organes totalement différents des autres que notre Créateur a greffés à la dernière minute à nos corps préalablement parfaits.

Trente ans d'amour à l'aveuglette

Il y a quelques années, un couple quinquagénaire est venu me consulter en raison de l'apathie sexuelle qui l'avait gagné depuis un an. Le mari, notamment, souffrait beaucoup d'avoir dû renoncer à toute sexualité dans sa vie. Afin d'en savoir plus sur eux, je leur ai demandé de me décrire avec force détails leurs ébats amoureux avant cette période critique.

« Tout se passait normalement, a commencé l'épouse. En général, je me couchais la première, j'éteignais la lumière et j'attendais que Bob me rejoigne. Nous nous embrassions pendant un moment, puis j'enlevais ma chemise de nuit tandis que Bob enlevait son pyjama et nous commencions... »

Pour ce couple, une séance « normale » consistait à faire l'amour sans jamais dévoiler leur corps. Pendant trente ans, ils avaient fait l'amour à l'aveuglette. Rien d'étonnant à ce que, après toutes ces années, ils ne se sentent pas encore à l'aise lorsqu'ils étaient couchés l'un près de l'autre ! Pour chacun d'eux, le corps de l'autre était quelque chose d'étranger qu'il fallait dissimuler. Leur pudeur, poussée à l'extrême, avait fini par faire disparaître toute sexualité en eux.

Bien entendu, ces deux personnes constituaient un couple fort démodé mais il est indéniable que beaucoup de gens se sentent mal à l'aise face à la nudité de leur partenaire. Finis les regards langoureux posés sur le corps nu de notre conjoint. En outre, certaines personnes ferment délibérément les yeux devant des endroits bien précis du corps de leur partenaire.

Je connais une femme qui, bien que sa vie sexuelle fût active, m'a avoué qu'elle ne regardait jamais le pénis de son mari, même lorsqu'elle le touchait. « Je regarde automatiquement ailleurs ou je ferme les yeux. Pourquoi ? Parce qu'il ressemble à un gros abcès rouge et irrité. »

Bien que cette femme ait eu une vie sexuelle active, elle était venue me consulter parce qu'elle ressentait rarement une véritable satisfaction sexuelle. Il est évident que la répulsion qu'elle éprouvait envers le pénis de son mari (et tous les autres pénis sans doute) y était pour quelque chose. Comment apprécier les rapports sexuels lorsqu'on se refuse à regarder l'élément le plus sexuel du corps de son partenaire ?

J'ai également parlé à beaucoup d'hommes qui se refusent à regarder certaines parties du corps de leur femme et, plus particulièrement, les parties génitales. Regarder de près le vagin de leur épouse fait naître un malaise et, parfois, les refroidit totalement. Malheureusement, nous ne parviendrons jamais à la satisfaction sexuelle si nous ne nous sentons pas à l'aise face à la nudité de notre partenaire, autant sur un plan visuel que tactile.

Dans de nombreuses circonstances, nous pouvons être nus ensemble sans que la situation contienne une parcelle de sexualité. Je veux dire par là que la nudité ne doit pas obligatoirement être le prélude d'un contact sexuel. Ainsi, nous pouvons apprendre à nous sentir mieux dans notre peau et dans la peau de l'autre. D'autres situations, légèrement différentes, peuvent entraîner un contact sexuel et l'exercice que j'ai prescrit au couple dont nous avons parlé plus haut entre dans cette catégorie.

> *Chacun lave la tête de l'autre. Pour commencer, si vous préférez, vous pouvez porter des maillots de bain. Massez soigneusement la tête de votre partenaire. Et, pendant ce temps, examinez soigneusement son corps. Concentrez votre examen sur les endroits qui vous plaisent le plus. Si vous le désirez, décrivez à haute voix vos pensées.*
>
> *Plus tard, refaites l'exercice sans porter vos maillots de bain.*

N'est-ce pas le genre d'activité auquel nous nous livrions spontanément au début de notre relation ? Pourquoi avons-nous cessé de le faire ? Nous nous lavions mutuellement la tête, nous nous massions à l'aide de lotions et de crèmes, nous nous coupions mutuellement les cheveux... Toutes ces activités tendent à nous rapprocher l'un de l'autre bien plus efficacement que des conversations à n'en plus finir ou des repas au restaurant. En étant nus ensemble, dans une atmosphère détendue, sans exigence sexuelle d'aucune sorte, nous pouvons nous examiner mutuellement avec plaisir. En nous touchant, en nous massant, nous commençons à nous décontracter, à nous sentir à notre aise en compagnie de l'autre. Nous nous sentons bien dans notre peau et ensemble. Les contacts sexuels ne tardent généralement pas à suivre.

Les rapports sexuels commencent rarement lorsque la passion atteint son paroxysme. Ils commencent par une appréciation détendue du corps de notre partenaire.

Ces fichus lits jumeaux!

Lorsque j'ai commencé à apprendre l'anglais, j'ai découvert avec stupeur que, dans cette langue, l'expression qui signifie littéralement «dormir avec quelqu'un» signifie aussi «faire l'amour avec quelqu'un». Lorsqu'on dort, on ne fait pas l'amour, me suis-je dit. Qui fait l'amour en dormant? C'est ridicule.

En réalité, j'avais tort.

Voyez-vous, nous faisons tous l'amour pendant notre sommeil. Le sommeil est une activité sexuelle. En dormant, nous ressentons à plusieurs reprises une excitation sexuelle. Le sommeil est un état particulièrement sexuel: au milieu de la nuit ou tôt le matin, nous pouvons glisser très naturellement d'une excitation inconsciente à un contact sexuel avec notre partenaire. Quel dommage qu'en pratique la majorité des gens considèrent le sommeil et l'amour comme deux activités entièrement distinctes!

A mon avis, le fait de dormir dans des lits jumeaux est bien plus responsable qu'on le croit de l'apathie sexuelle dont souffrent les conjoints. S'endormir sans contact corporel — une jambe sur une autre, un bras sur une poitrine, une joue nichée à l'intérieur d'un cou — nous oblige à abandonner les «préliminaires» les plus naturels qui soient. En outre, tout porte à croire que peu de gens dorment nus, de nos jours, et c'est bien dommage. Nos corps perdent l'habitude l'un de l'autre si nous les séparons toute la nuit. Nous perdons le réconfort que procure le contact fugitif d'une jambe ou d'un bras. Je donne fréquemment ce conseil très simple aux couples qui se plaignent de la rareté de leurs rapports sexuels:

> Elevez la température de votre chambre, laissez pyjama et chemise de nuit dans la commode et dormez ensemble. Oui, vous m'avez bien entendue, dormez ensemble! Mais faites en sorte que vos corps se touchent. Adoptez la position qui vous paraît la plus confortable sans perdre contact avec le corps de votre conjoint.
>
> Si vous êtes tous les deux d'accord, concluez le marché suivant: chacun des deux peut réveiller l'autre à n'importe quel moment pour faire l'amour.

La plupart des couples sont stupéfaits de la facilité avec laquelle ce simple changement d'habitudes peut revitaliser leur vie sexuelle.

«Un instant! vous exclamerez-vous. Nous avons décidé de dormir dans des lits jumeaux justement parce que nous avions besoin d'une bonne nuit de sommeil! Nous ne pouvons pas dormir autrement!»

Je sais parfaitement que de nombreux couples choisissent la solution des lits jumeaux parce que l'un des conjoints est incapable de s'endormir lorsque son corps est en contact avec un autre corps. Certaines personnes bougent constamment, d'autres se plaignent d'être «écrasées». L'un des conjoints se retrouve au bord du lit tandis que l'autre monopolise espace, draps et couvertures. La guerre, quoi! Bien entendu, dans ces cas extrêmes, les lits jumeaux représentent la solution la plus «paisible». Mais une telle quantité de potentiel sexuel est alors perdue que je me demande s'il ne serait pas utile d'essayer de *réapprendre* à dormir ensemble, en se touchant. Même si ce ne sont que les pieds qui entrent en contact, c'est déjà un acquis. Nombreux sont ceux qui n'ont pas tardé à découvrir que le contact physique qui leur paraissait «irritant» ou «oppressant» autrefois est devenu une source de plaisir intime, notamment s'il nous incite à faire plus souvent l'amour.

«Je te montre les miens si tu me montres les tiens»

Le jeu «Je te montre les miens si tu me montres les tiens» est sans doute idéal pour apprendre à l'homme et à la femme à se sentir à l'aise face à leurs organes génitaux. Il ne s'agit plus d'un «jeu interdit» comme dans notre enfance. Justement, à ce propos, j'aimerais répéter, pour quiconque considère ce jeu comme enfantin, que la sexualité la plus agréable est justement enfantine. Elle n'a rien de «mûr» en soi. Seules ses conséquences font entrer la maturité en jeu. Une petite séance de «Je te montre les miens si tu me montres les tiens» peut vous mettre dans une ambiance décontractée qui contribuera efficacement à éliminer les angoisses qu'engendre la vision du corps nu de votre partenaire.

Commencez par vous tenir tous les deux, nus,
devant le grand miroir de votre chambre. L'un
après l'autre, examinez-vous comme vous l'aviez
fait lorsque vous étiez seul. Regardez-vous des
pieds à la tête. Ne laissez rien passer. Dites à
votre partenaire ce que vous voyez et commentez
les endroits de votre corps que vous aimez.
Ensuite, passez aux parties génitales. Regardez-
les à l'aide du petit miroir. Avec vos mains, expo-
sez-les à la vue de votre partenaire. Montrez-lui
les endroits particulièrement sensibles.
Ensuite, allez au lit et mettez-vous à jouer « au
docteur ».
Chacun doit examiner soigneusement les organes
génitaux de l'autre. Observez leur fonctionne-
ment tout en les caressant doucement.

Il ne s'agit pas d'un jeu purement sexuel. Cet
exercice ne doit pas nécessairement aboutir à un
contact sexuel. Il vous permet simplement de vous
décontracter à la vue des parties génitales de votre
partenaire et à l'idée que celui-ci regarde les
vôtres. Si vous êtes particulièrement troublé par la
« malpropreté » de vos organes sexuels — consciemment ou non —, je vous conseille de passer à la
salle de bains pour y rincer non seulement vos
organes mais aussi ceux de votre partenaire, tout en
les examinant.

Ce jeu innocent ne doit pas obligatoirement se
terminer là. Je connais de nombreux couples qui le
considèrent comme un prélude amusant, voire hila-
rant, aux rapports sexuels. Une femme m'a raconté
que « dans le feu de l'action », elle avait commencé à
nouer des rubans autour du pénis de son mari. Une
autre m'a révélé qu'elle s'était mise à chanter en
tenant le pénis de son mari comme un microphone.
Et un homme m'a avoué que sa femme et lui empor-
taient une lampe de poche au lit lorsqu'ils jouaient
« au docteur ». Tous semblent s'être bien amusés.

«Quel soulagement de pouvoir s'amuser, tout simplement», m'a confié l'un d'entre eux.

«On ne refuse rien avant d'y avoir goûté»

Mes parents, comme beaucoup d'autres parents, respectaient une règle très simple à propos de l'alimentation des enfants : «Tu n'es pas obligé de manger de tout, me disaient-ils. Mais on ne refuse rien avant d'y avoir goûté.»

Cette règle si raisonnable s'applique également aux rapports sexuels. Ne refusez pas les sécrétions sexuelles avant d'y avoir goûté.

Beaucoup de gens estiment que ces sécrétions naturelles sont «sales» et l'idée de les ingurgiter les dégoûte. Pourtant, ils tournent le dos à une variante sexuelle fort agréable, qui peut faire de la sexualité conjugale une nouvelle aventure : la stimulation orale des organes génitaux. Le fait de refuser de recevoir les sécrétions sexuelles dans la bouche en dit long sur le respect que ces personnes éprouvent pour leurs organes sexuels. Une femme explique que son mari peut éjaculer tant qu'il veut dans son vagin mais elle se refuse à recevoir «cette cochonnerie» dans la bouche ; cela signifie en réalité qu'elle considère son propre vagin comme une poubelle. Cette «cochonnerie» y trouve très bien sa place.

«*Ne soyez pas ridicule!* protestez-vous. *Il y a une différence! Tout d'abord, il n'y a pas de papilles gustatives dans le vagin.*»

Exact. Et c'est justement pour cette raison que je vous recommande de ne pas refuser les sécrétions sexuelles de votre partenaire avant d'y avoir goûté. Cela s'applique aux deux partenaires, aux deux types de sécrétions. J'ai trop souvent entendu des hommes se plaindre qu'ils se sentent «rejetés» par leur épouse parce que ces dernières ne les laissent pas éjaculer dans leur bouche ou parce qu'elles refusent d'avaler le sperme. Pourtant, ces mêmes hommes ne sont guère enthousiastes à l'idée d'embrasser leur femme lorsque celle-ci a du sperme sur les lèvres. Parallèlement, je connais beaucoup de femmes qui aimeraient que leur mari les stimule oralement, mais qui sont dégoûtées à l'idée de l'embrasser par la suite. Nous avons tendance à associer nos sécrétions sexuelles à des excréments au lieu de les considérer comme des «sucs d'amour». Nous ne refusons pas de goûter aux larmes de notre partenaire, pourquoi refuser de goûter ses sécrétions sexuelles? Ne les rejetons pas avant de les avoir goûtées au moins une fois.

> *Trempez le doigt dans le sperme comme si vous goûtiez à une «sauce».*
> *Faites-le chacun à votre tour. Décrivez-en le goût à voix haute.*
> *Ensuite, goûtez les sécrétions vaginales. De nouveau, décrivez leur goût à voix haute.*

Les appréciations vont en général de «ce n'est pas si mal» au «mmmm…». Il est rare que la réaction soit entièrement négative. Comme l'a déclaré en riant une femme à son mari, après avoir goûté au sperme de celui-ci, «si on ajoutait un peu de poivre et un peu de basilic, ce serait tout à fait consommable».

Les exercices de ce chapitre ont pour but d'éliminer l'anxiété et la répugnance qui empêchent les corps de «sympathiser». Deux corps qui se plaisent font mieux l'amour ensemble.

11

L'art de profiter
l'un de l'autre

Un couple charmant d'une trentaine d'années, Penny et Rick L., victimes de ce qu'ils appelaient « le marasme sexuel », est venu me consulter dans l'espoir de découvrir ce qui n'allait plus dans leur mariage. Pendant les premières années de leur liaison et même après leur mariage, ils avaient joui d'une vie sexuelle « merveilleuse ». Mais le moment était venu où toute activité sexuelle s'était transformée en « corvée », pour reprendre l'expression de Penny.

« Mais que faisiez-vous donc à cette époque que vous ne faites plus aujourd'hui ? » leur ai-je demandé.

Tous deux ont haussé les épaules.

« Nous faisons plus ou moins la même chose qu'avant, a déclaré Rick. Mais nous ne parvenons plus à y mettre l'enthousiasme d'autrefois.

— Peut-être est-il temps pour vous d'essayer quelque chose de vraiment différent. Les goûts sexuels changent, vous savez, comme les goûts alimentaires ou culturels. Avez-vous discuté récemment de vos désirs sexuels personnels ? Vous demandez-vous mutuellement ce que vous aimeriez faire au lit ? Parlez-vous des endroits où vous aimeriez être caressés ? etc. »

De nouveau, ils ont haussé les épaules d'un air quelque peu embarrassé. Une certaine dose de persuasion a été nécessaire pour que Penny admette que ce qui la refroidissait, c'était le fait de formuler ses attentes sur le plan sexuel à son mari. « J'ai l'impression qu'en parler froidement enlève tout son aspect magique à la sexualité. Ça paraît tellement peu spontané de dire : "Je veux que tu me touches là et là, comme ci, comme ça." Un peu comme une affaire qu'on traite. Autrefois, je n'étais pas obligée de faire ça. Rick savait exactement ce qui me plaisait sans que j'aie besoin de lui expliquer.

— Et s'il n'est plus capable de lire vos pensées aujourd'hui, ai-je répondu ironiquement, vous n'avez pas l'intention de lui faciliter la tâche, n'est-ce pas ? Car, s'il vous aimait vraiment, il saurait ce que vous voulez sans avoir besoin de vous le demander. »

Penny a souri d'un air contraint.

« C'est un peu ça », a-t-elle avoué. Trop de couples sont prisonniers de ce malentendu : « Si tu m'aimais vraiment, tu devinerais ce qui me plaît. » Ce mythe les oblige à faire l'amour, soir après soir, sans vraiment en retirer du plaisir. Ils sont persuadés qu'un « amant parfait » doit savoir instinctivement ce qui plaît à l'autre grâce à un simple regard ou à une simple caresse. Ces couples viennent ensuite expliquer que leur relation n'est pas « complète » puisque l'un ou l'autre n'a pas (ou a perdu) cet instinct.

Les « âmes sœurs » sont victimes d'une variante tout aussi destructrice de ce mythe : « Nous sommes tellement semblables que je suppose que ce qui me plaît doit plaire à mon partenaire. Il n'est pas nécessaire de rompe le charme en se mettant à parler. » Ces affirmations émanent généralement de gens qui auraient l'impression de n'être pas assez proches l'un de l'autre si leurs véritables goûts sexuels se révélaient différents. Penny et Rick se raccrochaient à une autre variante du mythe « Si tu m'aimais vraiment... » — le mythe du partenaire immuable.

En effet, ils faisaient apparemment l'amour de la même manière qu'au début de leur liaison et Penny affirmait que « dans le bon vieux temps » Rick n'avait pas besoin de lui demander ce qui lui plaisait. Ni l'un ni l'autre n'avait pensé que les goûts sexuels changent avec le temps. Par exemple, Penny avait découvert un endroit plus sensible où elle aurait aimé qu'on la caresse et Rick fabulait à partir d'un fantasme qu'il aurait aimé concrétiser. Enfin et surtout, ils n'avaient pas pensé à *exprimer* cette évolution de leurs goûts. L'amour était pour eux tout-puissant et omniscient. L'exemple le plus stupéfiant de l'emprise de ce mythe (celui du partenaire immuable) m'a été fourni lorsqu'une de mes patientes a déclaré qu'elle désirait ardemment que son mari caresse ses seins.

« Mais tu m'as dit que tu n'aimais pas qu'on touche tes seins, a protesté le mari.

— C'était vrai il y a quinze ans », a rétorqué la femme.

Ces diverses variantes du mythe « Si tu m'aimais vraiment... » représentent l'un des ensembles mythiques les plus destructeurs et, à mon avis, les plus absurdes. Attendons-nous de notre partenaire qu'il sache exactement ce que nous avons envie de manger dans un restaurant, qu'il devine « instinctivement » que ce soir-là nous préférons le saumon à la sole, la vinaigrette au bleu à la vinaigrette italienne ? C'est ridicule ! Pourquoi donc emportonsnous des idées aussi incroyables dans notre chambre à coucher ?

La réponse contient deux éléments majeurs : le prétendu « romantisme » d'une relation amoureuse et la gêne de parler de ces choses-là. Nous avons peur d'exprimer nos désirs car nous ne voulons pas paraître égoïstes aux yeux de notre partenaire et face à nous-mêmes. C'est bien là le plus mortel des «péchés» sexuels, car il signifie que, sans alibi ni excuse, nous désirons jouir au maximum de nos rapports sexuels.

Le premier commandement de la sexualité conjugale : Fais-toi plaisir !

« L'égoïsme » a mauvaise réputation dans le domaine de la sexualité, plus particulièrement chez les couples mariés. L'idée de concentrer son attention sur ses propres désirs sexuels embarrasse au plus haut point les époux.

« Mais justement, pour qu'un mariage soit réussi, chaque conjoint doit tout partager avec l'autre, entends-je les patients protester lorsque je leur suggère de se montrer un peu plus égoïstes en amour. Nous devons respecter un compromis. »

Ils me disent aussi parfois :

« L'amour véritable est altruiste. Il nous empêche de réclamer quoi que ce soit... Notamment au lit. »

J'entends également :

« L'amour égoïste est réservé aux cochons et aux nymphomanes. Nous n'en voulons pas. »

A tous ces gens, je réponds : l'amour égoïste est le meilleur qui soit *pour les deux conjoints*. Deux personnes égoïstes obtiennent toutes deux ce qu'elles désirent. Au lieu d'être un compromis, la sexualité conjugale devrait être la satisfaction totale des désirs de chacun. Si cela signifie que les deux conjoints sont des «cochons», parfait ! Les cochons s'amusent bien plus au lit que les gens qui sont obsédés par l'idée du noble sacrifice de leurs propres désirs. Ces gens-là sont tellement occupés à plaire à leur partenaire qu'ils ne parviennent jamais à être complètement satisfaits de leurs activités sexuelles.

Nous avons vu précédemment comment les don

Juans et autres «vedettes» sexuelles de ce monde se préoccupent tellement du spectacle qu'ils donnent à leur partenaire afin de satisfaire leur propre ego qu'ils sont incapables de ressentir le moindre plaisir sexuel. En bref, si égocentriques que soient ces gens, ils ne sont pas assez égoïstes. Il en va de même des «travailleurs consciencieux» et des «épouses soumises» qui se font un devoir de «bien s'y prendre» et de «céder» en faisant de l'amour une entreprise ennuyeuse, car ils concentrent leur attention sur les réactions de leur partenaire et non sur les leurs. Que dire des épouses «féminines» qui affirment qu'il ne serait pas convenable de se montrer entreprenante au lit, et des «machos» qui jurent qu'il serait humiliant d'être passif en faisant l'amour! Tous et toutes sacrifient leur satisfaction sexuelle parce qu'ils ont peur de passer pour des «cochons».

Pourtant, la sexualité a pour raison d'être le plaisir. L'effort constant de plaire à son partenaire au détriment de son propre plaisir conduit souvent à l'ennui et à la frustration. Il suffit parfois d'un partenaire insatisfait pour qu'une relation se désagrège. A long terme, ce n'est pas *l'égoïsme* sexuel qui sonne le glas d'un mariage... C'est *l'altruisme* sexuel.

Comment devenir pervers

«Mon mari ne me demande pas de but en blanc si je veux faire l'amour, m'a raconté une patiente. Il tourne en rond dans la maison pendant quelques jours jusqu'à ce que je lui demande ce qui ne va pas. Alors il grommelle : "Ce qui ne va pas? Nous n'avons pas fait l'amour depuis une semaine, voilà ce qui ne va pas!"»

Un autre patient m'a expliqué que son épouse ne lui demandait jamais de faire l'amour : «Elle attend que je fasse les premiers pas et, une fois que nous sommes bien en train, elle me dit : "Ça fait une semaine que j'y pense. Je me demandais quand tu finirais par te décider."»

Dans les deux cas, nous avons affaire à des partenaires qui sont incapables de dire simplement ce qu'ils veulent. Il en résulte des relations sexuelles tendues, contraintes et sans joie, parce que les conjoints sont trop embarrassés pour être égoïstes.

Vous devez cesser de considérer l'égoïsme sexuel sous un angle négatif. Au contraire, vous devez apprendre à profiter l'un de l'autre. C'est une manifestation de confiance et d'affection, exactement comme le port de votre chemise favorite, l'utilisation de votre raquette de tennis préférée ou le choix d'un bon restaurant sont la manifestation de l'affection que vous ressentez pour les objets familiers de votre vie quotidienne. *L'égoïsme sexuel signifie que vous pouvez vous satisfaire totalement avec l'aide de votre partenaire.* Vous n'avez pas besoin de vous sentir déprimé, d'affirmer que vous êtes malade, ou de contraindre votre partenaire à faire l'amour. Au contraire, vous devez surmonter votre timidité et votre gêne en lui *demandant en termes clairs et nets* de faire l'amour.

Au lieu d'attendre que votre partenaire lise dans vos pensées et devine vos désirs, *montrez-lui ce qui vous plairait.*

Au lieu de jouer au martyr, à la «grande dame», au gentil monsieur poli ou à l'amant-vedette, *concentrez-vous d'abord et avant tout sur votre propre plaisir.*

«*Un instant*, protestez-vous. *Vous voulez dire que l'un des partenaires sera satisfait au détriment de l'autre : celui qui est égoïste retirera tout le plaisir en laissant l'autre sur sa faim!*»

Pas du tout. Remplacez «celui qui est égoïste» par «ceux qui sont égoïstes», car les deux partenaires finiront par trouver leur satisfaction. Loin de moi l'idée de suggérer que l'un des partenaires se sacrifie pour le plaisir de l'autre. Je suggère plutôt que chacun promette de satisfaire l'autre et obéisse à ses désirs. Il ne s'agit pas de forcer l'un des conjoints à être altruiste mais plutôt de persuader les deux d'être « mutuellement généreux ».

Ce « contrat » n'est pas facile à mettre en pratique mais il peut métamorphoser votre vie sexuelle. En voici les conditions :

Donnez et vous recevrez

Concluez un marché : pendant les deux semaines qui viennent, chacun des deux a le droit de demander à l'autre ce qu'il veut, à n'importe quel moment.

N'attendez pas que votre partenaire soit réceptif ou que l'ambiance soit propice. Ne laissez pas la gêne ou la timidité vous envahir. N'ayez pas peur d'être explicite et de décrire en termes clairs ce que vous désirez.

Autorisez votre partenaire à demander ce qui lui plaît. Il peut vous réveiller à trois heures du matin pour faire l'amour, s'il en a envie. Laissez cependant à votre partenaire le privilège de répondre : Je n'ai pas vraiment envie de le faire mais, si tu le désires, je serais heureux de te masturber... Acceptez cette réponse sans discuter.

N'hésitez pas à lui faire part de vos désirs les plus abracadabrants. Ne vous censurez pas en vous disant que ce que vous voulez est « fou », « exagéré » ou « sale ». En outre, évitez de penser à la réaction supposée de votre partenaire. Posez-lui la question tout simplement et vous serez peut-être surpris de sa réponse. Il est possible que ce fantasme soit aussi le sien. Vous ne ferez de mal à personne en posant la question. Ne vous sentez pas blessé si votre partenaire n'accepte pas de faire tout ce que vous demandez.

Ne vous inquiétez pas si votre désir le plus fou se révèle plutôt «classique», ou si vous n'avez pas du tout de fantasmes érotiques. Vous n'êtes pas là pour battre des records mais pour vous faire plaisir.

Si l'un de vous estime que le marché n'est pas équitable, précisez le nombre de faveurs sexuelles auxquelles chacun de vous a droit pendant ces deux semaines.

Enfin et surtout, concentrez-vous sur vos propres sensations et non sur celles de votre partenaire. Pour commencer, vous devriez essayer d'oublier votre partenaire. Fermez les yeux si cela peut vous aider. Et si vous vous sentez coupable d'être égoïste, souvenez-vous que votre partenaire a aussi le même droit. C'est là que commence la générosité mutuelle.

Pour que cet exercice soit un succès, chaque partenaire doit satisfaire l'autre, exactement comme dans le cadre des exercices de toucher décrits dans les chapitres précédents. Mais contrairement à ces exercices, celui-ci ne contient aucune limite. Vous êtes libres de demander ce que vous voulez.

«Et si mon partenaire est dégoûté par ce que je lui demande?»

Cela peut effectivement arriver. Je dirais même que cette situation est fréquente et qu'elle peut provoquer beaucoup d'embarras. Vous avez fait appel à tout votre courage pour révéler le plus secret de vos secrets et votre partenaire vous répond d'un ton méprisant: «Comment? Tu veux ça?» Vous souhaiterez n'avoir jamais ouvert la bouche. Vous vous sentiez déjà coupable d'avoir ce fantasme et, après avoir essuyé une telle réaction de la part de votre conjoint, vous vous sentirez carrément «pervers».

Mais n'abandonnez pas tout de suite. La patience et la compréhension peuvent s'avérer bénéfiques à long terme. Souvenez-vous tout d'abord que les fantasmes des hommes sont entièrement différents de ceux des femmes. Ce qui semble pervers à l'un peut sembler normal à l'autre. N'oubliez pas non plus que, lorsque vous avez appris, à un âge plus ou moins tendre, ce qu'étaient les rapports sexuels, vous avez certainement ressenti du dégoût. Un certain temps est nécessaire pour habituer votre partenaire à l'idée de concrétiser votre fantasme. Ce n'est pas parce qu'il se montre révolté la première fois qu'il le demeurera. Vous n'êtes pas condamnés à la monotonie sexuelle pour autant.

Une dernière remarque : pour concrétiser nos fantasmes, nous devons être sûrs de l'amour de notre partenaire. Notre relation doit être solide et durable. Au cours d'une aventure sans lendemain, nous sommes conscients du risque que nous courons de dégoûter notre partenaire en lui faisant part de nos désirs les plus fous. Mais si nous savons que «demain ce sera son tour», nous pouvons oser nous montrer égoïstes. «Demain, il fera jour»... pour lui.

Un vrai homme doit savoir être passif et une vraie femme doit savoir être active

La principale raison pour laquelle les hommes sont incapables de jouir d'une sexualité égoïste vient de ce qu'ils se sentent «tenus par l'honneur» d'être constamment l'agresseur, l'initiateur, le scénariste. Cette idée constitue le fondement de ce que l'on appelle la virilité et de nombreuses femmes la tiennent pour acquise. Pourtant, il semble que les fantasmes masculins mettent souvent en scène l'homme allongé sur le dos, passif, tandis qu'une femme satisfait tous ses désirs sexuels, accomplit tout le «travail» tandis que lui-même se laisse tranquillement envahir par un plaisir purement sexuel. Certains hommes concrétisent ce fantasme en fréquentant des «salons de massage» où des prostituées travaillent; mais dès qu'ils rentrent chez eux, ils se replongent dans leur rôle d'agresseur, se privant ainsi de beaucoup de plaisir. La plupart des hommes considèrent une femme sexuellement agressive comme une menace: ou ils se sentent obligés de se donner en spectacle, ou bien — ce qui est encore pire — ils ont l'impression que leur épouse les fait retomber en enfance, qu'elle les oblige à redevenir des enfants obéissants. Nous avons étudié plus haut quelques méthodes destinées à apprendre aux hommes à se libérer du rôle sans merci de l'agresseur. Les exercices de «dématernalisation» en constituent une autre. La concrétisation des fantasmes passifs est encore plus efficace. Voici la première étape que vous devriez suivre:

Laissez-la travailler pour vous

Imaginez que vous êtes dans un salon de massage. Vous avez payé et vous êtes maintenant étendu, nu sur le lit de massage. Une femme nue entre et vous annonce qu'elle fera tout ce que vous lui demanderez. Chaque désir sexuel que vous émettrez sera satisfait. Elle vous dit: «Ne bougez pas, c'est moi qui travaille.»

Lorsque arrive votre tour d'être égoïste, concrétisez votre fantasme. Faites de votre chambre un salon de massage et laissez votre partenaire faire tout le travail.

Si vous commencez à ressentir de l'anxiété parce

que vous ne dominez pas la situation, concentrez-vous sur votre fantasme et vos sensations. Souvenez-vous que vous avez «payé» pour ce privilège en passant un marché avec votre partenaire.

Ne croyez pas que vous deviendrez asservi à ce type d'activité sexuelle. Il s'agit seulement d'une variante destinée à rendre votre vie sexuelle plus agréable.

La plupart des hommes qui acceptent de faire cet exercice avouent qu'ils connaissent alors des sensations que leur vie d'adulte leur avait ôtées. Pour la première fois depuis qu'ils sont sortis de l'enfance, ils jouissent passivement de sensations que leur corps leur envoie. Ceux qui craignent de retomber en enfance ou d'être émasculés par cette expérience s'aperçoivent rapidement qu'il n'en est rien. Dès que l'exercice est terminé, ils redeviennent adultes. D'ailleurs, beaucoup d'hommes découvrent que ce n'est qu'en «régressant» ainsi périodiquement qu'ils atteignent la vraie maturité. Cette période de décontraction totale leur permet d'éliminer les tensions de la vie quotidienne. Comme me l'a révélé un patient : «J'ai du mal à croire que, pendant nos quinze années de mariage, je n'aie pas pensé à demander à ma femme de me "faire ça" une seule fois. Pourtant, je ne crois pas m'être jamais senti aussi décontracté qu'après cet exercice.»

Il ne s'était probablement jamais senti aussi égoïste !

Les femmes se refusent souvent le plaisir sexuel pour des raisons analogues. La peur de perdre leur «féminité» en se montrant sexuellement agressives les condamne à passer leur vie étendues passivement sur le dos en réprimant leurs impulsions. Comme nous l'avons vu, ce que ces femmes craignent surtout, c'est de perdre leur domination sexuelle, le pouvoir de refuser ou d'accepter les faveurs de leur mari, la carte maîtresse qui rend l'époux dépendant de leur bon vouloir. De nouveau, le meilleur moyen de sortir de cette ornière destructrice est de laisser libre cours à nos fantasmes. Les femmes me répètent que l'un de leurs principaux fantasmes consiste à avoir un amant-esclave, un homme qu'elles pourraient «utiliser» pour satisfaire tous leurs désirs sexuels. C'est un fantasme que n'importe quel couple peut inclure dans un marché.

«Esclave» pour la nuit

*Imaginez que vous avez un amant qui vous fera tout ce que vous lui demanderez, qui obéira à tous vos ordres, à vos moindres caprices. Réfléchissez à la manière dont vous aimeriez **utiliser son corps** pour satisfaire vos désirs sexuels.*

Lorsque vient votre tour d'être égoïste, concrétisez votre fantasme. Faites de votre partenaire votre esclave pour la nuit, faites de son corps votre dessert favori. Si vous vous sentez anxieuse parce que cette attitude ne correspond pas à votre idée de la féminité, essayez de vous concentrer sur vos sensations et votre fantasme. Souvenez-vous que c'est le privilège auquel vous donne droit le marché que vous avez conclu avec votre partenaire. Chacun son tour.

Dans les deux situations que j'ai décrites ci-dessus, l'un des partenaires est en mesure d'*exiger* de l'autre la satisfaction sexuelle de ses propres désirs, mais les exercices auront un effet plus positif encore si les exigences sont manifestées avec considération et gentillesse. Par exemple, au lieu du «Tu ne me fais jamais ça, ou ça ou ça…», dites plutôt: «J'aimerais bien que tu me fasses ça, ou ça ou ça…» N'oubliez pas non plus que votre partenaire a le droit de dire: «Je ne suis pas encore prêt pour ce fantasme mais nous pouvons toujours essayer quelque chose d'autre en attendant.» De nouveau, il doit formuler sa réponse de manière positive. Le «non» signifie en réalité «Non, pas pour le moment». Il ne constitue pas un rejet sexuel total et définitif. Ce «non» ne doit pas vous empêcher de réclamer à nouveau votre fantasme le lendemain soir.

Comment être généreux sans pour autant se sacrifier

Il n'est guère amusant de «céder» à son partenaire. Cette attitude garantit que vous ne ressentirez pas grand-chose puisque vous ferez l'amour à contrecœur. Mais lorsque vous savez qu'on ne peut pas vous obliger à donner plus que ce que vous avez envie de donner — vous pouvez dire, par exemple : «Je ne suis pas très en forme ce soir, mais si tu veux, je peux te masturber» ou : «Je suis fatigué, faisons-le avec moins d'ardeur ce soir» (voir chap. 14) —, la menace s'estompe et les rapports sexuels perdent leur aspect «spectaculaire» pour devenir une activité agréable, sans obligation. C'est exactement comme si vous disiez *(avec générosité)* : «Je n'ai pas faim ce soir, mais je serais heureux de te préparer un sandwich» au lieu de dire *(sur le ton d'un martyr)* : «Bon, je n'ai pas envie de le faire, mais je vais quand même le faire juste pour toi.»

Cette simple différence d'attitude peut régénérer votre vie sexuelle. Au lieu d'avoir un partenaire martyrisé et un partenaire coupable, nous avons là deux partenaires heureux et sexuellement satisfaits. Grâce au marché qui consiste à satisfaire à tour de rôle les désirs de chacun, le devoir sexuel se métamorphose en plaisir sexuel. A l'instar des parents qui enlacent leurs enfants par amour et non par devoir, les amants peuvent redécouvrir la satisfaction sensuelle de «donner» en abandonnant l'idée qu'ils doivent «céder». Paradoxalement, l'amour *égoïste*, qui consiste à ne donner que lorsqu'on a envie de le faire, se révèle être l'amour le plus *généreux* qui soit.

12

Tout le monde au lit

« Nous sommes bien trop occupés pour faire l'amour »

C'est la plainte que j'entends le plus fréquemment, surtout depuis que, dans la plupart des ménages, les deux conjoints travaillent à l'extérieur. Mais je réponds invariablement : « C'est faux ! »

Je me suis entretenue avec des centaines de couples qui, apparemment « trop occupés pour faire l'amour », n'hésitent pas à consacrer une heure à la préparation de leur dîner, passent au moins une autre heure chaque soir devant la télévision, sortent avec des amis en moyenne deux soirs par semaine, vont à des cours du soir, à des séances de gymnastique ou à des réunions. En termes de priorités, la sexualité vient loin derrière la cuisine, les amis et la danse aérobic. On peut dire que ces couples ont tout simplement exclu leur vie sexuelle de leur vie tout court.

En fait, le prétexte de trop d'occupations se révèle simplement une autre manière subtile d'éviter les rapports sexuels. Nous nous disons : « J'ai un tas d'occupations vertueuses : les réunions d'associations bénévoles, la danse aérobic, les cours du soir, les concerts, etc. » Ainsi, nous ne pensons pas à ce que nous ne faisons pas. Nous oublions de rechercher les vrais motifs de cette « inexistence sexuelle ».

De cette façon, nous nous débarrassons des anxiétés et des rancunes, véritables raisons pour lesquelles nous n'avons pas fait l'amour depuis des semaines, des mois, des années.

Une patiente m'a confessé, au bord des larmes : « Chaque soir, je me couche et j'aperçois son dos, près de moi. Alors je pense qu'une fois de plus nous n'avons pas fait l'amour. Nous ne l'avons pas fait depuis des semaines. »

Pourtant, après plusieurs autres conversations avec cette femme, j'ai découvert qu'elle suivait trois soirs par semaine des cours de danse aérobic, tandis que son mari demeurait seul à la maison. Elle a fini par reconnaître qu'elle avait honte d'avoir pris un peu de poids et qu'elle n'avait pas l'intention de se permettre des pensées sexuelles avant d'avoir retrouvé son apparence normale.

Un autre couple a plongé dans une terrible dépression provoquée par la rareté de leurs rapports sexuels : une fois tous les trois mois environ. Pourtant, après avoir étudié l'emploi du temps des deux conjoints, nous avons constaté qu'ils ne disposaient guère de temps à consacrer aux activités sexuelles ! En réalité, chacun utilisait ses nombreuses occupations pour enterrer de vieilles rancunes : elle en voulait à son mari d'avoir, pendant des années, pris l'initiative des rapports sexuels et lui en voulait à sa femme de perdre tout intérêt sexuel pour lui. Au lieu de faire face à leurs griefs, ils se tournaient le dos au lit.

Les raisons qui incitent la majorité des couples à consacrer si peu de temps aux rapports sexuels sont parfois difficiles à cerner. Elles consistent généralement en un « pot-pourri » des « douches froides » dont nous avons parlé dans la première partie de ce livre. Mais l'un des aspects extraordinaires de la sexualité dépasse l'analyse ; il suffit de faire l'amour pour que les problèmes se résolvent d'eux-mêmes.

C'est pourquoi la meilleure façon de résoudre le problème des couples qui sont «trop occupés» consiste, à mon avis, à les précipiter au lit. C'est une idée si simple qu'elle paraît burlesque:

> Un soir par semaine (le mercredi est un jour commode, suffisamment neutre), achetez une bouteille de vin et deux sandwiches en revenant de votre travail et sautez immédiatement au lit en arrivant chez vous. N'allumez pas le téléviseur, débranchez le téléphone (ou branchez votre répondeur automatique) et, pendant les trois ou quatre heures qui suivent, mangez, buvez et baisez.

C'est en général à ce stade que je suis interrompue par un rire légèrement nerveux:

«Vous suggérez réellement que nous fassions l'amour à heure fixe?»

Oui, et après? Qui n'a pas fait l'amour à heure fixe dans sa jeunesse? Souvenez-vous des rendez-vous d'adolescents. Ne savions-nous pas déjà au début de la soirée ce que nous allions faire après le film et où nous allions le faire? Les personnes qui vivent ensemble finissent toujours pas mettre au point des emplois du temps, même lorsqu'il s'agit de savoir quand elles vont faire l'amour. Dans ce pays, le dimanche matin semble avoir la préférence générale. C'est pourquoi, au début, je vous suggère simplement de planifier ouvertement vos activités sexuelles, de vous consulter mutuellement comme lorsqu'il faut aller à un rendez-vous quelconque et de vous réserver un soir par semaine pour le plaisir des sens. En bref, vous devrez faire de vos activités sexuelles un élément important de votre vie, aussi intéressant que vos réunions entre amis ou une soirée télévision. Et ne croyez pas que cette planification risque d'entraver toute séance imprévue! L'un des résultats magiques de l'amour planifié consiste à revitaliser l'amour impromptu. Je veux parler d'un accouplement rapide du matin sur le tapis de la salle de bains, par exemple... Un plaisir dcpuis longtemps oublié. Faire régulièrement l'amour donne un coup de fouet à notre vitalité sexuelle.

« J'ai un tas de choses plus importantes à faire »

Pour la majorité des gens qui s'y résolvent, le simple fait d'entourer d'un cercle rouge chaque mercredi est déjà un merveilleux aphrodisiaque. C'est un but qu'on a hâte d'atteindre, auquel on peut penser bien à l'avance.

« Je commence déjà à concocter la séance vers dix heures du matin chaque mercredi, m'a raconté une femme. Je me demande ce que nous allons bien pouvoir inventer le soir. A trois heures de l'après-midi, j'ai déjà gratifié mon mari de quelques coups de téléphone *obscènes*. »

Chez d'autres, en revanche, la perspective de toute une soirée de sexualité peut provoquer des sueurs froides, notamment s'il s'agit d'hommes partisans de l'amour-spectacle. Vers trois heures de l'après-midi, ce type d'hommes pense : « Mon Dieu ! Qu'est-ce que je vais faire ? Et si ça ne marche pas ? Comment vais-je m'en tirer ? » Comme nous le verrons plus loin, le programme « libre » de cette soirée est conçu pour désamorcer des angoisses de ce genre.

« *D'accord, nous pouvons planifier des rapports sexuels hebdomadaires. Mais toute une soirée ?* »

Vous avez bien lu. J'ai dit toute une soirée. Du moment où vous mettrez les pieds dans la maison jusqu'au moment où vous vous endormirez. Il s'agit simplement de trois ou quatre heures, le temps que vous consacrez généralement à un dîner ou à une soirée au cinéma. Mais attention ! Il ne s'agit pas d'un marathon sexuel. Il s'agit d'une soirée de jeux amoureux, de sensualité, afin que vos corps s'apprivoisent de nouveau. Le coït même n'occupera qu'une fraction de la soirée, si coït il y a. Il ne s'agit que d'un pique-nique très sensuel.

Je sais néanmoins que l'idée de consacrer toute une soirée à des jeux amoureux ne paraît pas « convenable » à beaucoup de couples.

« Mais nous sommes réellement très occupés, a protesté une de mes patientes. Je ne vois vraiment pas comment nous allons pouvoir consacrer toute une soirée à cela. »

« Une durée de quatre heures me paraît un peu excessive, m'a déclaré un homme. C'est du temps perdu, une soirée entièrement improductive ! »

Je réponds par une autre question à toutes ces protestations : *« Dans quelle mesure la sexualité a-t-elle une importance pour vous et pour votre relation de couple ? »*

Cette question doit faire l'objet d'une réponse honnête avant que nous puissions continuer dans cette voie. Etes-vous tous deux véritablement satisfaits de la fréquence et de la durée de vos rapports sexuels « spontanés » ? Votre relation sexuelle est-elle vraiment moins importante que toutes les autres activités qui vous tiennent occupés loin du lit ? Oui, passer trois ou quatre heures à se donner mutuellement du plaisir peut paraître improductif. Mais l'est-ce plus qu'un dîner au restaurant suivi d'un film au cinéma ? En tout cas, c'est nettement moins onéreux ! Et je crois que chaque couple qui désire que sa vie sexuelle demeure vivace et exaltante doit abandonner ce refrain : « Nous avons un tas de choses plus importantes à faire. » Un ou deux mercredis soir consacrés à un pique-nique sexuel suffisent en général à convaincre la plupart des couples qu'il s'agit d'une soirée improductive bien méritée.

Comment meubler le temps

La plupart des couples me demandent : « Mais qu'est-ce qu'on peut bien faire pendant tout ce temps ? »

Beaucoup de choses. Mais pour commencer, je vous suggère de déboucher la bouteille de vin et de déballer vos sandwiches. N'oubliez pas de vous déshabiller. Il s'agit d'un pique-nique en tenue d'Adam et Eve.

(A ceux qui craignent les miettes et les gouttes de mayonnaise, je recommande d'étendre une nappe sur les draps, ou de réserver une literie aux mercredis soir. En outre, un thermostat réglable dans la chambre accroîtra le confort. Tous ces détails techniques peuvent être résolus avant le début de la soirée.)

Bon, commençons. Souvenez-vous qu'il n'y a qu'une règle : *prendre son temps*. Beaucoup de couples de ma connaissance passent une bonne heure à manger et à boire *tout en se regardant*. Il est rare que les couples examinent leurs corps nus. En général, nous nous habillons et nous déshabillons rapidement. Même lorsque nous faisons l'amour, nous passons du déshabillage à l'enlacement sans le moindre coup d'œil lascif sur la nudité de notre partenaire. Les mercredis soir sont particulièrement propices aux longs regards lascifs.

De plus, il faut parler. Pas de conversation alambiquée, un simple bavardage à propos de ce qui nous est arrivé pendant notre journée de travail, d'un article que nous avons lu dans le journal. Mais il ne faut pas oublier que, pendant que nous parlons,

nous sommes nus dans un lit et nous nous obser-
vons. L'un peut lécher délicatement la bouche de
l'autre et s'y attarder un moment. C'est un plaisir
pur, simple, serein.

Il est probable qu'au bout d'un moment l'un des
deux aura envie de toucher l'autre d'une manière
plus intime. C'est normal mais il ne faut surtout
pas se presser et éviter de penser où tout cela doit
mener. Continuez à vous regarder, à vous caresser, à
bavarder et à manger. Cela vous conduira peut-être
à une agréable surprise sexuelle à laquelle aucun de
vous deux n'avait pensé. Ces soirées recèlent plus
d'expériences spontanées que toute autre séance
imprévue. Apparemment, les rapports sexuels non
planifiés s'enlisent dans la routine, confortable,
certes, mais peu palpitante. En prenant votre temps,
en adoptant l'attitude du «tout peut arriver», vous
ouvrirez peut-être un cadeau-surprise rempli de
délices sexuelles.

Pour commencer la séance, notamment si vous
vous sentez un peu timide, je vous propose de faire
l'exercice de toucher I. C'est le summum du plaisir
sensuel.

> *La lumière allumée, étendez-vous sur votre lit
> tandis que votre partenaire vous caresse partout,
> sauf sur vos organes génitaux. Cette séance doit
> durer au minimum quinze minutes et au maxi-
> mum une heure. Pendant ce temps, exprimez ce
> que vous ressentez et ce que vous aimeriez que
> l'on vous fasse. Par exemple: «Plus lentement,
> s'il te plaît» ou: «J'aime que tu passes légère-
> ment tes doigts sur mon ventre.» Ensuite, rendez
> la pareille à votre partenaire.*

Ce simple interlude peut créer une ambiance
amoureuse et sensuelle qui durera tout le reste de la
soirée. Mais surtout, il vous permet de surmonter
toute timidité que l'un de vous pourrait ressentir et

qui est provoquée par la crainte de «réclamer le plaisir». Vous vous autorisez mutuellement à être complètement égoïstes. Un contact sensuel sans contact génital parvient généralement à chasser l'anxiété et l'appréhension sexuelle. Chacun des partenaires devient détendu, sensible et capable de répondre aux caresses de l'autre. Cet exercice recrée le sentiment de confiance et de bien-être que nous éprouvions lorsqu'on nous «câlinait» durant notre enfance. Par conséquent, chaque partenaire sort de l'exercice merveilleusement disposé vis-à-vis de l'autre. Sans dispute, sans introspection, les rancunes s'évaporent. Il arrive fréquemment que le couple fasse ensuite l'amour avec passion et sensualité.

Néanmoins, il se peut que rien de spécial n'arrive au cours du premier mercredi. Ne vous inquiétez pas. Continuez à manger, à bavarder et à vous regarder mutuellement. Faites-vous la lecture ou écoutez de la musique. Le premier mercredi risque de faire naître en vous une timidité susceptible d'inhiber tout geste érotique. Mais puisque vous n'avez aucune obligation à remplir envers votre partenaire, laissez-vous aller, ne vous contractez pas ; vous n'avez pas à vous préoccuper d'aucune déception — manifeste ou non —, d'un record à battre, d'aucun spectacle. Beaucoup d'hommes se sentent ainsi délivrés de l'angoisse engendrée par leur conception des rapports sexuels. De nombreux couples de ma connaissance parviennent à maintenir une ambiance sereine au cours de ces mercredis soir en combinant plusieurs activités.

Parfois, il s'étend sur le ventre et lit tout haut un article de son journal pendant que je m'assois sur lui pour lui frotter le dos.
Ou :
Nous avons passé une soirée amusante en nous

rémémorant des scènes de Tom Jones *et en fai-*
sant un véritable numéro érotique du simple fait
de manger. A certains moments nous étions pris
de fou rire, tandis qu'à d'autres nous nous caress-
sions sans inhibition.

En combinant plusieurs activités, nous pouvons briser le carcan de l'ordre habituel des événements (d'abord nous mangeons, ensuite nous nous déshabillons, puis nous nous caressons, faisons l'amour et terminons en nous souhaitant mutuellement « Bonne nuit ! »). Nous pouvons manger et nous caresser en même temps. Nous pouvons interrompre les activités sexuelles pour raconter une bonne blague. Il n'y a aucune règle, aucun ordre à respecter. Et certainement aucun compte à rebours susceptible de nous rendre aussi frétillants d'anxiété que des lutteurs professionnels.

« Mais cela ne manque-t-il pas de romantisme ? »

De nombreux couples estiment effectivement que ce pique-nique au lit manque de romantisme. Comme l'a expliqué une patiente : « Manger un sandwich au thon d'une main tout en caressant mon mari de l'autre ne me paraît pas terriblement sentimental. »

Le romantisme n'entre pas en ligne de compte car le mercredi soir n'est pas une soirée au cours de laquelle on doit se prendre au sérieux. En matière de sexualité, trop de gens deviennent aussi graves que des louveteaux décidés à gagner leur médaille de bonne conduite. En combinant plusieurs activités, vous allégez l'atmosphère. L'un des partisans enthousiastes des mercredis soir m'a déclaré : « Quel soulagement de se débarrasser de tout ce respect dont nous entourons la sexualité! Maintenant que nous considérons ces importantes activités sexuelles comme n'importe quelle autre activité — manger des sandwiches, faire des mots croisés, etc. —, elles sont devenues bien plus excitantes. N'est-ce pas paradoxal?»

Puisque nous avons abordé le sujet de la «sexualité romantique», ne croyez-vous pas que nous nous sommes assujettis là aussi à de vieilles catégories sans fondement? Pourquoi la sexualité romantique entraînerait-elle obligatoirement des lumières tamisées et du champagne, des accords de Ravel et de doux murmures passionnés?

Est-il moins romantique de manger du thon et de lire le journal? Que pensez-vous d'un combat d'oreillers? D'un concours de «yodl» sous les couvertures? Les fabricants de parfums coûteux n'ont pas l'apanage des situations romantiques! Seule notre imagination peut nous imposer des limites.

Je connais un couple qui passe des heures à se peindre le corps à l'aide de peinture pour enfants. Cela n'est guère romantique? Ce couple n'est certes pas de votre avis.

Un autre couple de ma connaissance — l'épouse est agent de change et le mari est avocat —, le plus conservateur qui soit, me raconte que tous deux aiment batifoler en tenue d'Adam et Eve tout en écoutant de la musique de cirque. Voilà qui me paraît très amusant.

Plus loin, nous décrirons ces jeux plus en détail mais, pour le moment, je veux que vous compreniez ceci: l'emprisonnement dans vos idées préconçues de la «sexualité romantique» constitue le meilleur moyen de laisser passer les meilleurs mets du banquet sexuel.

«*Ecoutez, tout cela n'est-il pas une méthode compliquée dont le but est simplement de cacher la vérité à notre partenaire?* vous entends-je déjà grommeler en arrière-plan. *Car, en fait, la raison d'être du pique-nique est bien de nous inciter à faire l'amour, n'est-ce pas ?*»

Seulement si c'est ce que vous désirez tous les deux. Honnêtement. Il est exact que la majeure partie des couples font l'amour à un moment donné de la soirée, mais il peut arriver qu'en raison de lassitude, de certaines appréhensions ou d'un simple manque d'enthousiasme, ils se contentent du pique-nique. Car, même s'ils ne font pas l'amour, il n'y a aucune raison de se passer *aussi* du pique-nique. Par conséquent, vous pouvez toujours emporter vos sandwiches au lit afin de passer une soirée douillette et réconfortante sans stimulation génitale. Vous pouvez aussi vous exciter mutuellement puis passer à autre chose sans aller nécessairement jusqu'à l'orgasme. Il n'y a aucune règle. Ne croyez donc pas qu'il s'agisse d'une méthode compliquée afin de vous tromper mutuellement. C'est plutôt une manière très simple de nous rappeler notre soif de plaisir sexuel à un moment précis tel que nous la désirons.

C'est ainsi que les mercredis soir sont devenus un événement très spécial de la vie sexuelle de nombreux couples de ma connaissance. La sexualité est redevenue une aventure partagée, une expérience perpétuellement en cours. Pour les couples «trop occupés» pour faire l'amour, ils sont une véritable révélation. Pendant quatre heures par semaine (c'est si peu mais si bon), ils ne pensent pas que leur désir sexuel empiète sur l'emploi du temps de leur conjoint. Pour les «travailleurs consciencieux» et les «briseurs de records», l'ambiance décontractée d'une soirée sans critique et sans record à battre fait de la sexualité un plaisir pur et simple et non une corvée à remplir.

Certains couples me demandent parfois : «Et si

nous avons terminé de faire l'amour à neuf heures, que faire ensuite ? »

Faire un petit somme ou regarder la télévision pendant une demi-heure ou bien aller dans la cuisine pour vous préparer d'autres sandwiches. Vous pouvez aussi reprendre votre bavardage et vos caresses. L'idée que l'orgasme marque la fin de tout désir sexuel est l'une des plus absurdes et des plus erronées de tous les temps.

Enfin et surtout, voici une autre occupation pour le reste de votre soirée : *faire l'amour une deuxième fois !*

Vous souvenez-vous de l'époque où vous le refaisiez plusieurs fois de suite ? N'était-ce pas délicieux ? Sachez qu'en dépit de certaines croyances populaires « le faire deux fois » n'est réservé ni aux adolescents ni aux athlètes sexuels. Les gens mariés peuvent aussi en profiter. J'ai d'ailleurs bavardé avec de nombreux retraités qui venaient de redécouvrir cet art perdu. Bien sûr, il faut plus longtemps à un homme d'âge mûr qu'à un adolescent pour avoir une érection après un premier orgasme, mais cette période de « récupération » dépasse rarement une ou deux heures. En outre, il est bien moins fatigué qu'il ne le croit ; l'éjaculation exige à peu près autant d'énergie qu'il en faut à un homme « moyen » pour parcourir à pied une distance d'environ trois cents mètres. Mais alors, pourquoi la majorité des couples ne le font-ils pas deux fois ? Simplement parce qu'ils n'y pensent pas.

« Puis-je avoir un verre d'eau, maman ? » et autres catastrophes sexuelles

Une dernière question m'est toujours posée : « Mais qu'allons-nous raconter à nos amis ? Et à nos enfants ? »

La simple vérité. Comme l'a dit un couple de ma connaissance : « Nous passons tous les mercredis soir ensemble, à la maison. »

Bien entendu, certains de leurs amis n'ont pas manqué de cligner de l'œil. D'autres se sont montrés sincèrement étonnés, comme si le couple venait d'annoncer qu'il adhérait à une secte étrange. Un autre s'est franchement inquiété : « Que se passe-t-il ? Avez-vous des problèmes ?

— Non, a répondu le couple. Nous nous amusons. »

Les enfants constituent un problème, et pas seulement les soirs de pique-nique. Certains couples affirment qu'il devient « impossible » de faire l'amour lorsque les enfants sont dans la maison.

Ce n'est pas vraiment impossible mais une planification plus rigoureuse des activités s'impose. Règle numéro un : *posez une serrure sur la porte de votre chambre et utilisez-la*. Vous ne rejetez pas vos enfants, mais vous créez un petit domaine intime qui vous est réservé. Il est bien plus facile de surmonter le sentiment de culpabilité engendré par l'exclusion des enfants de votre vie sexuelle que la rancune que vous finirez par ressentir envers eux parce qu'ils inhibent vos activités sexuelles. Dès que vos enfants ont atteint l'âge de deux ans, vous pouvez commencer à leur faire comprendre qu'à certains moments vous désirez être seuls, tout comme l'enfant lui-même désire parfois être seul.

Règle numéro deux : *ne pas installer votre unique téléviseur dans votre chambre*. Je suis stupéfaite par le nombre de couples qui font de leur chambre la « salle familiale » pour ensuite se plaindre qu'ils ne peuvent jouir d'aucune intimité. Si vous voulez que votre vie sexuelle soit libre et sereine, faites de votre chambre un domaine privé.

Vous disposez encore de deux solutions : vous pouvez essayer d'entretenir des rapports sexuels à l'extérieur de la maison (voir chap. 14) une fois de temps en temps, tout comme il vous arrive d'aller dîner à l'extérieur en laissant vos enfants à la garde de quelqu'un. Une autre solution simple consiste à demander à une baby-sitter d'emmener les enfants jouer dans le parc ou voir un film le samedi après-midi. Ainsi, vous disposez de plusieurs heures de tranquillité chez vous.

Bien sûr, vous ne pourrez jamais éliminer le petit coup frappé à la porte au milieu de vos ébats («Maman, puis-je avoir un verre d'eau?»). Gardez votre calme pour dire: «Je viens dans quelques minutes, chéri(e).» Une de mes patientes a déclaré qu'elle se sentait si «libérée» en disant cela qu'elle atteignait l'orgasme immédiatement après.

Si vous oubliez un soir de verrouiller la porte de votre chambre, vous risquez d'être «pris sur le fait» par un petit être ensommeillé qui se demandera ce qui peut bien se passer dans le lit de papa et maman. Si cela vous arrive, ne paniquez pas, ne vous mettez pas en colère. Ce n'est qu'en donnant de l'importance à cet événement que vous traumatiserez votre enfant. Ne bondissez pas hors du lit d'un air coupable, ne vous précipitez pas non plus pour expliquer sur-le-champ à l'enfant les choses de la vie. Prenez votre temps, reconduisez tranquillement le bambin à sa chambre et, dès votre retour, n'oubliez pas de verrouiller votre porte.

Les adolescents posent un autre problème. Si vous attendez qu'ils soient endormis pour commencer votre pique-nique, vous risquez d'être debout toute la nuit.

Je ne vois pas pourquoi vous ne vous enfermeriez pas un soir par semaine dans votre chambre après avoir dit à vos adolescents: «Maman (ou papa) et moi aimerions passer cette soirée ensemble, seuls. Ne nous dérangez qu'en cas d'urgence.»

Vous les entendrez rire sous cape et, au fur et à

mesure qu'ils grandiront, ils finiront par deviner ce que leurs parents font derrière la porte fermée. Rien de plus sain ! C'est probablement le cours d'éducation sexuelle le plus rassurant qu'ils connaîtront durant leur jeunesse. Avec un peu de chance, ils jouiront eux aussi plus tard de merveilleux mercredis soir.

13

Seulement quand c'est bon !

Lorsqu'on a demandé à Woody Allen s'il pensait que la sexualité était quelque chose de sale, il a répondu : « Seulement quand c'est bon. »

La « saleté », la « perversité », l'« interdit » ont toujours été des facteurs d'excitation sexuelle. Hélas, la sexualité conjugale les a mis au rancart. Lorsque nous devenons mari et femme, les jeux interdits se transforment en corvée conjugale. Ce qui était autrefois illicite devient une exigence. Comme me l'a déclaré un époux : « Pendant la première moitié de ma vie, l'acte sexuel était quelque chose qui m'était interdit. Aujourd'hui, pendant la deuxième moitié de ma vie, faire l'amour est quelque chose qui m'est imposé. J'avoue que la première moitié était nettement plus drôle. »

Pour la majorité des gens, les premières expériences sexuelles consistaient en de secrètes séances sur le siège arrière de la voiture, dans les clairières isolées ou dans la salle de jeux du sous-sol. C'était excitant parce que c'était interdit, une sorte de pied de nez à la société, un point gagné sur nos parents, et l'excitation était proportionnelle au risque d'être pris en flagrant délit.

« Lorsque j'étais adolescente, m'a raconté une femme, j'emmenais mon petit ami dans la salle de jeux au sous-sol. Chaque fois que nous entendions des pas au-dessus de nous, nous nous reboutonnions en hâte. Mais lorsque j'y pense maintenant, une partie de l'excitation provenait du risque d'être découverts, de la panique que nous ressentions. Nous étions obligés de recommencer fiévreusement à chaque instant. Et qui se souciait de la qualité de nos rapports sexuels? Nous étions bien trop occupés à y parvenir sans être découverts!»

Pour le meilleur et pour le pire, ces premiers exploits clandestins nous ont donné le goût d'une sexualité pimentée. Et certains de mes collègues sont persuadés que l'épidémie actuelle d'apathie sexuelle résulte directement de la révolution sexuelle. «Tout étant autorisé, a expliqué un collègue, la sexualité a perdu son côté "jeu interdit". Puisqu'il n'y a plus de règles à transgresser, l'apathie s'installe.»

Il a sans doute raison, mais la sexualité a toujours perdu son côté «jeu interdit» après le mariage et, pour la plupart d'entre nous, c'est justement là que le bât blesse: nous sommes mariés, nous n'avons *plus de règles à transgresser*. L'apathie s'installe. En fait, j'irais même jusqu'à dire que la cause la plus fréquente d'infidélité chez les couples mariés naît d'un désir profond de «transgresser les règles», de retrouver le caractère piquant des interdictions qui faisaient de nos premières expériences sexuelles des moments palpitants. J'ai eu l'occasion de m'entretenir avec un homme qui a appris cette leçon de la manière la plus douloureuse qui soit:

«Lorsque j'étais marié avec Linda, j'ai eu une liaison avec Sarah. Nous avons passé des moments merveilleux. Nous nous cachions dans des chambres d'hôtel pour faire l'amour à midi, nous nous rencontrions secrètement après le travail à mon bureau, dans ma voiture, n'importe où. Je me suis par la suite séparé de ma femme pour aller vivre seul et, bien entendu, Sarah a pris l'habitude de venir me retrouver dans mon appartement. Nous n'avions plus à nous cacher. Je ne sais pas pourquoi mais la qualité de notre vie sexuelle a rapidement commencé à se détériorer. Ce n'était plus excitant. Au bout de deux mois, nous avons rompu. Je répugne à l'avouer mais je crois que ce qui nous manquait à tous deux, c'étaient le danger, les risques que comporte une liaison secrète. Nous avions l'impression de faire l'amour comme les gens mariés. »

J'affirme une fois de plus que, si nous consacrions à notre vie sexuelle conjugale la moitié de l'énergie que nous consacrons (ou serions tentés de consacrer) à des liaisons extraconjugales, nous serions bien plus heureux. Nous pourrions retrouver le plaisir de transgresser les règles, sans pour autant violer les vœux du mariage. Tout ce dont nous avons besoin, c'est d'un peu d'imagination et de cran. «Mettre du clandestin dans son quotidien. »

«Une minute! protestez-vous. Ce n'est pas parce que nous avons appris à faire l'amour en cachette que nous devrions laisser libre cours à nos névroses! La sexualité adulte n'a pas besoin d'être perverse. En outre, nous sommes bien trop vieux pour jouer à des jeux d'enfants. »

Vous avez raison, la sexualité adulte n'a que faire de la «perversion», mais il est certain qu'un peu de piquant s'impose pour qu'elle demeure excitante. L'idée même de «sexualité adulte» me paraît morose, dépourvue de tout enthousiasme juvénile. Quant à nos névroses, je me demande si cela est tout à fait vrai. Même au sein des sociétés les plus «libérées», la sexualité garde un petit côté «peu civilisé», notamment «lorsque c'est bon». Au mieux, elle nous rapproche de notre être bestial tout en nous éloignant de notre être civilisé. Il s'agit donc toujours d'une violation des règles de conduite. Enfin, les gens qui se croient trop vieux pour jouer à des jeux d'enfants se pensent également trop vieux pour faire l'amour. De l'un à l'autre, il n'y a qu'un pas à franchir.

Faites sortir la vie sexuelle de la maison

Un couple, Terri et Borden V., m'a annoncé que le seul moment de l'année pendant lequel ils étaient satisfaits de leur vie sexuelle, c'étaient ces deux semaines de vacances annuelles qu'ils passaient à Nantucket.

« C'est comme si nous devenions deux personnes entièrement différentes dès que nous entrons dans le chalet, me dit Borden. Nous envoyons les enfants jouer sur la plage et nous nous déshabillons pour faire l'amour immédiatement. C'est merveilleux.

— Mais bien court ! a soupiré Terri. Je commence à compter les jours dès que nous rentrons à la maison. »

Il est vrai que la majorité des couples jouissent d'une vie sexuelle plus active pendant leurs vacances. Ils ont laissé l'anxiété professionnelle et les soucis familiaux derrière eux ; ils rompent avec la routine et les habitudes. Ils sont moins fatigués, plus détendus, plus heureux. Tous ces facteurs contribuent à améliorer la qualité de leur vie sexuelle. Mais il existe un autre facteur : faire l'amour dans un endroit différent, dans un lit différent et à des heures différentes permet de retrouver le piment des jeux interdits. Non seulement Terri et Borden faisaient-ils l'amour plus souvent qu'à la maison, mais encore essayaient-ils des variantes qu'ils ne prenaient jamais la peine d'expérimenter chez eux. En bref, ils transgressaient toutes les règles.

Je leur ai donc fait une suggestion qui pourrait pimenter, je crois, la vie sexuelle de n'importe quel couple : faire sortir la vie sexuelle de la maison, le plus souvent possible.

*Au lieu d'engager une baby-sitter pour vous per-
mettre d'aller dîner au restaurant puis d'aller
voir un film ou une pièce de théâtre, engagez-la
pour vous permettre de passer une soirée à faire
l'amour. Votre soirée ne vous coûtera pas plus
cher et elle sera nettement plus amusante.*

*Il n'est pas nécessaire de limiter la «sexualité-
vacances» aux vacances. Vous pouvez en jouir
une fois par semaine ou une fois par mois.*

Le fait de sortir la vie sexuelle de la maison nous
permet de surmonter les exigences de la sexualité
conjugale. L'amour devient une fête et non un
devoir. Nous sortons dans le but précis de nous
amuser au lieu de rester à la maison pour faire
l'amour à notre manière habituelle, comme des
grands. Ce simple changement d'habitudes a fait le
plus grand bien à Terri et à Borden. Voici ce que
Terri m'a ensuite relaté :

«Le premier soir, nous nous sommes inscrits au
Holiday Inn sans aucun bagage. Le réceptionniste
nous a regardés d'un œil soupçonneux et désapprobateur et nous avons dû nous faire violence pour ne
pas lui éclater de rire au nez. Une fois seuls dans la
chambre, nous avons commencé à nous imaginer
que le détective de l'hôtel allait venir nous demander notre contrat de mariage. Nous avons passé la
moitié du temps à rire et l'autre moitié à faire
l'amour. Lorsque nous sommes rentrés à la maison,
la baby-sitter nous a demandé si le film était bon et,
bien entendu, nous avons commencé à rire sous
cape. La fois suivante, nous sommes allés dans un
motel au New Jersey et Borden nous a inscrits sous
les noms de George et Martha Washington. Cette
fois, le réceptionniste a cligné de l'œil. Nous nous
sommes amusés comme des fous.»

Une fois que Terri et Borden eurent commencé à
faire sortir leur vie sexuelle de la maison, ils ont

constaté que leurs relations sexuelles « intra-muros » connaissaient aussi une nette amélioration. Leurs rapports devenaient plus fréquents et plus variés. « Nos sorties avaient des retombées sur ce que nous faisions chez nous, a raconté Borden. Comme si nous "ramenions" un peu du motel avec nous. »

L'aspect « coquin » des relations sexuelles peut revêtir les formes les plus diverses. D'autres couples s'efforcent non seulement d'aller faire l'amour hors de chez eux, mais aussi de varier le décor. Une femme m'a raconté : « Un soir nous allons dans un hôtel de luxe et la fois suivante nous échouons dans le bouge le plus mal famé que nous puissions trouver. Un jour, nous avons découvert une espèce d'auberge vétuste dans une ville proche de la nôtre. C'était le décor rêvé pour une liaison secrète, sorti tout droit d'un roman du XIXᵉ siècle. Si étrange que cela puisse paraître, nous avons commencé à imaginer un scénario. Nous avions une liaison secrète l'un avec l'autre. »

Non, cela ne me paraît pas étrange. Un décor nouveau libère souvent des fantasmes palpitants. Il nous permet d'être quelqu'un d'autre, d'être des amants mystérieux.

« Au bout de quelque temps, j'ai fini par considérer Myra comme ma maîtresse et non simplement comme ma femme, m'a raconté un homme. Elle me paraissait même *différente* lorsque je la regardais. Nous avons fini par adopter des surnoms que nous utilisons seulement lorsque nous faisons l'amour dans les chambres d'hôtel. »

Un autre couple de ma connaissance — tous deux très corrects et d'allure très conservatrice — passe des soirées dans des motels louches : chambres équipées de télévision en circuit fermé et de miroirs fixés au-dessus du lit.

« C'est notre secret, m'a confié l'épouse. Même nos amis l'ignorent. Nous devenons fous une ou deux fois par mois. Nous serions probablement très gênés si les gens que nous connaissons le découvraient, mais je crois que ce n'est pas la seule raison pour laquelle nous le cachons à tout le monde. C'est aussi qu'il est tellement plus excitant d'avoir une *vie secrète*. »

Ce couple avait une vie sexuelle terriblement inhibée à la maison et les soirées érotiques dans les motels n'ont jamais complètement éliminé leurs inhibitions. Elles n'ont pas eu de « retombées ». Pourtant, tous deux ont découvert un moyen inoffensif et agréable de préserver leur vie sexuelle, qui, à la maison, était quasi inexistante. C'était tout de même mieux que rien !

J'aimerais raconter les mésaventures d'un autre couple qui avait décidé de rechercher l'excitation sexuelle à l'extérieur de la maison. Tous deux se sont aperçus, presque par mégarde, que chaque fois qu'ils allaient passer une fin de semaine chez leurs parents, ils passaient la moitié de la nuit à faire l'amour.

« Au début, nous ne nous sommes pas vraiment rendu compte que cela nous arrivait presque chaque fois, m'a raconté l'épouse. Puis, une nuit, nous avons entendu mes parents monter l'escalier alors que nous étions au lit et le déclic s'est produit. Sur le moment, nous nous sommes sentis ridicules et un peu honteux d'être excités par l'idée que nous jouions aux "vilains petits enfants". Mais finalement, nous nous sommes dit : "Et puis après ? C'est amusant !" Nous nous efforçons d'aller voir mes parents au moins une fois par mois et nous passons des nuits merveilleuses chaque fois !

— Profitez-en bien », leur ai-je dit.

Écrivez vos propres scénarios érotiques

Dépourvue de toute fantaisie, la sexualité peut devenir une activité particulièrement prosaïque. Comme l'a déclaré un homme de ma connaissance : « Les fantasmes sexuels nous permettent de nous distinguer des animaux. Les chiens peuvent copuler, mais seuls les humains peuvent en faire un véritable scénario. »

Les meilleurs scénarios sont généralement quelque peu obscènes. Il s'agit de fantasmes entrecoupés de jeux interdits.

Plusieurs couples qui s'efforcent de faire l'amour ailleurs qu'à la maison aiment s'imaginer qu'ils vivent une liaison extraconjugale. Certains vont jusqu'à arriver séparément à l'hôtel, tandis que d'autres fixent leur rendez-vous à la dernière minute.

« Parfois, mon mari m'appelle au bureau. Il dit seulement : "Hôtel Lexington, cinq heures", et il raccroche. Ça me donne la chair de poule. »

Un autre couple m'a raconté que tous deux « jouaient à l'infidélité » chez eux. « Une fois, pendant que nous faisions l'amour, ma femme s'est exclamée : "Dépêche-toi, mon mari va venir." C'était amusant et agréable. Parfois elle se plaint de son "mari" et je peux accepter ses reproches sans m'énerver. Je suis l'amant compatissant et vous ne pouvez imaginer à quel point j'essaie de diminuer à ses yeux les défauts de son mari. »

Cependant, il arrive fréquemment qu'après m'avoir raconté leurs jeux et leurs fantasmes partagés ces couples avouent qu'ils se sentent quelque peu coupables et honteux d'y jouer. « C'est comme si je trichais en prétendant être quelqu'un d'autre aussi souvent. Ça ne me paraît pas normal de ne pas être moi-même pendant que nous faisons l'amour », m'a avoué une femme.

Un homme m'a expliqué : « Ça m'ennuie de penser que tous les jeux et les fantasmes que nous utilisons sont en fait des béquilles dont nous avons besoin pour vivre une vie sexuelle agréable. Je me dis que nous avons quelque chose d'anormal. »

En réalité, j'estime que ces couples sont chanceux de pouvoir réaliser leurs fantasmes ; ils leur permettent de rompre avec la routine et la monotonie de la vie quotidienne. Personne n'est dupé : chaque conjoint joue *avec* l'autre. Et une partie de l'excitation provient du fait que vous voyez double : vous êtes vous-même et quelqu'un d'autre à la fois. Non, les fantasmes sexuels n'ont rien d'anormal. Certains sont simplement plus explicites que d'autres, plus agréables que d'autres. J'ai récemment reçu des patients qui se plaignaient de n'avoir *aucun* fantasme sexuel. Je leur ai répondu : « Si votre vie sexuelle vous satisfait, de quoi avez-vous à vous soucier ? »

Je connais plusieurs couples dont la vie sexuelle a radicalement changé à partir du moment où ils ont décidé de vivre leurs fantasmes. Une femme, incapable de connaître l'orgasme jusqu'au jour où son mari et elle ont commencé à faire semblant qu'elle était une prostituée, m'a raconté : « Après, je lui disais toujours : "Laisse ton argent sur la commode." Ce jeu a quelque chose qui me libère et je crois qu'il libère aussi mon mari. Je suppose qu'on peut appeler cela de la "perversion", mais peu importe puisque maintenant j'atteins chaque fois l'orgasme. »

En jouant à la prostituée, cette femme était capable de laisser aller toutes ses inhibitions de petite fille rangée qui l'empêchaient d'éprouver du plaisir. Le fantasme s'est révélé un raccourci efficace. Son mari y prenait également plaisir. C'était bien inoffensif et loin d'être pervers.

On me demande souvent si les accessoires pornographiques tels que les images, livres et cassettes ainsi que les vibromasseurs et autres objets du genre peuvent contribuer à pimenter la vie sexuelle d'un couple. La réponse, comme c'est souvent le cas dans le domaine de la sexualité, est la suivante : oui, si vous le voulez vraiment et si ni l'un ni l'autre des deux conjoints n'est rebuté par ces méthodes.

En effet, beaucoup de gens, plus spécialement les femmes, jugent que la pornographie est dégradante. Il est évident que si l'un de vous deux partage cet avis, il est hors de question de l'introduire dans votre vie. En outre, certaines femmes ressentent de la jalousie face à des revues ou à des films pornographiques. Il n'est guère plaisant de savoir que son partenaire pense au corps de la vedette mensuelle de *Penthouse* (un corps souvent plus jeune et plus beau) pendant qu'il fait l'amour. Si vous appréhendez cela, la pornographie n'est pas non plus ce qu'il vous faut. Mais si vous n'y êtes guère sensible, si un film, une image ou un passage «croustillant» d'un livre vous aide à créer un fantasme, je ne vois pas pourquoi vous ne l'utiliseriez pas pour avoir des «idées» nouvelles. Je connais de nombreux couples qui utilisent les vidéocassettes pornographiques comme prélude à leurs rapports sexuels. Il est d'ailleurs reconnu que ces cassettes sont les plus vendues aux Etats-Unis.

«On ne nous prendra jamais dans un cinéma louche, m'a raconté un homme. Mais grâce à notre magnétoscope, nous pouvons attendre que les enfants soient couchés pour profiter de notre projection privée. La première fois, ma femme a été légèrement rebutée à cette idée. Mais, après avoir fini la soirée en faisant l'amour sur le tapis alors que le film n'en était qu'à la moitié, elle a changé d'avis. Nous avions l'impression d'être redevenus des adolescents pervers.»

Un autre couple m'a raconté qu'au bout de quelque temps tous deux étaient devenus de fins connaisseurs en matière de films pornographiques.

« Nous nous disions : Ah, si j'étais le réalisateur, j'aurais tourné cette scène comme ci ou comme ça. Nous avons fini par écrire nos propres scénarios, devant la télévision et, bien entendu, par les jouer. Nous avons fait des choses auxquelles nous n'avions jamais pensé auparavant en nous disant que la "caméra" nous filmait. Je dois avouer que notre vie sexuelle a repris du tonus depuis que nous sommes devenus nos propres vedettes porno ! »

Ce couple avait trouvé le fantasme qui lui convenait. Ils étaient devenus sexuellement plus libres, plus audacieux. Mais, à l'instar de nombreux couples, ils se demandaient s'ils ne risquaient pas de devenir esclaves de leur propre jeu.

« Quoi de mieux que devenir esclaves de votre propre imagination ? » leur ai-je demandé. En réalité, ils me demandaient la permission de se conduire comme des « coquins ». Cette permission était bien inutile.

Dans le même ordre d'idée, les vibromasseurs et autres accessoires vendus dans les boutiques spécialisées peuvent ajouter de la variété à votre vie sexuelle si vous les utilisez d'une manière hygiénique et si *aucun des partenaires n'est dégoûté*. Mais si votre partenaire considère ces aides comme effrayantes ou dégradantes, vous ne gagnerez rien en le contraignant à les utiliser. Vous risquez plutôt de sonner le glas de votre vie sexuelle.

L'art de dire des obscénités

L'un des couples qui étaient venus me consulter parce qu'ils étaient « trop occupés » pour faire l'amour me disait la vérité. Tous deux avaient des professions qui exigeaient de nombreux déplacements prolongés. Ils n'étaient chez eux en même temps qu'une semaine sur quatre.

«Nous ne voulons pas de liaison, m'a expliqué le mari. Mais se masturber seul dans une chambre d'hôtel n'a rien d'amusant. Nous avons pensé changer de métier. Nous avons même envisagé de divorcer. Mais ce n'est pas ce que nous voulons.

— Pourquoi ne pas faire l'amour par téléphone? ai-je suggéré. C'est toujours mieux que rien.»

Effectivement, l'«amour par téléphone» s'est révélé une solution aux problèmes de ce couple. Avec le temps, les deux conjoints ont perfectionné leur technique afin de rendre cette activité de plus en plus sensuelle. L'épouse m'a raconté ce qui suit: «Nous commençons par nous dire ce que nous aimerions mutuellement nous faire. Vous ne pouvez imaginer les détails que nous nous donnons. Ensuite, lorsque nous sommes bien excités, nous parlons de ce que nous sommes en train de nous faire, chacun de notre côté, et de ce que nous ressentons. Nous gémissons et hurlons au téléphone au moment de l'orgasme. C'est fantastique!»

Son mari a ajouté que l'amour par téléphone avait considérablement revitalisé les rapports sexuels «concrets» auxquels ils pouvaient se livrer pendant leur semaine mensuelle de vie commune. «C'est comme si nous reprenions le fil de notre dernière conversation téléphonique. Nous n'avons plus besoin de refaire connaissance à chaque reprise. En outre, ces séances téléphoniques ont quelque chose de spécial, qui fait travailler notre imagination. Nous parlons de choses que nous n'aurions jamais pensé faire autrefois. Et, lorsque nous nous retrouvons, nous tentons l'expérience.»

Des conversations téléphoniques sensuelles ont permis à l'imagination de ce couple de se débrider. La distance physique qui les séparait leur permettait d'éliminer toute l'anxiété dont ils auraient peut-être souffert s'ils s'étaient trouvés face à face à ce moment-là. Mais, comme l'a compris l'épouse, il y avait autre chose. « Soyons réalistes, m'a-t-elle dit. Ce que nous faisons, ce sont des appels obscènes. Nous en arrivons même à respirer fort. Je dois dire que je me sens incroyablement coquine, surtout après avoir passé la journée en réunion, à jouer les saintes-nitouches dans mon tailleur strict. »

J'encourage souvent les gens qui se plaignent de la monotonie de leur vie sexuelle à employer des termes crus dans leurs conversations — téléphoniques ou autres — avec leur conjoint. Il est peut-être plus facile de prendre l'habitude de le faire au téléphone car, nous l'avons vu, le contexte est moins menaçant. Une femme m'a raconté que son mari et elle se faisaient fréquemment des appels téléphoniques obscènes pendant la journée : « Je l'appelle, même s'il est en réunion, et je dis quelque chose comme : "Ne bouge plus, je viens de mettre la main dans ta braguette. A ce soir." Nous rions bien mais il est hors de doute que c'est très excitant. »

Un autre couple de ma connaissance, dont la sexualité souffrait de leur vie familiale — ils avaient quatre enfants à la maison —, a instauré un rite quotidien : lorsqu'ils se retrouvent en fin d'après-midi, ils se murmurent de douces obscénités dans l'oreille tout en se donnant un chaste baiser sur la joue.

« Au lieu de nous embrasser vertueusement tandis que les enfants s'agrippent à nos vêtements, m'a expliqué l'épouse, nous chuchotons les choses les plus scandaleuses dans l'oreille de l'autre, *pendant* que les enfants se pendent à nous. L'effet semble se prolonger jusqu'au moment où nous nous retrouvons seuls. Alors, nous sommes prêts à joindre le geste à la parole. »

Ces « murmures obscènes » ont transformé l'image qu'ils avaient l'un de l'autre. Au lieu d'être suffoqués par l'atmosphère asexuée de leur foyer, ils ont «violé les règles» en se chuchotant des obscénités devant les enfants. Ils ont réussi à ne pas se laisser écraser par le décor «asexué» de la maison. Au contraire, ils ont saisi l'occasion d'en faire le théâtre d'un amour «coquin».

«S'il vous plaît, séduisez-moi!»

De temps à autre, hommes et femmes déclarent que ce qui leur manque le plus depuis leur mariage, c'est l'excitation du *processus de séduction*. Une femme, Liz Q., m'a raconté: «Avant notre mariage, Hal faisait son grand numéro pour m'amener au lit: des fleurs, du vin, de la musique douce, une conversation romantique, des baisers, etc. C'était merveilleux. Mais c'est fini! Aujourd'hui, il ne fait rien avant l'heure du coucher et, une fois au lit, il passe directement aux choses sérieuses.»

Cette femme trouvait qu'elle était rarement «dans l'ambiance» lorsque son mari avait envie de faire l'amour. Elle avait réussi à inventer tout un répertoire d'excuses qu'elle utilisait pour refuser ses avances tardives et symboliques. Pour Liz, la sexualité était devenue une corvée conjugale, rien de plus. Le plaisir de l'excitation avait bel et bien disparu.

«La prochaine fois qu'il veut faire l'amour sans aucun préliminaire, lui ai-je conseillé, ne prétextez pas un mal de tête. Dites-lui simplement: "Séduis-moi." Peut-être retrouverez-vous ainsi un semblant de cette atmosphère de séduction qui vous plaisait tant autrefois.»

J'ai ajouté que si elle acceptait de se livrer à ce petit «jeu», elle devrait *être prête* à faire l'amour. En d'autres termes, elle n'était pas obligée de promettre qu'elle se laisserait séduire, mais elle devrait néanmoins accepter cette possibilité.

Le jeu de la séduction est un excellent moyen de briser la routine de la sexualité conjugale. Certains hommes, notamment, y retrouvent l'excitation de la conquête : l'épouse n'est pas simplement allongée, attendant, ou plutôt exigeant, sa «dose» de sexualité. On doit la séduire, la mettre dans l'ambiance. Le mari doit faire un effort pour se montrer séduisant. De même, une femme qui pense avec nostalgie au plaisir de la séduction, aux attentions flatteuses d'un amant ardent, peut se sentir plus désirable et donc, plus sensuelle. En outre, pour de nombreuses femmes telles que Liz, le fait de demander au mari «Séduis-moi» brise le cycle infernal du «sacrifice sexuel». Au lieu de céder, la femme peut jouer au jeu vieux comme le monde qui consiste à faire «payer» avec des fleurs et des déclarations d'amour ses faveurs. Le jeu de la séduction ralentit le cours des événements, les rend plus excitants, rappelle ce qu'étaient les rapports sexuels avant que nous les réduisions à un acte purement génital.

Ce jeu renferme un autre élément susceptible de nous rappeler nos premières expériences sexuelles : l'incertitude. Voudra-t-elle ou ne voudra-t-elle pas ? Envolés, les droits acquis de la sexualité conjugale ! Le jeu de la séduction remet tout en question. Sachant que la conclusion est un fait accompli avant même que nous entamions les préliminaires peut nous inciter à nous dépêcher. Mais ignorer comment l'autre personne réagira à nos avances fait de l'expérience une véritable aventure.

Bien entendu, ce jeu comporte des dangers. La première fois que Liz a demandé à son mari de la «séduire», il a répondu : «Tu rigoles ?» Etant donné qu'ils étaient mariés, il considérait que les «jeux» n'étaient plus de mise. Une fois dans mon cabinet, il s'est expliqué : «Il est ridicule d'avoir à séduire sa propre femme. Cette période de notre vie est terminée. Nous ne sommes plus des adolescents.

— Voulez-vous dire que la sexualité conjugale ne doit pas être amusante? »

Il a haussé les épaules.

« Je veux simplement dire que je n'ai plus de temps à perdre à toutes ces bêtises aujourd'hui. Je travaille dur toute la journée. Je n'ai pas envie d'avoir à travailler dur pour un simple soulagement sexuel dans ma propre maison. »

Hal, apparemment, avait le temps de faire l'amour, mais il n'avait pas le temps d'en faire une expérience excitante. Pour lui, la séduction était un travail plutôt qu'un plaisir.

« Que préférez-vous? Les maux de tête de votre femme ou une aventure sexuelle qui exigerait un peu d'énergie et d'initiative de votre part? »

De nouveau, il a haussé les épaules mais, lorsque Liz lui a redemandé de la « séduire », il a accepté de faire un tout petit effort dans ce sens.

« Vraiment un tout petit effort, m'a ensuite raconté Liz. Il a passé sa main dans mes cheveux en me disant qu'ils étaient beaux. C'est tout. Il voulait faire l'amour sur-le-champ. Mais je n'ai pas réussi à me mettre dans l'ambiance. Alors, il s'est mis en colère. Il m'a dit qu'il avait essayé de jouer à mon petit jeu et que, si ça ne suffisait pas, tant pis pour moi.

— Recommençons à zéro, ai-je proposé. Cette fois, c'est vous qui allez le séduire. Et commencez tôt dans la soirée, avant même qu'il ait des idées. »

Liz a d'abord refusé. Elle avait l'impression que cette initiative alimenterait l'égoïsme de son mari. Je l'ai cependant convaincue de tenter l'expérience. Quelques jours plus tard, Hal a avoué qu'il avait trouvé cela amusant : « Nous avons joué au chat et à la souris. Elle me disait quelque chose de provocant et, lorsque j'essayais de l'attraper, elle se sauvait dans une autre pièce. Puis elle revenait, déboutonnait ma chemise pour me caresser la poitrine. Ça a duré des heures. »

Hal a découvert que les petits «jeux» avaient leur côté plaisant. Sans s'en rendre compte, il était las de jouer le rôle d'initiateur. Il en avait assez d'être toujours celui qui faisait les premiers pas. Cela expliquait en partie sa «paresse» et, bien entendu, son refus de jouer au jeu de la séduction. En réalité, il désirait être séduit. Lorsque je lui suggérai qu'il serait peut-être judicieux que chacun d'eux séduise l'autre à son tour, il s'est montré beaucoup plus coopératif. La fois suivante, il a joué le rôle de séducteur et tous deux ont jugé que l'expérience valait la peine d'être tentée. Au bout de quelque temps, le jeu de la séduction a atteint une autre étape : Qui allait séduire qui? Le couple avait retrouvé son harmonie sexuelle.

La première fois... A chaque fois

Chaque séduction comporte sa part de suspense. C'est un peu comme un jeu interdit, une violation des règles. Ce suspense peut être accentué en changeant le lieu de séduction. Pourquoi ne pas retrouver le décor de vos premières amours? La voiture, le cinéma en plein air, le restaurant, l'hôtel. C'est une manière de retrouver les sensations qui nous ont envahis avant que la routine et la conclusion garantie nous privent de toute spontanéité.

Lorsqu'un couple marié m'annonce que sa vie sexuelle a perdu de son piment, je lui conseille de se souvenir d'une expérience sexuelle particulière qui est devenue un bon souvenir. Chaque couple en a au moins une.

« Nous étions au cinéma, m'a raconté une femme. Le film était stupide et ne nous intéressait guère. Et nous avons commencé à nous caresser. Nous n'en pouvions plus. Mon soutien-gorge était défait, sa braguette aussi. A un moment donné, nous nous sommes regardés puis nous nous sommes précipités dehors pour faire l'amour dans la voiture. C'était fantastique. Mais je suppose que ce serait difficile à refaire ! Nous n'avons jamais essayé.

— Refaites-le, lui ai-je dit. Allez au cinéma, choisissez un film bien ennuyeux et recommencez à vous caresser. Allez aussi loin que vous voulez. Transgressez toutes les règles. »

C'est une expérience dont tous peuvent profiter.

Recréez le décor d'une expérience passionnée d'autrefois : un autobus, une voiture, un porche, n'importe quoi. Et refaites les mêmes gestes qu'autrefois.

Un couple m'a raconté que son grand plaisir était de s'installer dans la voiture, au milieu de la nuit, pour s'y comporter comme des adolescents.

« Je sais que c'est insensé, m'a dit le mari. Mais c'est si amusant. Lorsque j'y réfléchis maintenant, nous caresser autrefois était bien plus excitant que les rapports sexuels du type « un-deux-trois-partez » que nous avons dans la chambre à coucher. C'est pourquoi aujourd'hui nous nous caressons dans la voiture et nous précipitons ensuite vers la chambre. Nous jouissons ainsi du meilleur de deux mondes. »

Pour la plupart des couples mariés, les caresses — particulièrement lorsque nous sommes encore habillés — ne représentent plus qu'un lointain souvenir. Il nous paraît ridicule de prendre la peine de nous caresser tout habillés alors que nous n'avons qu'à nous déshabiller avant de sauter dans le lit. Pourtant, c'était si excitant autrefois ! Pourquoi abandonner ce plaisir ? Je sais qu'il est difficile de briser la routine de la sexualité conjugale à la maison. Il faut changer d'état d'esprit et, pour ce faire, il faut commencer par changer de décor.

« Au début, nous nous sentions un peu ridicules, m'a raconté une femme. Nous sommes retournés au même motel qu'autrefois, dans la même chambre et, une fois replongés dans ce décor, nous nous sommes regardés d'un air gêné, comme si nous étions des étrangers l'un pour l'autre. Mais, en fait, c'est justement ça qui rendait la situation si agréable. C'était comme si nous recommencions à faire l'amour ensemble pour la première fois. Nous étions aussi timides que cette fois-là. Depuis, nous retournons à ce motel environ une fois par mois. Je crois que nous l'avons fait au moins vingt fois *pour la première fois*. »

En public, il n'y a rien de meilleur

Le couple qui commençait à faire l'amour dans la voiture avant de se précipiter dans la chambre m'a avoué qu'une partie du plaisir provenait des réactions des voisins.

« Parfois, nous voyons la dame qui habite à côté nous observer derrière ses rideaux, a raconté le mari. Nous nous cachons derrière le dossier et nous rions comme des fous. Nous sommes sûrs qu'elle est jalouse de nous. »

Le côté « pied de nez » de l'amour « coquin » est essentiel. Après tout, la transgression des règles est un acte social : nous ne pouvons être « méchants » ou « sales » à moins qu'une société ne soit là pour désapprouver notre conduite... Et pour menacer de nous prendre sur le fait. Pour la plupart d'entre nous, la sexualité la plus excitante et la plus coquine est celle qui « flirte » avec l'exhibition.

« *Une minute !* protestent en chœur les lecteurs. *Si vous commencez à recommander l'exhibitionnisme, nous ne sommes plus d'accord. Ce que deux personnes font ensemble les regarde, mais ce qu'elles*

*font en public regarde tout le monde. Et ce que vous
suggérez est absolument dégoûtant!»*

Attention! Loin de moi l'idée de recommander
l'exhibitionnisme. Tout d'abord, nous savons tous
que la nudité et la copulation sont interdites en
public. Mais je suggère à ceux qui sont de l'avis de
Woody Allen (Seulement quand c'est bon) de tenter
l'expérience en demeurant *à la limite* de l'exhibition. Personne ne peut être scandalisé, car personne
ne saura ce que vous faites. Pourtant, vous retrouverez une partie de l'excitation que provoque la violation des règles.

Il est probable que cette simple idée remplisse
certaines personnes d'anxiété. Beaucoup d'entre
nous ne supportent pas les témoignages les plus
innocents d'affection en public. Ils sont même incapables de s'arrêter au coin d'une rue pour donner
un baiser à leur partenaire sans être affreusement
gênés. Et c'est bien dommage. D'un baiser en public
émane un éclat bien particulier. Un éclat très sexy.
C'est d'ailleurs un bon moyen de surmonter la timidité.

> *La prochaine fois que vous êtes seuls dans une
> rue tranquille, arrêtez-vous et embrassez-vous.
> Ne vous inquiétez pas, on ne vous arrêtera pas.
> Vous entendrez peut-être quelques petits rires,
> mais je crois que vous ferez surtout l'objet de
> regards envieux.*

*«L'affection est quelque chose de très person-
nel*, continuent à protester certains lecteurs. *Et
l'affection que l'on démontre en public perd de sa
noblesse.»*

Si c'est là votre avis, tant pis pour vous. Mais ce
n'est pas l'avis de tout le monde et certainement pas
le mien. Lorsque je vois un couple s'enlacer ou
s'embrasser en public, je trouve subitement le
monde plus rose autour de moi. Cela me place dans

278

un état d'esprit romantique qui demeure parfois en moi pendant des heures.

Cependant, lorsque l'affection a tendance à se confondre avec la sexualité, la situation devient plus délicate. Et très, très excitante. De nouveau, il est préférable de commencer par une expérience innocente.

> *La prochaine fois que vous vous embrasserez en public, chuchotez quelques mots grivois à l'oreille de votre partenaire. Vous ne faites aucun mal, personne ne sera scandalisé. Mais votre petit secret vous fera palpiter pendant le reste de la journée.*

Les petits secrets grivois murmurés en public peuvent s'avérer très amusants. Je connais un couple qui, pendant une réception, a l'habitude de se chuchoter des petits mots lascifs avant de se séparer pour bavarder avec d'autres invités.

«Nos amis nous demandent toujours quels sont nos secrets. Nous leur répondons que nous travaillons pour la C.I.A.»

C'est le caractère secret de ces gestes qui rend les jeux publics excitants. En outre, ils nous rapprochent l'un de l'autre. Le secret est le nôtre et nous sommes seuls à le partager. Mais bien entendu, il disparaît lorsque nous nous retrouvons dans notre chambre à onze heures. Rien de secret là-dedans.

Lorsque j'étudiais à l'institut Karolinska de Stockholm, nous avions le choix entre deux ascenseurs. L'un était muni d'une fenêtre et l'autre pas. Les couples choisissaient invariablement l'ascenseur sans fenêtre. Il constituait un décor privé mais en même temps public dans lequel il était particulièrement amusant de se livrer à quelques attouchements rapides entre les cours. Le jeu consistait, évidemment, à voir jusqu'où on pouvait aller avant que les portes ne s'ouvrent à nouveau. Tous les couples ne parvenaient pas à reprendre une tenue respectable à temps. C'était ce qui rendait le jeu particulièrement excitant.

Nous avons probablement tous eu des fantasmes dans lesquels nous faisions l'amour en public. Les médias ne se sont pas gênés pour en tirer parti. Dans la scène la plus mémorable du film *Shampoo*, Julie Christie rampe sous la table au cours d'un grand dîner pour faire l'amour oral à Warren Beatty. La sensualité de cette scène provient en grande partie du fait qu'il s'agit d'une réception mondaine accueillant des gens très respectables. L'idée n'aurait pas été aussi cocasse si les protagonistes s'étaient trouvés dans un bouge mal famé. Je ne connais guère de femmes qui auraient l'audace d'aller aussi loin que le personnage de ce film, mais certains jeux moins risqués peuvent se révéler tout aussi amusants.

Une femme m'a raconté que son mari et elle adoraient aller manger dans de grands restaurants pour justement « s'amuser » sous la table.

« Une fois que le potage est devant nous, je retire l'une de mes chaussures et je place mon pied sur la braguette de mon mari. Ensuite, je le remue tout doucement. Ça le rend fou. J'ai découvert qu'on pouvait toujours s'en tirer lorsqu'on était habillée en "dame". »

Justement, jouer le rôle d'une « dame » ou d'un « monsieur » amplifie le plaisir. Nous sommes excités par le contraste évident entre notre apparence respectable et ce que nous faisons secrètement.

Un autre couple que je connais a pris l'habitude de s'enfermer dans une cabine téléphonique qui se trouve dans le vestibule d'un hôtel de première classe. La femme se baisse jusqu'à ce qu'elle soit complètement hors de la vue des passants tandis que le mari fait semblant de donner un coup de téléphone.

«Parfois nous donnons véritablement un coup de téléphone, m'a dit le mari, et nous poursuivons une conversation avec notre interlocuteur sans cesser de nous caresser. Mais ce n'est pas une situation que je recommande lorsqu'il s'agit d'appels importants.»

Inspiré par le film *Emmanuelle*, un autre couple a l'habitude de se glisser dans les toilettes des avions pour y faire l'amour. Les transports publics regorgent de possibilités excitantes. Un autre couple que je connais attend que le film soit commencé dans l'avion. Ensuite, tous deux étendent une couverture sur leurs genoux et se caressent mutuellement par-dessous. Ils ne font de mal à personne; personne ne se doute de ce qu'ils font. Mais le suspense est présent.

N'ayez pas peur de faire du bruit

Les inhibitions sont comparables à des feux d'artifice: lorsque l'une «éclate», plusieurs autres la suivent automatiquement, nous permettant de jouir davantage de notre vie sexuelle. L'inverse est également vrai: lorsque nous inhibons un aspect de notre sexualité, nous en inhibons automatiquement plusieurs, rendant ainsi nos rapports sexuels plus tendus et moins satisfaisants. Une petite explosion peut déclencher un merveilleux feu d'artifice sexuel; quoi de plus simple que l'expression bruyante de notre plaisir?

Faire du bruit est un exercice que je recommande à tous les couples. Non seulement le bruit présente-t-il un léger soupçon d'«interdit», mais encore il libère nos sensations. Il nous permet de nous laisser aller. Et, pour la majorité des couples, il fait exploser une très grosse inhibition.

En premier lieu, certaines personnes ont peur de

ce que les enfants ou les voisins penseront s'ils entendent des cris et des gémissements. Mais, en général, il s'agit d'une crainte non fondée. Les téléviseurs et les chaînes stéréophoniques couvrent certainement tous les autres bruits. Les enfants ne se réveilleront pas. En outre, pourquoi ne pas mettre un disque pour couvrir le bruit? Un couple m'a raconté qu'ils faisaient l'amour au son de l'*Ouverture de 1812*: «On ne nous entend pas à travers ces roulements de tambours et ces grondements de canons.»

En réalité, nous avons peur de faire du bruit parce que nous avons peur de ce que notre partenaire pensera de nous. Beaucoup de femmes m'ont affirmé qu'elles n'émettaient qu'un léger soupir en atteignant l'orgasme car elles ne voulaient pas ressembler à n'importe quelle «dévergondée». Un gémissement, un cri ou un rire guttural manque trop de «féminité». Les filles bien élevées n'émettent que des bruits respectables.

En général, je réponds ainsi à ces femmes: «Une fille bien élevée ne s'amuse pas beaucoup au lit. Un bon moyen de cesser d'en être une afin de commencer à prendre plaisir à ce que vous faites consiste à ouvrir la bouche et à hurler tout votre soûl.»

Il arrive souvent que ce soit la réaction éventuelle du mari qui inquiète. Que pensera-t-il? Il est vrai que certains hommes, persuadés que leur épouse entre dans la catégorie des «madones», risquent d'être dégoûtés par un gémissement lascif. Pourtant, ce genre de traitement de choc leur ferait beaucoup de bien. Ils découvriront malgré eux que le bruit les excite. Ils verront pour la première fois leur épouse comme un être sexué et s'apercevront que la sexualité conjugale est une bonne chose. Il n'est pas nécessaire de fréquenter des femmes «de mauvaise vie» pour prendre plaisir à faire l'amour.

Certains hommes se sentent menacés par une femme bruyante pendant qu'ils font l'amour, car ils interprètent ces gémissements et ces cris comme des exigences. Seront-ils capables d'être à la hauteur? De nouveau, en s'habituant peu à peu à un bruit joyeux, ils pourront oublier la prétendue menace et commenceront à apprécier les gémissements et les cris de leur épouse, qu'ils devraient d'ailleurs interpréter comme un éloge et non comme un jugement défavorable.

Un certain nombre de femmes sont au départ dégoûtées par les grognements de leur mari. Elles ont l'impression «d'être au lit avec un animal».

«Justement, leur dis-je. Il n'y a pas de meilleur endroit que le lit pour se comporter comme des animaux.»

Beaucoup d'hommes et de femmes s'efforcent de se taire pendant qu'ils font l'amour. C'est une habitude qu'ils ont prise au cours de leur adolescence, alors qu'ils se caressaient devant la porte de la maison familiale ou qu'ils se masturbaient dans la salle de bains. Trop de bruit risquait de les perdre. Pourtant, il faut absolument se débarrasser de cette habitude de silence pour jouir pleinement de sa sexualité.

Certains couples commencent par faire du bruit lorsqu'ils font l'amour ailleurs qu'à la maison.

«Nous étions dans un motel et nous nous fichions complètement des voisins, m'a raconté une femme. J'ai ouvert la bouche et je me suis laissée aller. Bill m'a imitée aussitôt. Les gens devaient penser que notre chambre était une étable mais ça nous était tout à fait égal. Au bout d'un moment, nous avons été pris d'une crise de fou rire.»

Ce couple a peu à peu réussi à transporter «l'étable» à la maison et leur vie sexuelle s'est libérée progressivement: «Lorsque je gémis, je bouge différemment, m'a expliqué la femme. Et j'ai envie de tout faire, tout me paraît réalisable. »

Il existe un autre moyen de s'habituer aux bruits sexuels. Commencez par gémir et hurler séparément, sans le moindre contact sexuel.

> *Tout habillés mais seuls, dans un endroit où personne ne peut vous entendre, imitez des bruits sexuels. Faites autant de bruit qu'il vous plaît. Augmentez progressivement le caractère lubrique des bruits, jusqu'à ce que vous simuliez les orgasmes les plus bruyants. Ne vous inquiétez pas de savoir qu'on peut vous entendre. Et n'ayez pas peur de rire. C'est un jeu.*

Cependant, ce jeu peut vous mettre rapidement à l'aise. Un couple m'a raconté qu'aussitôt le jeu terminé ils s'étaient tous deux précipités au lit pour « s'entraîner » dans des conditions réelles.

« Nous avons constaté avec étonnement que cela nous excitait beaucoup. »

Personnellement, je n'ai pas été surprise du tout.

Comme dans les exercices précédents, une approche prudente s'impose afin que l'un des partenaires ne se sente ni écrasé ni dégoûté. Vous devez découvrir le degré de « coquinerie » qui vous convient à tous les deux. Si vous essayez de forcer votre partenaire à aller au-delà de ses capacités, vous vous retrouverez immédiatement à la case de départ. Les deux conjoints doivent désirer tenter des expériences et faire preuve d'imagination. Concoctez vos propres exercices et partez à l'aventure. Tout le monde en est capable.

Et, incidemment, l'aventure la plus « osée » consiste sans doute à transgresser la règle la plus sacrée de la sexualité conjugale, la règle qui nous empêche de tenter d'autres expériences sexuelles que le seul, le vrai, l'unique coït. Dans le chapitre suivant, intitulé «Buffet de gourmandises sexuelles», nous verrons qu'il existe de nombreuses autres options sexuelles. L'audace est de rigueur et ne craignez pas d'émettre tous les bruits que vous voulez afin de faire éclater vos inhibitions.

14

Buffet de gourmandises sexuelles

«Notre vie sexuelle est devenue tellement routi-
nière, tellement ennuyeuse, si prévisible, que la
seule solution qui me reste consiste à faire l'amour
avec quelqu'un d'autre.»

J'ai entendu un nombre incalculable d'hommes et
de femmes frustrés se plaindre en ces termes.
Chaque fois que l'un d'entre eux vient me consulter,
je suis frappée par le triste manque d'imagination
dont nous sommes victimes. *Ces gens préfèrent envisager de changer de partenaire plutôt que de modifier
leurs habitudes sexuelles!*

Les vieilles habitudes ont la vie dure. Nous
sommes tellement prisonniers de nos méthodes
sexuelles que l'idée de s'en débarrasser paraît plus
insupportable que l'idée d'abandonner notre famille.
A force de faire l'amour avec la même personne,
nous parvenons à mettre au point une «méthode»
qui semble efficace et nous l'adoptons, jusqu'au jour
où, inévitablement, l'apathie et l'ennui sexuels s'ins-
tallent. L'expérience m'a appris que les personnes
qui *répugnent le plus* à tenter de nouvelles expériences sexuelles, à déguster le buffet de gourmandises sexuelles qui est à la portée de tous, sont celles
qui n'avaient jamais connu de problème sexuel
jusqu'au jour où elles ont découvert qu'elles s'en-

nuyaient au lit. Les gens qui sont victimes d'un problème précis sont prêts à essayer n'importe quoi pour le résoudre. Mais ceux qui ont vécu des années de routine sexuelle apparemment sans anicroche ne se rendent pas compte qu'ils ont un grave problème : *l'absence de souplesse de leur vie sexuelle.*

Dans le chapitre 4, nous avons étudié la cause première de cette absence de souplesse. Nous sommes prisonniers de l'accouplement pur et simple, qui constitue la seule forme légitime et « décente » d'activité sexuelle pour des adultes mûrs et mariés. Par conséquent, nous rejetons toutes les variantes sexuelles sous divers prétextes : elles sont puériles, sales, perverses, dégradantes, etc. Même les personnes qui tentent occasionnellement la masturbation mutuelle ou l'amour oral reconnaissent qu'elles ne peuvent par la suite se débarrasser d'un vague sentiment de culpabilité.

Et voilà comment l'ennui s'installe.

Je n'enjoins pas à tous les couples d'expérimenter les variantes décrites dans ce chapitre. Il n'est pas dans mes intentions d'accentuer l'esprit de compétition avec lequel notre société tend à envisager la sexualité. Mais je demande à chaque couple d'*envisager* tout au moins ces options, notamment si leur sexualité leur paraît manquer de piment. Ces variantes concrétisent-elles un fantasme secret que vous avez gardé au fond de vous-même pendant des années ? Vous paraissent-elles tentantes ? Avez-vous envie de les essayer… Juste une fois ? Vous n'avez rien à perdre en y pensant et en en discutant avec votre partenaire. Tout ce que vous avez à y gagner, c'est une mosaïque de délices sexuelles, un élargissement de vos goûts, une gamme de variantes sexuelles qui peuvent vous tirer des griffes de l'ennui.

Le simple fait d'en parler n'est pas toujours facile. Après toutes ces années, il peut être difficile de décrire un fantasme secret, qui n'est, après tout, que l'expression de ce qui manque à votre vie sexuelle. Par exemple, comment annoncer tout de go à votre conjoint : « J'aimerais essayer l'amour oral », après vous en être passé pendant quinze ans.

La première règle est de ne *pas* tenir de telles conversations dans la chambre à coucher et encore moins dans le lit, juste avant de faire l'amour. Vous risquez de gâcher votre soirée qui se passera en récriminations, en remords ou, pire, en querelles. La meilleure solution à ce petit problème m'a été suggérée par un couple qui se retrouve parfois dans un café après le travail afin de discuter des variantes sexuelles qu'ils aimeraient expérimenter la prochaine fois.

« Je crois que c'est le fait d'être en zone neutre qui fait toute la différence, m'a expliqué la femme. Ni pression ni anxiété. Il me dit par exemple : "J'aimerais que tu lèches mon corps" et je lui réponds : "Moi aussi. Passe-moi le sucre." Et nous éclatons de rire. Mais la fois suivante, lorsque nous nous retrouvons pour faire l'amour, nous mettons en pratique les choses dont nous avons parlé en prenant notre café. »

Parfait, la pause café est terminée. Passons au buffet.

Et l'amour tout habillés ?

La plupart d'entre nous n'ont pas fait l'amour tout habillés depuis leur adolescence. Une fois adultes et mariés, nous nous déshabillons entièrement avant même de commencer. Quel dommage ! Vous souvenez-vous à quel point il était excitant de caresser un sein recouvert de tissu ou, en nous embrassant, de frotter nos bassins l'un contre l'autre ? Ces petits plaisirs nous rendaient fous. Que dire de la main passée à l'intérieur d'une chemise ou d'un soutien-gorge, de doigts qui remontent le long d'une jambe recouverte d'un bas, ou de doigts glissés subtilement dans une braguette prête à éclater! Les *promesses* étaient merveilleuses. Pourquoi nous dispensons-nous de ces étapes aujourd'hui? Est-il si urgent d'en arriver immédiatement aux « choses sérieuses » ?

« Mais une fois mariés, il n'est plus nécessaire de recommencer tous ces tripotages, me disent les gens. Vous ne faites que prolonger les choses par un jeu puéril totalement inutile. Et vous savez bien que c'est un jeu.

— Bien sûr. Et il n'y a rien de répréhensible à ce jeu dans la mesure où notre vie sexuelle y trouve son compte. »

Plus nous prolongeons les préliminaires, plus nous sommes susceptibles d'éprouver du plaisir. Pour être plus précise, je dirais que plus la tension sexuelle monte, plus notre orgasme risque d'être fort, car plus nous attendons, plus nos organes génitaux se congestionnent. Par conséquent, le soulagement de cette tension est d'autant plus grand.

En outre, commencer à faire l'amour tout habillés nous donne la chance de retrouver l'excitation du jeu de la séduction. Au lieu de commencer tout de suite, avec l'assurance d'atteindre un orgasme, nous pouvons jouer sur l'élément d'incertitude que comporte l'amour tout habillés. Nous nous taquinons mutuellement en nous demandant : « Voudra-t-il [voudra-t-elle] ou ne voudra-t-il pas [ne voudra-t-elle pas] ? »

Beaucoup d'hommes et de femmes aiment bien les caresses-surprises. Par exemple, si vous vous trouvez dans un cinéma ou devant votre téléviseur, vous pouvez soudainement laisser tomber votre main sur la cuisse de votre mari pour caresser légèrement son pénis. Ou il peut arriver par-derrière alors que vous êtes en train de vous coiffer pour vous caresser furtivement les seins. Que l'affaire se termine là ou non n'entre pas en ligne de compte. Ce sont des moments semblables qui permettent à des conjoints de conserver intacte leur sexualité, malgré la routine du mariage. Un avertissement cependant : certaines personnes n'aiment pas être touchées par surprise. Elles ont l'impression d'être attaquées et se raidissent. Il est même possible que cela leur rappelle des expériences malheureuses, auquel cas ce petit jeu ne doit pas figurer dans le répertoire du couple.

Un jeu inoffensif qui semble malheureusement passé de mode est celui du déshabillage. C'est probablement l'attitude terre à terre des adultes face à leur sexualité qui est responsable de cet oubli. Pourtant, les femmes adorent que leur partenaire retire les épingles de leurs cheveux, déboutonne lentement leur chemisier, défasse lentement leur jupe tout en les caressant. Pour certaines, les caresses les plus érotiques se produisent au moment du déshabillage. Une femme sexuellement épanouie m'a raconté ceci : « Mon mari met parfois près d'une demi-heure pour me déshabiller. Et il ne m'enlève les sous-vêtements qu'au tout dernier moment. Il caresse et masse mon vagin à travers la soie. Il m'arrive d'atteindre l'orgasme avant d'être entièrement déshabillée. »

Cette femme désirait savoir si ses réactions avaient quelque chose d'anormal.

« Absolument pas, lui ai-je répondu. Vous n'avez rien d'anormal. Vous avez simplement beaucoup de chance. »

Jeux de mains

La masturbation a mauvaise réputation auprès des adultes car, lorsqu'ils étaient enfants, elle leur était interdite. Non seulement nous racontait-on qu'elle ferait pousser des verrues sur nos mains ou qu'elle nuirait à notre croissance, mais encore nous avertissait-on qu'elle pouvait devenir une drogue au même titre que les stupéfiants ou le tabac, qu'elle nous empêcherait d'apprécier la seule véritable activité sexuelle permise. D'ailleurs, chez les adultes, la masturbation est considérée comme une régression et tout adulte qui persiste à s'adonner à cette activité « dépravée » doit forcément être vieux, laid, bizarre et incapable de trouver un partenaire. Plusieurs personnes m'ont annoncé fièrement qu'une fois mariées elles avaient renoncé à la masturbation, un peu comme elles m'auraient annoncé qu'elles avaient renoncé au whisky. Et pourtant, la majorité des adultes se masturbent, seuls et en secret et, souvent, avec honte. Sortir cette activité du placard pour l'introduire dans le lit que vous partagez avec votre conjoint demandera du courage. Mais c'est un courage qui ajoutera à la variété de votre vie sexuelle.

D'abord, la masturbation est une variante agréable du coït. Elle vous permet de rendre d'autres pratiques sexuelles agréables en elles-mêmes et non comme simples préliminaires. Une fois que vous aurez abandonné votre timidité, la masturbation partagée pourra vous faire retrouver les joies d'un retour à l'âge tendre au cours duquel les rapports sexuels avec une autre personne nous étaient interdits.

Du point de vue affectif, la masturbation avec votre partenaire vous permet de vous rapprocher l'un de l'autre : en partageant votre « honteux » secret, vous partagez aussi votre vulnérabilité. Quel soulagement! Mais un problème risque d'apparaître : en vous masturbant devant votre partenaire (en tandem) ou en masturbant votre partenaire (masturbation mutuelle) vous avouez implicitement que le coït avec lui (ou elle) n'est pas la seule forme de sexualité que vous vous permettez. Certaines personnes peuvent interpréter cela comme un rejet, jusqu'au jour où elles se rendent compte que, lorsqu'elles s'y livrent elles-mêmes, il n'est aucunement question de rejet. Chez un homme qui place sa femme dans la catégorie des «madones», dépourvues de besoins et de désirs sexuels, la masturbation mutuelle peut être une révélation : sa femme est en réalité un être sexué avec qui il peut s'adonner à toutes sortes de variantes et non au seul accouplement.

En alternant avec la masturbation (que vous le fassiez vous-même ou que votre partenaire le fasse pour vous), vous ressentirez une excitation particulière car vous pouvez regarder votre partenaire. Vous pouvez concentrer entièrement votre attention sur ses sensations et ses réactions et observer son orgasme. Non seulement c'est excitant — c'est d'ailleurs un fantasme assez fréquent —, mais de plus nous apprenons comment notre partenaire réagit à la stimulation sexuelle.

En vous masturbant ensemble (mutuellement ou en tandem), vous pouvez aussi vous décharger d'une bonne part de tension. La synchronisation, bête noire des hommes obsédés par la performance, n'entre plus en ligne de compte. Il n'y a aucune contrainte de temps, aucune synchronisation des réactions. Il n'est pas nécessaire de tout interrompre lorsque l'homme éjacule ou lorsque la main de la femme se fatigue. Les périodes de repos ne sont pas seulement «permises», elles sont recommandées pour favoriser une accumulation de tension.

L'embarras n'est que l'une des manières dont nous réussissons à inhiber notre plaisir. Un autre problème résulte de notre manque de souplesse. La majorité des gens ont tendance, lorsqu'ils sont seuls, à se masturber toujours de la même manière : avec le même fantasme à l'esprit, de la même main, dans la même position, à la même vitesse. Ce manque de souplesse peut causer certains problèmes lorsqu'on désire partager cette expérience avec son partenaire. Nous ne sommes pas dans la position habituelle, nous ne parvenons pas à nous concentrer sur le fantasme habituel, notre partenaire ne nous touche pas de la même manière que nous. Pour apprécier la masturbation à deux, il faut donc apprendre à être plus souples lorsque nous sommes seuls. Par exemple, si nous avons l'habitude de nous asseoir, il faudrait essayer la fois suivante de s'allonger ou de rester debout. Si nous avons l'habitude d'utiliser la main droite, il serait judicieux d'essayer de le faire de la main gauche. Si nous fermons habituellement les yeux, pourquoi ne pas essayer de les garder ouverts, devant un miroir, par exemple, ce qui est d'ailleurs un bon moyen d'accepter ce que nous faisons seuls afin de le faire accepter ultérieurement par notre partenaire. En acquérant plus de souplesse dans nos habitudes lorsque nous sommes seuls, nous devenons automatiquement plus souples lorsque nous sommes deux.

Nous avons trop tendance à penser que ce qui nous plaît — tension, rythme, etc. — fera automatiquement la joie de notre partenaire. C'est pourtant rarement le cas. La communication est la clé du plaisir produit par la masturbation mutuelle, exactement comme elle est la clé du plaisir qu'engendrent tous les rapports sexuels. Ne soyez pas polis. Ne dites pas : «C'est très bien. J'aime beaucoup ce que tu fais», si tel n'est pas le cas. Car en vous dupant vous-même, vous dupez votre partenaire. Lorsque la femme dit : « Explique-moi ce qui ne va pas » au moment où l'homme perd son érection, elle sait *déjà* que quelque chose ne va pas. Lorsque l'homme demande : « Est-ce trop sensible ? » tandis que sa compagne sursaute de douleur, il sait déjà que cet endroit est effectivement trop sensible. L'honnêteté n'est pas seulement la meilleure attitude à adopter, c'est aussi la plus agréable à moyen terme.

La meilleure méthode de masturbation mutuelle commence sans doute par la pratique de la masturbation en tandem. Ainsi, aucun partenaire ne se sent « jugé » et toute gêne est éliminée par le fait que tous deux sont en train de s'y adonner simultanément. Bien entendu, cela signifie que vous seul êtes responsable de votre satisfaction sexuelle. Vous ne pouvez blâmer ni votre partenaire ni les circonstances si l'expérience ne vous plaît pas autant que prévu. C'est d'ailleurs l'avantage de cette activité : vous êtes libre de vous satisfaire et vous êtes certain de ne pas encourir de critiques inhibantes.

Cette expérience peut se révéler étonnamment érotique pour chacun de vous. En outre, elle permet de partager une intimité particulière et d'en apprendre davantage sur la sexualité de votre partenaire. Ne vous cachez rien : si vous avez l'habitude de vous masturber dans la salle de bains sous un filet d'eau pour stimuler votre clitoris, ou encore si vous utilisez un vibromasseur, n'hésitez pas à le faire. Caressez les endroits que vous aimez caresser : le ventre, les cuisses, les seins, la région anale et vaginale ainsi que le clitoris. De même, les hommes devraient utiliser les accessoires qu'ils aiment en privé : crèmes, lotions, etc. Ils ne devraient pas hésiter à caresser les régions qu'ils caressent habituellement : les testicules, la région anale, les cuisses, de même que le pénis. N'oubliez pas qu'une fois qu'on s'est décidé à dévoiler un secret il est ridicule d'être gêné par les détails.

Vous êtes maintenant prêts à apprécier la masturbation mutuelle, consécutivement ou simultanément.

Masturbation mutuelle (homme)

Les deux partenaires ressentent le maximum de plaisir lorsque c'est celui qui subit la masturbation qui dirige les opérations. Il explique ce qui lui plaît le plus. Pour commencer, il pose sa main sur celle de l'autre (en l'occurrence la femme) pour la guider vers les bons endroits, pour lui montrer combien de pression il faut appliquer, avec quelle force et quelle vitesse elle doit caresser. La plupart des hommes apprécient une stimulation manuelle vigoureuse de leur pénis, surtout lorsqu'ils approchent de l'orgasme. Pourtant, les femmes trouvent cela difficile à faire, car elles ont peur que leur partenaire ressente de la douleur si elles secouent ou serrent son pénis très fort. Dans ces circonstances, il est judicieux d'écouter ce que dit l'homme et de suivre ses suggestions. Il ne manquera pas de protester s'il trouve l'expérience douloureuse.

Il devrait également vous faire savoir s'il aime ou non qu'on saisisse son pénis avant qu'il ait atteint une érection partielle. Beaucoup d'hommes trouvent désagréable la stimulation directe lorsque leur pénis n'est pas en érection et préfèrent qu'on les touche ailleurs, sur le ventre, les cuisses ou les fesses. Cependant, ils peuvent apprécier la stimulation orale dès le départ. Mais, de nouveau, une bonne communication est essentielle si vous voulez ressentir un plaisir optimal.

Avant de commencer, il est également judicieux de discuter de la manière dont l'homme aime être touché *après* l'orgasme. Beaucoup d'hommes préfèrent que leur partenaire se contente de serrer assez fort leur pénis. En général, la tête du pénis devient trop sensible à ce stade pour être directement stimulée. Mais ce n'est pas le cas pour tous les hommes. Certains sont capables d'orgasmes multiples. Ils ne perdent pas leur érection après l'éjaculation et peuvent avoir un ou plusieurs autres orgasmes consécutifs si la femme continue de les stimuler.

La masturbation mutuelle permet à l'homme d'acquérir, de perdre et de récupérer son érection sans gêne, évitant ainsi toute crise d'impuissance provoquée par l'anxiété. Au cours de la masturbation, la perte d'une érection n'est pas la catastrophe qu'elle semble être pendant le coït. Comme je l'explique à mes patients, « ce n'est pas comme si l'Everest s'écroulait ». Les deux partenaires peuvent apprendre à se relaxer, voire à prendre quelques petites pauses, convaincus que l'érection reviendra un peu plus tard. Il est également nécessaire de démentir un autre mythe destructeur, selon lequel une fois que l'homme a éjaculé, tout se termine. C'est totalement faux. L'homme est loin d'être exténué et, même s'il ne peut avoir une autre érection ce soir-là, rien ne l'empêche de masturber sa partenaire.

Masturbation mutuelle (femme)

De nouveau, n'oubliez pas que c'est *elle* qui dirige les opérations. Elle explique ce qu'elle veut, comment l'homme doit placer sa main qu'il est parfois préférable de guider. La physiologie des femmes rend cette « prise en charge » particulièrement importante car le clitoris est extrêmement sensible jusqu'au moment où la femme est suffisamment excitée pour qu'il se retire sous son capuchon. C'est à ce moment-là seulement que la stimulation directe du clitoris devient agréable et excitante. L'homme ne dispose d'aucun moyen pour savoir si le clitoris a disparu sous son capuchon, sauf l'utilisation d'une loupe! Il faut donc que sa partenaire le guide. En outre il arrive que, lorsque l'orgasme approche, la femme trouve désagréable la stimulation directe du clitoris. Il est préférable que la main de l'homme demeure immobile afin que la femme puisse frotter son corps contre celle-ci. Elle peut ainsi vraiment doser la stimulation.

Après l'orgasme, le clitoris sort de son capuchon et devient extrêmement sensible. La femme ne doit pas craindre à ce stade de repousser la main de son partenaire. Si le couple a préalablement discuté de ce phénomène, l'homme ne doit pas se sentir rejeté lorsque la femme repousse temporairement sa main. Il sait ce qui arrive.

Certaines femmes atteignent l'orgasme grâce à la seule stimulation des seins. En général, il s'agit d'une stimulation vigoureuse. Les seins sont frottés, les mamelons sont pétris ou sucés avec force. Mais, nombreuses sont les femmes qui n'aiment que les caresses légères. Une fois de plus, le dialogue s'impose. Des négociations sont parfois utiles si l'homme aime caresser vigoureusement la poitrine de sa compagne tandis qu'elle n'apprécie que la stimulation délicate.

La communication idéale se fait souvent sans paroles. Un gémissement de plaisir indique l'approbation aussi efficacement que des mots, tandis qu'un petit «aïe!» et une légère pression exercée sur la main suffisent à faire comprendre que l'endroit stimulé est devenu trop sensible.

L'amour gourmand

L'amour oral est souvent considéré comme « sale » et dégradant. Quelqu'un qui ose réclamer à son partenaire une stimulation orale l'insulte et le méprise. En particulier, on estime qu'un homme qui demande à son épouse de lui accorder cette faveur fait d'elle une « prostituée ». Par conséquent, certains hommes hésitent à réclamer cette forme de plaisir, même lorsqu'elle est au centre de leurs fantasmes favoris. Et nombre d'autres se sentiraient insultés si leur partenaire la leur réclamait.

Une femme m'a expliqué : « J'aimerais parfois prendre le pénis de mon mari dans ma bouche mais seulement de ma propre initiative. J'ai horreur qu'il me le demande. J'ai l'impression d'être son esclave. »

J'ai tenté de la persuader qu'il n'en était rien, surtout si son mari acceptait ensuite de lui « rendre la pareille ».

Je sais bien qu'il existe des hommes et des femmes qui sont dégoûtés lorsqu'ils sentent une langue se promener sur leur corps. Il s'agit de gens qui éprouvent une véritable aversion pour tout ce qui est humide, du sable mouillé aux lotions hydratantes en passant par les sucettes glacées. Il serait mesquin de les harceler afin de les obliger à surmonter cette phobie. Mais beaucoup d'autres se refusent à pratiquer l'amour oral pour des raisons plutôt spécieuses. En première place vient généralement l'idée que l'amour oral n'égale pas le coït, il n'est que son substitut frivole. Comme je l'ai déjà mentionné, ce type de pensée conduit tout droit à l'apathie sexuelle.

Certaines personnes considèrent l'amour oral comme sale, j'entends par là non hygiénique. Pourtant nos organes génitaux sont plus propres que notre bouche et le fait que l'urine traverse le pénis n'y change rien. D'ailleurs l'urine contient moins de microbes transmissibles que la salive. Nous ne sommes guère dégoûtés à l'idée de mettre nos doigts dans la bouche de notre partenaire, n'est-ce pas? Pourquoi serions-nous dégoûtés à l'idée d'y mettre nos organes sexuels? En dépit des idées qu'on nous a inculquées très tôt («c'est sale là-dedans»), cette aversion n'est pas justifiée. Si vous le préférez, vous pouvez laver vos organes génitaux avant de faire l'amour oral.

Un autre mythe qui empêche certaines personnes d'apprécier l'amour oral est l'association automatique de cette activité avec l'homosexualité. C'est ainsi qu'«ils» le font. Comme l'amour oral n'exige pas que les deux partenaires soient de sexe opposé, il doit s'agir d'une perversion. Laissez-moi vous dire que vous pourriez tenir le même raisonnement à propos de l'habitude qu'ont les amants de se tenir par la main. Personne ne devient subitement homosexuel en faisant l'amour oral avec son conjoint.

Certains couples se plaignent si l'un des partenaires désire l'amour oral tandis que l'autre ne veut pas en entendre parler. Je leur explique qu'ils devraient faire leur possible pour se satisfaire mutuellement. La situation ne devient problématique que si l'un des deux refuse catégoriquement de faire plaisir à l'autre.

L'amour oral commence par le baiser : bouche à bouche, bouche à oreille, bouche à sein, etc. Ce n'est pas seulement la partie de notre corps qui est stimulée mais notre bouche elle-même. La bouche et la langue sont des zones érogènes. La plupart des hommes et des femmes apprécient l'amour oral qui ne se cantonne pas aux organes sexuels. Les baisers doivent se donner sur la totalité du corps, de la tête aux pieds.

L'amour oral (femme)

En général, les femmes aiment qu'on leur fasse oralement ce qu'on leur fait manuellement. Elles aiment être stimulées aux mêmes endroits, avec la même pression, à la même vitesse et avec la même vigueur. C'est la femme qui doit guider son partenaire, soit verbalement, soit par gestes, en posant ses mains sur la tête de l'homme.

En général, la stimulation orale doit commencer par des caresses légères *autour* du clitoris et non directement sur celui-ci. Beaucoup de femmes apprécient une exploration de leur vagin et des grandes lèvres vaginales. Ce n'est qu'une fois qu'elles sont excitées qu'elles supportent la stimulation directe du clitoris. L'homme peut lécher, sucer ou doucement tirer avec ses lèvres ce petit organe. De nouveau, le dialogue est essentiel. Seule la femme sait exactement ce qu'elle ressent.

Les hommes (et les femmes) me racontent fréquemment qu'il n'y a qu'un aspect de l'amour oral qu'ils n'aiment pas : la saveur des sécrétions. Pourtant, comme nous l'avons vu au chapitre 10, il est facile d'y prendre goût. Cependant, il ne s'agit pas d'un problème insurmontable. La confiture, la crème fouettée ou le miel peuvent non seulement rendre l'amour oral plus « gourmand », mais en faire aussi une activité plus frivole et plus amusante. Quant au problème posé par le goût déplaisant des gelées vaginales qui accompagnent le diaphragme, il est facilement résolu si vous attendez le moment même du coït pour introduire le diaphragme.

Un dernier avertissement : beaucoup de femmes qui sont incapables d'atteindre l'orgasme par la masturbation mutuelle pensent que l'amour oral sera tout aussi décevant. Il est possible que ce ne soit pas le cas. Certaines de ces femmes s'aperçoivent ultérieurement que *seul* l'amour oral leur permet d'atteindre l'orgasme. Dans certains cas, il est possible que cela soit dû au fait qu'elles se sentent moins inhibées, sachant qu'elles ne sont pas observées.

L'amour oral (homme)

La plupart des hommes apprécient la stimulation orale de leur pénis. Ils aiment que leur femme le lèche de haut en bas, qu'elle passe sa langue sous la tête de l'organe, qu'elle le suce ou l'embrasse vigoureusement. Certains hommes aiment aussi qu'on lèche leur scrotum et leurs testicules. Malheureusement, un grand nombre d'entre eux jugent cette dernière activité trop « menaçante ». Comme d'habitude, la femme doit laisser l'homme la guider et lui indiquer ses préférences.

Cependant, les femmes prennent conscience de deux problèmes liés à la stimulation orale du pénis : tout d'abord, il s'agit d'une activité très fatigante ; ensuite, elles craignent de s'étouffer, soit en raison de la taille du pénis, soit en avalant le sperme.

Il est effectivement fatigant de tenir la bouche grande ouverte en prenant garde de ne pas laisser les dents mordre le pénis. La solution la plus simple consiste à prendre des pauses tout en poursuivant la stimulation à l'aide de la main. Vous pouvez aussi alterner deux activités : lécher le pénis de haut en bas, puis vous remettre à sucer.

La peur de l'étouffement est très courante car nombreuses sont les femmes qui se sont senties suffoquer au moment où l'homme avançait brusquement son pénis vers l'ouverture de la gorge. En général, ce mouvement est instinctif. Le pénis recherche une stimulation plus puissante. Vous disposez de deux solutions : tout d'abord, essayez de stimuler le pénis avec suffisamment de force pour que votre partenaire ne ressente pas le besoin de donner un coup brutal. Si cela ne suffit pas à dissiper vos craintes, je vous recommande de tenir le pénis à la base et, tandis que vous avancez et reculez votre tête, laissez la main qui tient l'organe glisser légèrement entre le corps de votre partenaire et votre bouche. Vous savez que s'il donne un coup brusque, votre main servira de frein. Lorsque survient l'éjaculation, n'ayez pas plus peur de vous étouffer que si on venait de verser une cuillerée de sirop sur l'arrière de votre langue.

Bien sûr, je sais que beaucoup de femmes ne peuvent s'empêcher d'avoir peur. Plutôt que de délaisser l'amour oral, je vous suggère de conclure un marché : il promettra de repousser votre tête en arrière lorsqu'il sentira l'éjaculation venir, et vous promettrez de lui faire confiance.

Remarquez que le mythe de la «simultanéité de l'orgasme» a trouvé le moyen d'empoisonner aussi l'amour oral. Trop de gens croient que la seule manière «possible» de le faire consiste à être stimulé simultanément, ce qu'on appelle la position «69». Bien sûr, cette position a ses agréments, mais beaucoup de couples estiment qu'il est plus plaisant d'alterner avec la stimulation orale. Cela leur permet de se concentrer plus pleinement et plus égoïstement sur leurs propres sensations.

La porte de derrière

L'idée même d'amour anal entre hétérosexuels (l'homme insérant son pénis dans l'anus de la femme) est difficile à évoquer sans que toutes sortes d'anxiétés et de dégoûts se manifestent. Non seulement associons-nous l'amour anal à l'homosexualité, mais encore nous rappelle-t-il la bestialité (l'amour avec des animaux). Et, *surtout*, on se sert de la partie la plus «sale» de notre anatomie. Pour la plupart d'entre nous, il s'agit d'une expérience sexuelle qui va décidément trop loin. Ce n'est pas une variante que je suggérerais aux couples qui en éprouvent une violente aversion. Mais si l'idée fait partie intégrante de vos fantasmes et si vous savez que votre anus est sexuellement sensible, ne vous refusez pas ce plaisir simplement parce qu'il n'a pas très bonne réputation auprès de la majorité des gens. Ce n'est nullement de la perversion de votre part et vous découvrirez peut-être que vous venez de mener à bien votre fantasme le plus excitant.

Un avertissement cependant : ne passez pas de l'insertion anale du pénis à l'insertion vaginale sans une petite toilette. Ce n'est pas une question de «saleté». Certaines bactéries anales peuvent provoquer une irritation vaginale, voire une infection.

La meilleure méthode consiste à commencer par une stimulation manuelle : insérez un doigt dans l'anus de votre partenaire et faites-le tourner en un mouvement rotatif (peut-être après l'avoir enduit de vaseline), puis insérez un deuxième doigt et un troisième, au fur et à mesure que votre partenaire apprend à se décontracter et à étirer les muscles qui entourent le sphincter anal. Trois doigts suffisent en général à assurer suffisamment de place au pénis. (Certains couples préfèrent utiliser un objet lisse, tel qu'un vibromasseur.)

Le Graal... Plus...

Avant de commencer à rédiger cet ouvrage, je m'étais promis de ne pas écrire un manuel d'éducation sexuelle qui comporterait la description des 101 positions exotiques... et acrobatiques pouvant servir aux rapports sexuels. A vrai dire, nous préférons ne pas avoir trop d'acrobaties à faire au moment où nous nous concentrons sur nos sensations. Voici cependant quelques méthodes inoffensives que je recommande à ceux qui désirent accroître leur plaisir sexuel.

- *Le coït assorti de la stimulation manuelle :* Beaucoup de femmes ont de la difficulté à atteindre l'orgasme à l'aide de la seule stimulation vaginale. Le pénis en mouvement de leur partenaire ne suffit pas. Dans ce cas, il est préférable de combiner le coït à la stimulation manuelle. Si la femme désire stimuler elle-même son clitoris, elle devra s'asseoir sur son partenaire ou ils devront adopter la position en T (voir ci-dessous). Si c'est l'homme qui stimule, la meilleure position consiste à pénétrer le vagin par-derrière. Ainsi, la main de l'homme peut passer par-devant jusqu'au clitoris.
- *Au sommet du monde :* Les femmes qui apprécient la stimulation clitoridienne pendant le coït peuvent commencer par s'asseoir sur l'homme puis ensuite s'étendre sur son pénis ; elles avancent et reculent, stimulant ainsi leur clitoris contre le pénis même.
- *La position en T :* Cette position, trop souvent négligée, permet de faire l'amour sans grands efforts et est idéale pour les femmes enceintes, les personnes qui souffrent de maux de dos ou les époux « trop fatigués » pour un accouplement traditionnel. Dans cette position, l'homme est étendu sur le côté et la femme est étendue sur le dos à un angle de quarante-cinq degrés par rapport à lui, les jambes passées sur son flanc et les fesses contre son pénis, de manière qu'il puisse la pénétrer facilement par-derrière. Le mouvement est facile : elle peut soit le bercer d'avant

en arrière, soit se bercer elle-même d'avant en arrière à l'aide de ses jambes.

- *Côte à côte:* La plupart des couples connaissent cette position mais ont de la difficulté à l'adopter. La meilleure méthode consiste à commencer dans la position dite du missionnaire. Ensuite, l'homme roule doucement sur le côté jusqu'à ce que les deux partenaires soient face à face. La femme devra remonter la jambe qui passe sous le corps de l'homme jusqu'au niveau de la taille de celui-ci, de manière à ne pas être gênée par le poids et la dureté des os de son partenaire.

Pot-pourri

La variété sexuelle n'a comme seules limites que l'imagination et l'espièglerie des partenaires. Elle repose sur l'idée que la sexualité doit être perçue comme un jeu et non comme une affaire sérieuse, régie par des règles et des habitudes. Tout est valable mais ce qui est valable un soir ne l'est pas nécessairement le lendemain. Vous pouvez avoir envie de vous masturber mutuellement un soir, vouloir faire l'amour oral le lendemain et décider de passer au coït le surlendemain. Ou de faire les trois le même soir. Et il n'est pas nécessaire que ce soit parfait chaque fois.

Par exemple, trop de couples ont relégué aux oubliettes la merveilleuse prise «à la sauvette». Mais pourquoi ne pas satisfaire un désir soudain alors que vous êtes tous les deux sur votre trente et un, prêts à sortir? Elle baisse sa culotte et ses bas, il ouvre sa braguette et hop! Quel plaisir! Bien sûr, c'est loin d'être parfait mais, pour une fois, vous avez laissé votre spontanéité vous dicter votre conduite. C'est ainsi que vous garderez en bonne santé vos instincts sexuels.

En outre, évitez de faire toujours l'amour au même endroit. Que pensez-vous de la salle de bains, de la douche, de la moquette du salon lorsque les enfants sont sortis ? Pourquoi ne pas retomber en enfance et emprunter la gouache de vos enfants pour vous peindre mutuellement le corps ? Pourquoi ne pas se chatouiller mutuellement avec des plumes, se tartiner de confiture, de marmelade, etc. ? Je ne puis écrire le scénario à votre place. Laissez vagabonder votre imagination.

15

Les sept étapes
de la sexualité conjugale

« *Comment pourrais-je faire l'amour avec la même personne pour le restant de mes jours ?* »

Comme nous l'avons vu, cette question a deux réponses :

— C'est presque impossible.

et :

— C'est la meilleure sexualité possible.

La réponse que vous choisissez dépend de certains choix fondamentaux que vous avez été obligé de faire : opter pour une sexualité positive, mouvante, avec votre partenaire, une sexualité qui vous oblige à prendre mutuellement la responsabilité de vous exciter, ou choisir une sexualité négative, statique, qui vous conduira à reprocher à votre partenaire, et au monde entier, l'échec de votre vie sexuelle, alors que vous êtes le seul et unique responsable.

Chacun de ces choix implique une sexualité qui diffère d'un couple à l'autre. Cependant, au cours des années, j'ai fini par détecter des étapes générales d'évolution sexuelle positive chez les couples qui choisissent la sexualité mouvante, ainsi que des étapes générales d'effondrement sexuel chez les couples qui succombent à la sexualité statique. En examinant ces étapes, vous aurez une vague idée de la direction que votre vie sexuelle a prise. Vous pourrez peut-être aussi découvrir comment votre partenaire et vous devriez agir afin de retrouver une direction plus positive.

Sept étapes négatives :

1. *L'autosatisfaction :* « Notre vie sexuelle est parfaite, merci. Nous maintenons une fréquence normale qui est en rapport avec notre âge et la moyenne nationale. Nous le faisons toujours de la même façon et nous ne nous intéressons qu'au coït. Nous n'avons à nous plaindre de rien. »
2. *Alibi numéro un, la « nature » :* « Il est naturel que la sexualité s'émousse au fur et à mesure que notre mariage mûrit. C'est ce qui arrive à tous les couples que nous connaissons. Les enfants et le travail limitent naturellement la fréquence de nos rapports. Mais, avec les années, la sexualité perd de son importance. C'est une question de perspective. »
3. *Alibi numéro deux, le « temps » :* « Nous sommes soit trop occupés, soit trop fatigués pour faire l'amour. Nous n'avons pas le temps de tout faire et c'est notre sexualité qui doit être sacrifiée. »
4. *La corvée sexuelle :* « A ce stade de notre vie, la sexualité n'est qu'une autre corvée qu'il faut bien faire pour s'en débarrasser. Nous faisons l'amour pour conserver une moyenne respectable et pour que notre caractère ne s'aigrisse pas. »
5. *Alibi numéro trois, le « partenaire » :* « Il faut voir les choses en face. L'ensorcellement a disparu. Il (ou elle) ne m'excite plus du tout. »
6. *La frustration :* « En fait, je me sens sexuellement frustré(e) les trois quarts du temps. Les seuls désirs sexuels que j'éprouve sont associés à des

fantasmes : j'imagine que je fais l'amour avec quelqu'un d'autre. »

7. *Dernier alibi*, « *l'âge* » : « Nous sommes trop vieux pour cela. Cette période de notre vie est terminée... Dieu merci ! »

Sept étapes positives :

1. *L'espoir prudent :* « Nous avons l'impression que notre vie sexuelle pourrait être encore meilleure. Si nous pouvions trouver un moyen de supprimer ces "douches froides" qui nous tombent dessus et essayer de nous décontracter, nous nous amuserions sans doute beaucoup plus. »

2. *La timidité :* « Nous nous sentons un peu ridicules en jouant à des jeux et en essayant des exercices visant à améliorer la qualité de notre vie sexuelle. Nous ressentons une espèce de timidité, de gaucherie. Nous avons l'impression d'être des enfants et non des adultes. D'ailleurs, pourquoi la sexualité ne viendrait-elle pas naturellement ? Pourquoi devrions-nous faire un effort conscient pour l'améliorer ? »

3. *La percée :* « De temps à autre, nous avons des rapports sexuels entièrement différents des autres fois. C'est comme si nous le faisions pour la première fois. Cela nous arrive environ un soir sur dix, et nous finissons par penser que l'effort en vaut peut-être la peine. »

4. *Le recul :* « Ça paraît si difficile... Tout ce "travail" simplement pour apprendre à s'amuser. Nous en avons assez de vouloir améliorer la qualité de notre vie sexuelle. Pourquoi ne serions-nous pas satisfaits de l'état actuel des choses ? Ce n'est tout de même pas si mal. »

5. *La décontraction :* « Depuis quelque temps, nous nous sentons plus décontractés lorsque nous fai-

sons l'amour. Le feu d'artifice ne se produit pas tous les soirs mais c'est sans importance. Nous faisons l'amour plus souvent qu'avant et nous nous sentons mieux dans notre peau. »

6. *La confiance:* «C'est un véritable plaisir de faire l'amour avec la même personne au fur et à mesure que les années passent, de connaître ses désirs et ses réactions, d'être capable de tenter des expériences avec elle. Je me sens à la fois en sécurité et en pleine aventure. »

7. *L'aventure:* «Notre vie sexuelle évolue constamment. Nous avons l'impression que nous ne manquerons jamais d'idées pour nous exciter mutuellement jusqu'à la fin de nos jours. »

Cette aventure peut commencer maintenant. Tous ceux et toutes celles d'entre nous qui ont la chance de vivre une relation échelonnée sur toute une vie y ont accès. Hâtons-nous d'en profiter.

Dans la collection J'ai lu Bien-être

Dr ERICK DIETRICH et Dr PATRICE CUDICIO
Harmonie et sexualité du couple

Être heureux à deux, vivre en couple :
voilà l'aventure la plus importante de notre
existence, celle dont on attend le plus
de bonheur et de plaisir. Mais, au fil du temps,
l'harmonie du couple est souvent difficile
à préserver.

**On le sait, une sexualité épanouie est
un facteur déterminant d'équilibre.**
Or, dans ce domaine, nos connaissances sont
approximatives, parfois même fausses.
**Comment comprendre la sexualité de notre
partenaire et satisfaire ses désirs ?
Comment déjouer les pièges de la routine ?**

Les docteurs Dietrich et Cudicio répondent avec
précision à ces questions et à bien d'autres.

**Une approche humaine et nouvelle
de la sexualité du couple qui sera utile
à tous ceux qui croient au bonheur
d'être deux.**

Dr Erick Dietrich et Dr Patrice Cudicio
*Erick Dietrich, sexologue et analyste somatothérapeute,
est secrétaire général du Syndicat national
des médecins sexologues.
Patrice Cudicio, attaché au CHU de Rennes,
est président du Syndicat national des médecins
sexologues.*

Collection J'ai lu Bien-être, 7061/5

CÉLINE GÉRENT
Savoir vivre sa sexualité

Le manuel pour tous de la vie amoureuse.

L'amour est un art qui exige autant
de créativité que de savoir-faire.

Etre attentif aux désirs de l'autre, découvrir
la magie des caresses, la maîtrise de soi, la
complicité, apprendre à donner autant qu'à
recevoir... l'amour, c'est tout cela.

**Un glossaire de 128 mots clés,
qui renseigne, explique, prévient
de manière simple, délicate et sans tabous.**

**De l'éveil des sens à la sexualité
du troisième âge,** une documentation
complète sur la vie amoureuse et sexuelle.

Concret, direct, sensible, un manuel pratique
à mettre entre toutes les mains.

Céline Gérent

*Parallèlement à une carrière administrative,
elle a étudié, en France et en Inde, les
philosophies occidentales et orientales,
la psychologie et la linguistique.
L'enseignement qu'elle en a tiré
a servi de base à sa réflexion sur
le comportement sexuel de nos
contemporains.*

Collection J'ai lu Bien-être, 7014/5

Dr FRANÇOISE GOUPIL-ROUSSEAU

Sexualité :
réponses aux vraies
questions des femmes

Des conseils simples pour aider chacune
à trouver l'épanouissement !

Tout ce que vous avez voulu savoir sur
la sexualité sans jamais oser le demander !

Doit-on avoir honte de ses fantasmes ?
Comment combattre la routine sexuelle ?
Faut-il avouer ou bien cacher une liaison ?
Comment réagir face au spectre du sida ?
Enceinte : que devient le désir ? Que dire aux
adolescents à l'aube de leur vie amoureuse ?
Qu'est-ce que l'impuissance ?
Le plaisir sexuel décroît-il avec l'âge ?
Et si les femmes se trompaient
sur le plaisir des hommes ?

Questions délicates voire taboues ! Parce qu'elle
a écouté des centaines de femmes, le docteur
Françoise Goupil-Rousseau sait répondre avec
sérénité aux vraies questions des femmes.

Des conseils simples pour aider chacune
à trouver l'épanouissement !

Dr Françoise Goupil-Rousseau

*Gynécologue, attachée à l'hôpital Cochin.
Sous le nom de Françoise G. elle a animé
pendant neuf ans la rubrique "Courrier sur
la sexualité" de Marie-Claire et, pendant
deux ans, une émission quotidienne sur RTL.*

Collection J'ai lu Bien-être, 7025/3

ROBIN NORWOOD
Ces femmes qui aiment trop

Etre heureuse en amour.
Comprendre l'origine des passions

Qui ne rêve du grand amour où chacun s'épanouit par et pour l'autre ? **Qu'y a-t-il de plus beau que le parfait échange entre deux êtres, la confiance mutuelle ?**

Mais, les femmes le savent, l'amour trop souvent engendre la souffrance. **Trop aimer** c'est cela : aimer en se sacrifiant... **confondre amour et souffrance.**

Pourtant le bonheur durable est possible !
Oui, si l'amour est fondé sur l'indépendance psychologique de chacun et non sur les comportements exclusifs ou l'inquiétude. Comment éviter que des craintes anciennes, un manque de confiance en nous ne finissent par entraver notre capacité au bonheur ?

A l'aide d'exemples et de témoignages, ce livre aidera toutes les femmes à mieux se connaître, **à être vraiment heureuses en amour !**

Robin Norwood

Psychothérapeute, elle s'est consacrée aux problèmes de l'alcool et de la toxicomanie avant de se spécialiser dans le traitement des femmes qui s'enferment dans la dépendance affective vis-à-vis de leur compagnon. Elle s'intéresse à l'analyse du comportement humain.

Collection J'ai lu Bien-être, 7020/3

STEVEN CARTER et JULIA SOKOL
Ces hommes
qui ont peur d'aimer

Les femmes connaissent bien ces hommes
qui séduisent, déclarent leur amour, puis fuient
pour ne pas s'engager... Plutôt que de s'en sentir
coupable, mieux vaut comprendre.
**Que craignent-ils, ces hommes
des amours impossibles ?**

L'homme qui a peur d'aimer est le partenaire
idéal de la femme qui aime aveuglément.
Chacun souffre dans son rôle. **D'où viennent
ces peurs ? Peut-on les soulager ?
Les résoudre ? Peut-on retrouver
la confiance en soi perdue ?**

Après *Ces femmes qui aiment trop*, ce livre
prolonge l'exploration des amours difficiles
ou déçues. Nourri d'exemples où chacun,
chacune reconnaîtra une part de soi-même,
il aide ceux ou celles qui veulent enfin choisir
**l'amour vrai où l'un comme l'autre
saura s'épanouir.**

Steven Carter et Julia Sokol
*D'origine américaine, spécialistes de la communication,
ils sont les co-auteurs de nombreux livres à succès.*

Docteur LELEU
La Mâle Peur

Les hommes ont-ils peur des femmes ?
Mais peur de quoi ? De ce fabuleux pouvoir
de donner la vie, d'une sexualité si différente
de la leur, de la sensualité, en un mot,
peur d'aimer, peur de l'amour ?

L'auteur analyse cette peur, son histoire, ses
origines et ses conséquences. Il nous donne à
comprendre la *Mâle Peur* : pour savoir la vaincre,
s'épanouir à deux, et vivre enfin le bonheur
du désir, du plaisir.

**N'est-il pas temps d'inventer un monde
nouveau, celui du partage entre l'homme
et la femme**... un monde remis sur ses pieds,
réconcilié, où l'un s'enrichit de l'autre ?

Ce livre dédié à la femme et sa sensualité est
un chant d'espoir **pour une totale harmonie
entre l'homme et la femme**.

Dr Gérard Leleu
Après le succès du Traité des caresses,
*le Dr Gérard Leleu, auteur de nombreux best-
sellers, s'adresse à nous comme un humaniste
et un conseiller.*

Collection J'ai lu Bien-être, 7026/6

Composition Interligne B-Liège
Achevé d'imprimer en Europe (France)
par Brodard et Taupin à La Flèche (Sarthe)
le 31 octobre 1997. 1250T-5
Dépôt légal octobre 1997. ISBN 2-277-07102-1
1ᵉʳ dépôt légal dans la collection : janvier 1996

Éditions J'ai lu
84, rue de Grenelle, 75007 Paris
Diffusion Flammarion (France et étranger)